W9-DBL-829

Читайте романы
примадонны иронического детектива
Дарьи Донцовой

Сериал «Виола Тараканова. В мире преступных страстей»:

1. Черт из табакерки
2. Три мешка хитростей
3. Чудовище без красавицы
4. Урожай ядовитых ягодок
5. Чудеса в кастрюльке
6. Скелет из пробирки
7. Микстура от косоглазия
8. Филе из Золотого Петушка
9. Главбух и полцарства в придачу
10. Концерт для Колобка с оркестром
11. Фокус-покус от Василисы Ужасной
12. Любимые забавы папы Карло
13. Муха в самолете
14. Кекс в большом городе
15. Билет на ковер-вертолет
16. Монстры из хорошей семьи
17. Каникулы в Простофилино
18. Зимнее лето весны
19. Хеппи-энд для Дездемоны
20. Стриптиз Жар-птицы
21. Муму с аквалангом
22. Горячая любовь снеговика
23. Человек-невидимка в стразах

Сериал «Джентльмен сыска Иван Подушкин»:

1. Букет прекрасных дам
2. Бриллиант мутной воды
3. Инстинкт Бабы-Яги
4. 13 несчастий Геракла
5. Али-Баба и сорок разбойниц
6. Надувная женщина для Казановы
7. Тушканчик в бигудях
8. Рыбка по имени Зайка
9. Две невесты на одно место
10. Сафари на черепашку
11. Яблоко Монте-Кристо
12. Пикник на острове сокровищ
13. Мачо чужой мечты
14. Верхом на «Титанике»
15. Ангел на метле
16. Продюсер козьей морды

Сериал «Татьяна Сергеева. Детектив на диете»:

1. Старуха Кристи – отдыхает!
2. Диета для трех поросят
3. Инь, янь и всякая дрянь
4. Микроб без комплексов

А также:

Кулинарная книга лентяйки
Кулинарная книга лентяйки-2. Вкусное путешествие
Кулинарная книга лентяйки-3. Праздник по жизни
Простые и вкусные рецепты Дарьи Донцовой
Записки безумной оптимистки. Три года спустя. Автобиография

Дарья Донцова

Клетчатая зебра

роман

ЭКСМО

Москва

2009

ИРОНИЧЕСКИЙ ДЕТЕКТИВ

Глава 1

Некоторые друзья, решив сделать вам что-то хорошее, для достижения своей цели не остановятся перед тем, что причинят вам кучу неприятностей и хлопот.

Я чихнула, встала с жесткой скамейки зала ожидания и нехотя двинулась на платформу: только что радио объявило о скором прибытии поезда из Мотылина. Через пару секунд в носу снова защекотало, я не успела поднести к лицу платок и издала неприлично громкое «апчхи». Шедшая рядом женщина обернулась, окинула меня сердитым взглядом и громко сказала:

— Ох уж эти москвичи! Никакого воспитания! Даже пасть, когда фыркают, не прикроют, заразы ходячие! Орут постоянно, пинаются, в магазинах цены задрали, чтоб вам сгореть!

Продолжая негодовать, она достала из сумки зонтик, раскрыла его и смело шагнула под дождь. Я же замешкалась перед выходом на улицу, с неба лились потоки воды, а мне было нечем прикрыться от внезапного ливня.

— Поезд номер бурбурцать Мотылино—Москва прибыл на бурбурую платформу, — заорал громкоговоритель.

Меня всегда удивляло: где вокзальное начальство находит дикторш, которые умудряются абсолютно неразборчиво произносить самую необходимую информацию?

— Эй, не тормози! — раздалось вдруг сзади, и в ту же секунду я ощутила толчок в спину.

Чтобы не упасть, я невольно сделала шаг вперед и очутилась на перроне, холодная вода потекла за шиворот. Я съежилась и поторопилась под навес...

Самые большие неудобства возникают тогда, когда люди намереваются от души поблагодарить друг друга. Вчера около шести утра меня разбудил телефонный звонок. Сначала я не хотела снимать трубку, надеясь, что кто-нибудь из домочадцев меня опередит и с удовольствием выскажет невидимому собеседнику все, что думает о нахале, который беспокоит людей ни свет ни заря, но противное дребезжание не смолкало, и я наконец поняла: в нашем ложкинском доме, кроме меня, никого нет. Ну да, Аркадий и Зайка уехали отдыхать на Мальдивы, а Машка, Дегтярев и Ирка с Иваном улетели в Париж, сейчас они приводят в порядок тамошний дом.

Неделю назад, восьмого июня, я провожала девочку, полковника и домработницу с садовником. Признаюсь: наше появление в VIP-зале аэропорта Шереметьево произвело фурор. Ирка гордо несла перевозку с кошками, куда до кучи еще впихнули йоркшириху Жюли, а Иван вел Банди и Снапа. Напоминаю: наши собаки не кусаются, поскольку искренне считают всех окружающих своими лучшими друзьями, но народ при виде питбуля и ротвейлера начинает нервничать. Чтобы успокоить особенно трусливых, на Банди и Снапа надели намордники, а их спины прикрыли белыми попонами с красным крестом, к которым Маша прикрепила посадочные талоны. Хуча, сохранявшего царственное спокойствие, девочка тащила на руках. И если учесть, что мопс весит двенадцать кило, Манюне, в прямом смысле этого слова, приходилось нелегко. К тому же у Хучика был только собачий проездной документ, в отличие от Банди и Снапа, имевших в самолете собственные места, мопсу предстояло путешествовать до Парижа на коленях у Маруси. Пуделиха Черри шла сама. Кстати, вот вам пример того, как внешний вид не соответствует характеру. Уже упомянутым Банди и Снапу в голову не взбредет оскалить внушительные клыки и проявить хоть каплю агрессии. Но тем не менее, узрев двух черных крупных псов, смирно шагающих рядом с хозяином, люди шарахаются в сторону, а кое-кто в ужасе возмущается:

— Собаки-убийцы! Немедленно посадите их в клетку!

Зато очаровательная пуделиха Черри, украшенная гламурным розовым ошейником со стразами, вызывает у публики полярные эмоции.

— Ах, какая миленькая, — сюсюкают окружающие, а некоторые пытаются погладить песика, смахивающего на ожившую плюшевую игрушку.

Мой вам совет: никогда не трогайте чужую собачку, сколь бы умилительной она вам ни казалась. Наша Черри — дама с характером, она запросто цапнет за ногу назойливого незнакомца и, не моргнув глазом, пойдет по своим делам. Только не подумайте, что пуделиха нанесет вам опасную рану. Нет, она в совершенстве освоила иезуитский трюк: научилась рвать колготки, брюки и юбки, даже не оцарапав кожу. Разбойные действия пуделиха совершает с ангельски невинным видом. Пострадавшие, услышав мои извинения, как правило, восклицают:

— Ну она же не нарочно!

Мне остается лишь согласиться с ними и исподтишка показать хулиганке в розовом ошейнике кулак. Впрочем, на вокзалах и в аэропортах Черри ведет себя безупречно, поэтому ей и разрешили идти на посадку без поводка.

Александр Михайлович шел один, зато он хранил сумочку с документами. Полковник сразу атаковал улыбчивую представительницу авиакомпании, которая регистрировала билеты на рейс.

— Снапу нужно место у окна, он обожает смотреть на облака, а Банди, наоборот, любит спать во время полета. Я же предпочитаю сидеть в кресле около прохода.

— Да, конечно, — растерялась девушка, — но тогда псов нужно пристегнуть ремнями безопасности.

Дегтярев, всю ночь командовавший сборами и уставший от роли начальника, моментально обозлился.

— Не нужно сообщать мне прописные истины! Кстати, у Снапа и Банди нормальные человеческие билеты, значит, им положен обед.

— Да, — покорно кивнула служащая.

— А вот в прошлый раз, — не успокаивался Александр Михайлович, — ваши стюардессы ничего не дали мальчикам, мне пришлось идти на кухню и объяснять этим блондинкам, что собака с проездным документом за полную стоимость — тоже человек.

— Да, да, — вежливо согласилась регистратор и быстро написала в плане рассадки пассажиров букву «*i*» напротив фамилии «Дегтярев».

— Что вы там такое нацарапали? — проявил бдительность Александр Михайлович.

— Всего лишь пометку для главного стюарда, которая означает, что данного пассажира следует идеально обслуживать, — смиренно опустив взгляд в стол, ответила девушка.

— Ну ладно, — успокоился полковник.

Я, наблюдая за этой сценкой, постаралась не рассмеяться.

Одна из моих французских подруг, Надин Леклерк, служит в большом отеле. Она рассказывала, что у портье есть система тайных знаков, при помощи которых они «маркируют» постояльцев. Допустим, буква «к», приписанная к имени гостя, первая от слова «кошон»[1], означает, что данное лицо безобразничает в номере, «а», от слова «аржан»[2], — говорит о щедрых чаевых, которые раздает гость. Наверное, и в авиакомпаниях пользуются нехитрым шифром, и что-то сейчас подсказывает мне, что буква «*i*» — сокращение не от «идеального обслуживания», а от слова «идиот».

Но не буду живописать отлет домашних в Париж, вернусь в то утро, когда меня на рассвете выдернул из сладкого сна настойчивый звонок телефона. Сообразив, что трубку снять больше некому, я схватила ее и сердито рявкнула:

— Слушаю!

— Утка прибудет в четверг, — раздалось в ответ.

---

[1] Свинья.
[2] Деньги.

На секунду я оторопела. Потом, подавив желание сказать: «Шпион живет этажом выше»[1], возмутилась.

— Неужели вам не стыдно? Посмотрите на часы! Беспросветная рань!

— Ты чего? — заявил, совершенно не смущаясь, незнакомец. — Уже девять, народ давно встал!

Я разозлилась еще сильнее.

— У вас будильник вверх ногами перевернут! Шесть часов!

— Так то в Москве, — обрадовался мужчина, — а у нас люди давно на огородах. Дашута, ты меня не узнала? Это ж я, Кирюха, мы с женой у тебя в Ложкине весной гостили.

Я постаралась изобразить радость.

— Кирилл! Извини, спросонья я плохо соображаю!

— Я решил сказать тебе «спасибо» за отличный отпуск, — сообщил знакомый.

— Пожалуйста, — вежливо ответила я.

Действительно, в конце марта нам на голову неожиданно свалился мой приятель студенческих лет, проживающий сейчас в городке за несколько сотен километров от Москвы. Кирилл и Лена Ласкины провели в Ложкине почти сорок дней, уехали они тридцатого апреля, а сейчас середина июня. Кирюха слегка задержался с изъявлениями благодарности. С другой стороны, лучше поздно, чем никогда.

---

[1] Даша вспоминает старый анекдот. Один разведчик должен встретиться со своим коллегой. Он приходит по нужному адресу, звонит в дверь и говорит хозяину пароль: «У вас продается славянский шкаф?» — «Ошибаетесь, — отвечает человек, — шпион живет этажом выше». *(Здесь и далее прим. авт.)*

— В знак нашей любви к тебе, — торжественно провозгласил Кирилл, — посылаем тебе утку.

— Живую? — оторопела я.

Ласкин абсолютно серьезно ответил:

— Нет, потрошеную. Попробуете домашнюю утятинку с хорошим жирком. Это тебе не магазинная замороженная дрянь, а настоящая птичка. У вас в Москве все хорошо, дома красивые, метро, театры-музеи и так далее, а вот со жратвой кирдык, яйца несвежие, молоко порошковое, яблоки пластиковые... мы с Ленкой прям изголодались. В общем, встречай завтра поезд, вагон семнадцать, место десять, Анна Сергеевна Тяпа. Это фамилия такая, она тебе посылку передаст.

И что я должна ответить благодарному Кириллу? Сказать правду: огромное спасибо, но у нас никто не будет есть жирную утку, мы предпочитаем еду диетическую, куриную грудку без кожи, например, — показалось мне невоспитанным. Я изобразила бурный восторг.

— Ой, как здорово!

— Самую большую тебе выбрал — пять кило! — уточнил Кирилл. — Поезд прибывает в десять тридцать утра. Смотри не опоздай.

Еще раз лживо изобразив восторг, я повесила трубку и пригорюнилась. Подсчитаем боевые раны: сначала Ласкины жили у нас больше месяца, и каждый день их пребывания сопровождался тайным вечерним собранием семьи в моей спальне, мы решали: кто завтра отвезет гостей в Москву, поведет их по магазинам-ресторанам-кино-выставкам, а затем доставит в целости и сохранности в Ложкино. А теперь угадайте, кому почти всегда доставалась почетная роль шофера и экскурсовода в одном флаконе? У всех находились неотложные дела. Зайка готовила пилотные выпуски новой программы и пропадала в Останкино, Аркадию предстоял сложный процесс, и наш адвокат метался между СИЗО и своим офисом, Дегтярев шел по следу серийного маньяка, Маруську попросили приглядеть за лабораторными животными, их требовалось кормить ровно через сорок восемь минут, ни секундой раньше, ни мгновением позже. Одна я, по мнению членов семьи, праздно валялась на диване.

Пять с лишним недель я развлекала Кирилла с Леной и не смогла удержать счастливой улыбки, когда они отбыли домой. И вот теперь Ласкины решили изъявить благодарность, и сегодня мне снова пришлось вскакивать ни свет ни заря, чтобы встретить поезд, который прибывает в Москву в тот час, когда я обычно пью кофе. Прибавьте ко всем неприятностям внезапно хлынувший дождь, отсутствие зонтика в моей сумке, босоножки, весьма необдуманно надетые мною для похода на вокзал, и вы поймете, какие чувства я сейчас испытываю к Ласкиным и ни в чем не повинной тушке утки. Меньше всего на свете мне хотелось идти почти босиком по грязным лужам, но деваться-то некуда. Если я не заберу утку, Кирилл с Леной обидятся!

Глубоко вздохнув, я пошла по платформе, разыскивая семнадцатый вагон. Спустя минут пять мне стало ясно: его нет, состав заканчивается шестнадцатым. Следующие четверть часа я, как испуганный лось, металась вдоль поезда, поскольку великолепно знаю, что нумерация может идти вразнобой. Но в конце концов пришла к выводу: в этом поезде нет и никогда не было вагона под нужным мне номером и о женщине с благозвучной фамилией Тяпа никто не слышал. Впрочем, была и хорошая новость: я так промокла, что перестала замечать дождь.

Потерпев сокрушительную неудачу, я побежала к своей припаркованной машине и наткнулась на прелестную компанию, состоявшую из гаишника и эвакуаторщика, которые уже успели водрузить мой автомобиль на платформу. Упрашивать братьев-разбойников пришлось довольно долго, но в конце концов оба, вполне довольные полученной мздой, удалились восвояси.

Я перевела дух, оценила свои потери, хотела отправиться в Ложкино, и тут зазвонил телефон.

— Тетя Даша, привет, — зачастил веселый голосок, — это Ира Савельева. Как дела?

Воспитанный человек не должен отвечать на такой вопрос правду, поэтому я незамедлительно воскликнула:

— Замечательно. А у тебя?

— Мне нужна твоя помощь, — объявила Иришка.

— А что надо делать? — предусмотрительно спросила я.

Ира еле слышно зашептала:

— Сущую ерунду, прийти в полдень в торговый центр «Рай»[1].

— Интересная идея, — оценила я предложение. — Она даже могла бы оказаться полезной,

---

[1] Все названия магазинов, фирм, печатных изданий, клиник, лекарств, имена дизайнеров выдуманы автором, любые совпадения случайны.

потому что я промокла до нитки и мне требуется сменить наряд. Но в машине есть запасная одежда, поэтому я сейчас переоденусь и избегу лишних расходов.

— Ничего покупать и не надо, — понизила голос Ириша. — Мы там с мамой будем, столкнемся с тобой будто случайно. Ты сразу скажи: «Ой, Верочка, Ирочка! Возьмите меня в свою компанию, одной скучно бродить!» Мама, конечно, согласится. Поняла?

Я решила не скрывать своего недоумения.

— Нет.

Ира издала стон.

— Мамуля ненавидит шляться по магазинам, но нам завтра предстоит идти на свадьбу тети Ники Пестовой. Тебя, наверное, тоже пригласили?

— Да, — подтвердила я.

Ириша обрадовалась.

— Вот видишь! Все выпендрятся в новое-шикарное, а я из всех платьев выросла. Мама думала сиреневое на меня натянуть, его папа Андрюша из Вены привез, когда туда в командировку летал. Очень красивый прикид, я в нем еще никуда не ходила. Но представляешь, он мне в груди мал!

Я ответила:

— Ничего удивительного, тебе скоро четырнадцать, а в этом возрасте дети активно растут.

Ира не преминула обидеться.

— Я уже давно взрослая!

Я спохватилась:

— Ну, конечно, милая. Я имела в виду, что фигура совершенствуется, пока девушке не исполнится двадцать пять. Потом примерно четыре десятка лет мы живем в состоянии стабильности, а накануне семидесятилетия, увы, начинается процесс легкого старения. Но расстраиваться не стоит, ботокс и...

Девочка быстро меня перебила:

— Мамочка должна купить мне новое платье. Но сама знаешь, как она любит шляться по бутикам...

— Вера ненавидит магазины, — согласилась я. — Мне прекрасно известно: ее туда и на аркане не затащишь, только форс-мажорные обстоятельства могут заставить госпожу Савельеву зайти в лавку со шмотками.

Иришкин голос понизился почти до шепота:

— И сегодня как раз такой случай. Мамочка уже с утра вздыхает! Но если ты ей предложишь со мной по отделам побегать, она не откажется. Ты единственный человек, которому она дочь доверит, знаешь ведь про ее повадки. Ну плиз! Спаси меня!

— От кого? — в полнейшем недоумении спросила я.

— Неужели не поняла? От мамы! — начала злиться девочка.

Мое недоумение перешло в изумление:

— Вы поссорились?

— Нет, конечно! — фыркнула Ира.

— Извини, — пробормотала я, — но все же постарайся объяснить тупой Дашеньке, в чем дело.

Иришка издала тяжкий стон.

— Она за мной следит, а папа охрану приставил. Без сопровождения я никуда пойти не могу! В гимназии даже смеяться перестали, когда «шкаф» в костюме у входа в класс видят. Представляешь, как мне весело?

— Угу, — буркнула я.

Ира продолжала вываливать обиды:

— Другие девчонки по клубам шарятся, на вечеринках тусуются, в компаниях балдеют, а я сижу дома дурой!

— Ну, — промямлила я, — понимаешь...

— Нет, — взвилась девочка, — не понимаю! Я для мамы маленькая, да? И папа Андрюша туда же!

Если вы имеете дело с подростком, который впал в раж, нет ни малейшего смысла увещевать его, взывать к логике или здравому смыслу. Лучше всего дать юному созданию откричаться, подождать, пока гормональный взрыв уляжется, и лишь потом попытаться вести конструктивный диалог. Поэтому я молчала. Мой рот был закрыт на замок не только по вышеназванной причине. Я знаю Веру немало лет и в курсе, какая история случилась в ее семье.

В юности Верочка была замужем за Юрой Астаховым. С Юрой мы жили в одном дворе и дружили с песочницы. Когда он впервые познакомил меня с Верой, я удивилась испуганному виду невесты. Весьма симпатичная внешне, она ходила боком, опустив голову, и в компании предпочитала помалкивать. Я подумала, что у Верочки проблемы со слухом, иногда ее приходилось окликать несколько раз, прежде чем она поворачивалась и с непонятным страхом интересовалась:

— Меня звали?

Но спустя некоторое время Вера обвыклась в нашей компании и перестала жаться по углам. Сейчас я понимаю, что она просто стеснялась нас, учившихся в институтах, сама-то ведь окончила школу на хилые троечки и даже не попыталась поступить в вуз. С будущей женой Юра познакомился в парикмахерской, куда пришел стричься, а Верочка была там ученицей. Роман развивался стремительно, свадьба состоялась, когда невесте едва исполнилось восемнадцать, а вскоре у молодых родителей появился сынок Сережа. Мне казалось, что жизнь Астаховых складывается замечательно. Юра очень любил жену и обожал сына, семья жила в собственной трехкомнатной квартире, что для советских людей являлось символом материального благополучия (Юрин отец занимал какой-то большой пост в Генеральном штабе и смог обеспечить сына всем необходимым). У Веры же родителей не было, ее воспитывала тетя, которая скончалась, когда племянница оканчивала десятый класс. Свекор со свекровью не попрекали невестку бедностью, похоже, они ее полюбили, помогали молодым деньгами, охотно занимались с внуком. Но потом вдруг наступила черная полоса.

Глава 2

Сначала умер генерал. Никакого криминала в его смерти не было, у него случился инфаркт. Бравый служака любил выпить и никогда не ограничивал себя в еде, ужинал хорошим куском свинины с жареной картошкой или печенкой в сметанном соусе, никаким спортом не занимался, свободное время проводил за игрой в преферанс и бутылочкой пива, врачей не посещал, на холестерин не проверялся... Дальше можно не продолжать.

Не успела Верочка оплакать свекра, как Юра внезапно ушел из дома. Отлично помню день, когда она прибежала ко мне ночью, вся в слезах, села на табуретку в прихожей и сообщила:

— Юрка подает на развод.

Упади потолок на голову и появись из преисподней огнедышащий дракон, я и то удивилась бы меньше.

— Он уже ушел из дома, — сказала Вера и зарыдала в голос.

Я, совершенно ошалев от услышанного, лепетала никому не нужные утешения вроде: «Все будет хорошо, вы непременно помиритесь». Но тут подруга сообщила причину разрыва с супругом: Юра застал ее в момент измены.

— С ума сойти, — не сдержалась я, — ты закрутила роман?

— Нет, — прошептала Вера. — Вышло недоразумение.

Я присела на корточки у ее ног и выслушала весьма странную историю.

Позавчера ей позвонила Катя Алтуфьева и прохрипела:

— Хочешь приобрести хорошие сапоги и комбинезон для Сережки?

Напомню, что дело происходило в то время, когда достать любые вещи, а детские тем более, было невозможно. Естественно, Вера закричала:

— Да!

— Записывай адрес, — закашляла Катя.

— Ты простудилась? Может, тебе малинового варенья привезти? — позаботилась о приятельнице Вера.

— Ни в коем случае не приезжай, — испугалась Алтуфьева, — у меня грипп.

Вера поблагодарила ее, сообщила Юре о невероятной удаче и на следующий день понеслась за обновками для сына. Дом, где должен был находиться продавец с товаром, неожиданно оказался дешевой гостиницей самого подозрительного вида. На входе за стойкой читала газету древняя старуха, которая не подняла головы, когда Вера влетела в дверь отеля, а номер, куда она поднялась, выглядел убого, там были лишь кровать и тумбочка.

— За детским шмотьем? — спросил торгаш, очень симпатичный молодой человек лет двадцати пяти.

— Да, — кивнула Вера.

— Садись и жди, сейчас притащу, — приказал парень и убежал.

Поскольку в комнате не было стульев, Верочка, сняв пальто и повесив его в шкаф, устроилась на кровати. Текли минуты, а продавец не возвращался, Вере стало скучно, она взяла с тумбочки журнал и... тихонько засмеялась. Издание называлось «Секс для «чайников». Положить назад игривое издание Вера не успела, в комнату вошел продавец. Он был почему-то в халате, а в руках держал бутылку дешевого шампанского и два бокала. Вера очумела, хотела встать и побежать к выходу, но тут дверь номера распахнулась, и на пороге возник... Юра.

Пару секунд все участники сцены хранили молчание, потом продавец беззлобно сказал:

— Слышь, братан, ты комнатой ошибся, здесь мы с бабой гуляем.

В ту же секунду пояс на его талии развязался и

упал на пол. На парне не было и намека на нижнее белье. Но он совершенно не смутился, разлил шампанское по фужерам и протянул один Вере со словами:

— Держи, киска!

От растерянности и непонимания происходящего Верочка машинально взяла бокал. Но тут же спохватилась, поставила его на обшарпанную тумбочку и воскликнула:

— Юра, ты как сюда попал? Откуда адрес узнал?

— Это все, что тебя интересует? — зло усмехнулся Юра, развернулся и исчез в коридоре.

Только сейчас до обескураженной Веры дошла двусмысленность ее положения: она сидит на кровати в номере сомнительной гостиницы, которой наверняка в основном пользуются проститутки и прелюбодеи, а рядом с ней стоит голый мужик с бокалом шампанского.

— Юра! — заорала Вера и кинулась вслед за мужем.

Догнать супруга ей не удалось. Когда она приехала домой, Юры там не оказалось. А вечером ей позвонила свекровь и напряженным голосом сказала:

— Не собираюсь разбираться в ситуации, чужая душа потемки, но ты нас всех глубоко разочаровала. Не надейся на нашу помощь, Юрий не будет платить алименты на Сергея. Мы уверены, что мальчик рожден невесть от кого!

Вера попыталась оправдаться, но слушать ее не стали. В полном отчаянии она позвонила Алтуфьевой, но ответила ей мать подруги.

— Тебе Катюшу? — переспросила она. — Дочь со своим ансамблем на гастролях в Венгрии.

Верочка обомлела. Она поняла, что за детскими вещами ее звала не приятельница, а мошенница, которая усиленно хрипела и кашляла, чтобы жертва обмана не насторожилась, услышав незнакомый голос. По всему выходило, что кто-то решил разрушить ее счастливый брак. Негодяйка заманила Веру в ловушку, и, наверное, она же направила Юру в гостиницу.

Вся в рыданиях, Вера помчалась ко мне. Я кое-как успокоила бедняжку, а на следующий день с утра ринулась к Юрию на работу. И наткнулась на каменную стену непонимания.

— Лучше уходи, — с застывшим как маска лицом заявил мой друг детства, — я сам видел жену в дешевом номере, а рядом с ней голого урода с копеечным пойлом. Наверное, Верке надоел элитный коньяк из нашего домашнего бара, на дерьмо потянуло!

Я попыталась растолковать ревнивцу суть дела, но Юра отказывался воспринимать здравые слова. Брак Астаховых разлетелся в щепки, Вера едва не угодила в психушку, от самоубийства ее уберегли лишь мысли о маленьком Сереже.

Надо отдать должное Вере, она сумела взять себя в руки. Стала много работать, чтобы обеспечить сына. Спустя полгода после разрыва с Юрой она сказала мне:

— И очень хорошо, что этот дурак ушел! Если он так мне не доверял, то ничего путного у нас бы не вышло. Забуду его, как страшный сон, и начну жизнь заново.

— Правильно, — обрадовалась я.

С Верочкой произошли разительные перемены. Она неожиданно для всех поступила в институт, на вечернее отделение. Я была поражена, узнав, что Вера изучает иностранные языки и стала весьма успешной студенткой. Изумляла невероятная работоспособность той, кому школьные учителя из чистой жалости поставили на выпускных экзаменах по всем предметам «удовлетворительно». Днем Вера стригла клиентов, вечером бежала на лекции, а по ночам писала доклады и курсовые. Увы, иностранный язык невозможно выучить, как стишок, если вы постоянно не практикуетесь, словарный запас теряется. По французскому в школе у Веры была шаткая троечка, однако уже через три месяца занятий она вдруг стала радовать профессоров отличными знаниями и произношением — у нее обнаружились явные лингвистические способности. Вера являлась великолепной иллюстрацией к пословице: «Не было бы счастья, да несчастье помогло». Проделав стремительный путь от беззаботной домашней хозяйки до матери-одиночки, получавшей жалкие гроши, Веруша преобразилась.

Окончив второй курс, она перестала носить старушечьи платья, изменила прическу, купила яркую губную помаду и внезапно поняла, что опять счастлива. Около молодой женщины появились кавалеры, и в конце концов среди них выделился приятный, внешне чем-то похожий на Юру, Миша. Дело катило к свадьбе, молодые люди отнесли заявление в загс, но все сорвалось: буквально за несколько дней до бракосочетания погиб маленький Сережа.

Осталось неизвестным, по чьему недосмотру дверь квартиры оказалась незапертой. Вера готовилась к свадьбе, к ней, очень общительной и доброжелательной, постоянно прибегали соседки и подружки, чтобы посмотреть на красивое платье и дать свои советы по прическе и макияжу, скорей всего одна из них и не захлопнула дверь. Сережка вышел на лестничную клетку, а затем на улицу и попал под несущуюся машину. Шофер потом уверял, что ребенок неожиданно выскочил на проезжую часть.

— Никто бы затормозить не успел... — плакал водитель. — У меня у самого дети, я чуть не умер, когда пацана сшиб...

Вместо свадьбы были похороны. Миша еще пару месяцев встречался с Верой, а потом тихо исчез из ее жизни. Сережа не был его родным сыном, никаких особых чувств Михаил к малышу не испытывал, а Вера превратилась в зомби — забыла дорогу в ванную, практически ничего не ела и могла целыми сутками неподвижно лежать в кровати.

Не передать словами, как мне было жаль подругу. Я ездила к ней почти каждый день и все яснее понимала: здесь требуется помощь специалиста. Но потом вдруг снова произошло чудо: однажды Вера встретила меня в прихожей с тряпкой в руке.

— Жизнь продолжается, — заявила она, увидев мое изумленное лицо. — Если я не умерла вместе с Сереженькой, значит, господь хотел, чтобы я тащила лямку дальше.

Сейчас я понимаю, что Вера обладает удивительной особенностью: если с ней случается беда, она целиком отдается переживаниям, буквально тонет в тягостных эмоциях, достигает дна и... оттолкнувшись от него ногами, пробкой вылетает на поверхность. Сколько раз я видела Веру лежащей на кровати носом в стену? Сутки, другие, третьи она проводит в глубочайшей депрессии, и окружающим уже кажется, что бедняжка не сумеет справиться с бедой, Вера не ест, не пьет, не говорит, даже не плачет, просто молчит. Затем словно щелкает невидимый выключатель, и подруга восстает из пепла. Она как бы переболевает несчастьем, переживает критический острый период и начинает жизнь заново.

Прошло полтора года после гибели Сережи, и Верочка родила дочь, которую назвала Ирой, никому из нас не открыв имени отца девочки. Она опять впряглась в работу и учебу, получила диплом и очень скоро завоевала репутацию отличного переводчика, никогда не подводящего нанимателя. Конечно, подруга не купалась в роскоши, но на жизнь им с Ирой хватало. Вера нещадно баловала девочку, покупала ей все, о чем та просила. При Ирочке всегда находилась гувернантка, которая от нее не отходила ни на шаг. Вера была готова голодать, но отказываться от сопровождающей девочку воспитательницы не собиралась. Если вспомнить, что случилось с Сережей, то поведение матери не кажется странным. Кстати, Ире она ничего не рассказала о погибшем малыше из боязни, что известие о трагическом происшествии произведет на дочь слишком сильное впечатление. Я не согласна с такой позицией. Более того, мне кажется, что, узнай Ира о судьбе брата, она перестала бы злиться на маму за ее чрезмерную опеку. Но у Веры свое мнение.

Удивляетесь, каким образом Вере удалось сохранить историю с сыном в секрете? Обычно подобные тайны скоро вылезают наружу, кто-нибудь из старых друзей невольно или по злому умыслу распускает язык. Но около Веры практически не осталось никого из тех, с кем мы дружили в молодости. Неприятно говорить гадости о людях, но только редкие представители человечества способны спокойно отнестись к свалившемуся на голову ближнего богатству. А Вера вновь вышла замуж, причем за очень обеспеченного человека.

Периодически в жизни Веры появлялись мужчины, на мой взгляд, они были приятными и вполне годились в законные супруги. Но всякий раз, когда дело доходило до свадьбы, случалась какая-нибудь ерунда и поход в загс отменялся. К чести Иры надо отметить, что девочка никогда не конфликтовала с мамиными кавалерами, а, наоборот, старалась помочь Вере обрести счастье, всячески расхваливала ее в присутствии кандидата в мужья и демонстрировала свое хорошее к нему отношение. Ире очень хотелось иметь папу, и ее мечта наконец исполнилась, когда на горизонте появился Андрей Савельев. Он в короткий срок отвел Веру в загс, официально удочерил Иру, и семья Савельевых зажила счастливо.

Пока Вера была бедной в прямом смысле этого слова, на ее кухню роем слетались приятельницы, изо всех сил жалевшие неудачницу. Но когда Андрей перевез жену в шикарную квартиру, купил ей дорогую иномарку, забросал подарками, выдал кредитки с неограниченным лимитом, вот тут народная тропа в апартаменты Верочки стала зарастать. Сейчас у Савельевой много знакомых, но из подруг молодости остались считаные единицы...

— Ну, тетя Даша... — продолжала ныть в трубку Ирочка. — Ну, пожалуйста!

Я вздохнула.

— Значит, мне надо поехать в торговый центр, сделать вид, что я случайно столкнулась с вами, напроситься в компанию и вынудить Веру уйти, чтобы оставить нас вдвоем. И к чему такие сложности?

— Надо, — коротко ответила Ира.

— Кому? — уточнила я.

— Ну... мне, — уже не так бойко сообщила девочка.

Если Верочка по первому свистку кидается выполнять любой каприз дочери, то это не значит, что и остальным следует вести себя так же. Поэтому я вежливо, но жестко ответила:

— Извини, у меня на сегодняшний день иной план.

— Но я же прошу! — возмутилась Ира. — Мне очень надо!

Я решила проявить милосердие:

— Хорошо, можешь к обеду приехать в Ложкино, здесь и поболтаем.

— Издеваешься? — плаксиво осведомилась капризница.

— Деточка, оцени ситуацию, — спокойно сказала я. — ТЫ хочешь встретиться, ТЫ желаешь побеседовать, ТЫ заинтересована в разговоре, а в жаркий день в раскаленной от зноя Москве должна мучиться Я? По меньшей мере странно ожидать от меня этого. Я готова проявить дружелюбие и уделить тебе время для беседы, но место встречи выберу сама.

— Мама никогда не отпустит меня одну в Ложкино, ты же знаешь! — возмутилась Ира.

— Прикатывайте вдвоем, — не дрогнула я.

— Послушай, нам не дадут поговорить наедине, — понизила голос девочка. — Ну никак не получится! У нас дома мы будем сидеть в гостиной вместе с мамой, и у вас тоже будем сидеть в гостиной, опять же вместе с мамой. В гимназию меня везет шофер, на теннис сопровождает охранник. Я вообще никогда одна не остаюсь! Вот и придумала трюк с универмагом.

— Очень уж сегодня душно, — упорно сопротивлялась я. — Давай договоримся о встрече на следующей неделе, с понедельника синоптики обещают похолодание.

— Нет, сегодня, — не уступала Ира, — выезжай прямо сейчас.

— Не хочу, — откровенно призналась я.

Но девочка сделала вид, что не слышит моих слов, и как ни в чем не бывало застрекотала:

— Наверное, мы примчимся в торговый центр раньше тебя. Поднимайся на третий этаж, там есть кафе. Очень естественно получится, я всегда перед шопингом люблю закусить, а ты будто заглянешь латте выпить. Думаю, нам удастся избавиться от мамы, она же ненавидит бутики.

Меня неприятно удивила напористость девочки и ее бесцеремонность.

— Ирина, я никуда не поеду!

— Ты должна мне помочь, — вдруг понизила она голос, — иначе случится беда.

— Какая? — пытаясь не рассмеяться, поинтересовалась я.

Ну что может произойти с девочкой из богатой семьи, которая не курит, не пьет, не употребляет наркотики, не бегает по ночным клубам, не заводит сомнительных знакомств и везде ходит только в сопровождении взрослых?

Из трубки донеслось напряженное сопение, Ирочка явно подыскивала ответ.

— Какая? — повторила я.

— Очень страшная, — прошептала Ира. — Меня хотят убить. Меня преследуют!

Я завела мотор малолитражки, коротко бросив в трубку:

— Уже еду.

Глава 3

Когда много лет знаешь человека, понимаешь, какова будет его реакция на те или иные события. Едва я подсела в кафе за столик к Савельевым, как Верочка воскликнула:

— Ненавижу бродить по магазинам, но Ирочке нужно новое платье! А ты небось ищешь подарок для Пестовой, тебя ведь тоже пригласили на свадьбу?

— Точно, — лихо соврала я, не упомянув о том, что набор хрустальных бокалов в золотой коробке, перевязанной алой лентой, уже ждет своего часа в моей гардеробной.

— Мамочка, — хитро улыбнулась Ира. — Похоже, у тебя голова болит?

— Всякий раз, попадая в универмаг, я испытываю приступ мигрени, — простонала Савельева. — Доченька, не волнуйся. Сейчас приму пару таблеток, запью их крепким чаем, и потащимся по лавкам. Этот «Рай» настоящий ад! Представляешь, Дашута, Иришка уперлась и твердит: «Хочу платье только из «Рая», лишь в нем продают достойные вещи».

— Мамулечка, — сладко запела Ира, — у меня есть лучшее предложение. Я могу сходить за платьем с тетей Дашей, она, в отличие от тебя, обожает шопинг.

— Правда? — с легким удивлением откликнулась Вера. — Мне всегда казалось, что наоборот.

Ира нагло пнула меня под столом ногой, и я немедленно принялась играть навязанную роль:

— В последние месяцы я полюбила охоту за тряпками. Ты, Веруня, посиди спокойно в прохладе, отдохни часок, а мы с Ирочкой купим платье.

В глазах Веры вспыхнула радость.

— Вот спасибо!

Ира живо вскочила:

— Пошли, тетя Даша!

— Ты ведь ни на минуту не оставишь ее в одиночестве? — тревожно спросила меня Верочка.

— Конечно, — пообещала я и демонстративно взяла Иру за руку.

Вцепившись друг другу в ладони, мы с ней, словно парочка послушных детсадовцев, прошагали до выхода из кафе. Очутившись в коридоре, Ирочка резко выдернула свою руку из моей.

— Жесть! Как надоело быть дурой! — запальчиво воскликнула она.

— Лучше расскажи о своей проблеме, — перебила я ее.

Девочка округлила глаза.

— Меня хотят похитить!

— Ты говорила об убийстве, — напомнила я.

Ирина прищурилась.

— Так ведь это одно и то же! Если ребенка крадут, то чаще всего потом его лишают жизни.

Я пожала плечами.

— Возможны разные варианты. Что случилось?

Ира вздернула брови, вновь округлила глаза и трагическим голосом начала рассказывать.

Две недели назад Вера попросила дочку спуститься на первый этаж и взять из ящика почту. Та послушно отправилась вниз, вставила ключ в замок и увидела невдалеке кавказца лет сорока — он с нехорошей улыбкой смотрел на девочку. Ира не придала встрече ни малейшего значения. Но на следующий день тот же незнакомец крутился около ее гимназии, а потом встретился девочке на парковке у фитнес-клуба.

— Я боюсь, — всхлипнула Ирочка. — Вдруг он сейчас здесь? Схватит меня, украдет, потребует выкуп! Этот тип меня стопудово преследует.

— Неприятная ситуация, — согласилась я, — но, думаю, преступник побоится приблизиться к жертве, пока та не одна! И необходимо рассказать об этом родителям.

— Никогда! — топнула Ира.

Я посмотрела на нее в упор. Похоже, со времени нашей последней встречи девочка слегка поправилась. К тому же она, несмотря на жару, нацепила на себя довольно теплое платье под горло, с длинными рукавами. А еще Иришка, которая в свои годы разбирается в моде намного лучше меня, имеет при себе большую сумку, самый актуальный аксессуар нынешнего сезона. Многие женщины обзавелись безразмерными торбами, но я предпочитаю небольшие сумочки, с ними намного удобнее, мне совершенно безразлично, что скажут об этом окружающие. А вот Ириша хочет выглядеть модницей, она не выйдет из дома, пока не решит, что лучше подойдет к ее платью и туфлям. Кстати, о последних. На Ире почему-то не изящные босоножки, не элегантные лодочки и не удобные балетки, а... кроссовки. Немного странный выбор. Но, вероятно, в последнем номере модного журнала она увидела нечто подобное, вот и взяла картинку за образец...

— Никогда! — твердо повторила Ира. — Если мама услышит о кавказце, она меня упрячет в комнату с бронированными стенами без окон.

— Лучше сидеть под домашним арестом, чем очутиться на свежем воздухе в компании преступника, — не сдержалась я. — А чего ты хочешь от меня?

— Мне же следовало с кем-то поделиться! — воскликнула Ира. — И нужен совет, как поступить. Слушай, ты не хочешь в туалет?

Я еще раз окинула Иру взглядом.

— Нет, но готова тебя сопровождать.

Ира неожиданно повеселела:

— Пошли!

Мы поторопились в конец коридора, завернули в небольшой холл и очутились перед рядом дверей с золотыми ручками.

— Я быстренько управлюсь, — пообещала Ира и схватилась за одну ручку.

— Сумку оставь, — предложила я.

— Не-а, — помотала головой девочка, — она мне нужна.

— На унитазе? — прищурилась я. — Если ты решила поправить макияж, то зеркала в кабинке нет. Давай подержу твою ношу.

— Повешу на стене на крючок, — засопротивлялась Ира.

Я прикинулась идиоткой.

— Ну неудобно же с сумкой! Ты боишься ее мне оставить?

По личику Иришки скользнуло выражение досады.

— Ну, тетя Даша! У женщин иногда бывают критические дни, а там прокладки.

Я всплеснула руками:

— Прости, я порой бываю на редкость непонятливой.

Иришка захихикала и скользнула за дверь, выкрашенную под натуральный дуб. Я на цыпочках, стараясь не производить шума, вошла в соседнюю кабинку и толкнула створку, расположенную на противоположной стене.

«Рай», роскошный торговый центр, возводился в расчете на обеспеченных покупателей, поэтому цены тут в бутиках запредельные. Я считаю неправильным платить за платье бешеные деньги, меня элементарно душит жаба, и, честно говоря, не вижу никакой необходимости приобретать кофточки от известных зарубежных фирм. Мне нравятся вещи, которые шьют некоторые российские дизайнеры с отличным вкусом, а цена их порадует даже самую оголтелую жадину. Это касается и повседневной одежды, и ярких праздничных нарядов, в коих я ощущаю себя настоящей красавицей. На мой взгляд, лучше приобрести эксклюзивную вещь, сделанную руками талантливого человека, чем покупать дорогущую шмотку, сшитую невесть где, только потому, что к ней прикреплен ярлычок с именем известного кутюрье. Наденете обновку, придете на вечеринку и увидите еще тройку модниц, точь-в-точь в таком же облачении.

Я бы никогда не стала заглядывать в «Рай», но здесь работает одна замечательная лавка, набитая милыми штучками для дома: это молочники в виде коров, полотенца и скатерти, украшенные изображениями кошек и собак, посуда, разрисованная сюжетами из моего любимого мультика про Губку Боба, заварочный чайник, который напевает залихватские мелодии... Пару раз в месяц я непременно сюда заруливаю и если ничего не покупаю, то любуюсь любимыми поделками, а потом бегу в кофейню на третьем этаже и без всяких угрызений совести лопаю местные фирменные эклеры с заварным кремом.

Но вернемся к туалетным комнатам. Владельцы «Рая» вложили в их отделку немалое количество средств. Торговый центр построен по принципу ГУМа и Петровского пассажа, то есть состоит из параллельных линий, в конце всех имеются мужские и дамские комнаты. Пожелав воспользоваться ими, вы сначала попадаете в холл, где находятся рукомойники и зеркала, во всю стену стоят удобные кресла, а потом открываете шикарную дверь и попадаете собственно в кабинку. У меня нет ни малейших претензий к оборудованию кабинок, здесь царит хирургическая чистота, пахнет духами, бумага похожа на скрученное в рулон облако и есть мыло, дезодорант, прокладки, ватные диски и даже молочко для снятия макияжа.

Кроме невероятной комфортности, в кабинках есть одна фенька: в них две двери, расположенные друг напротив друга. Попасть в туалет можно с любой из параллельных линий, надо лишь, очутившись в кабинке, не забыть запереть обе створки. То есть, если сюда можно войти из холла на линии «а», то, как понимаете, крайне легко выйти в галерею «б».

Сдерживая дыхание, я очутилась в другом холле, села на бархатный диван и уставилась на дверь кабинки, где была Ира. Спустя пару минут дверца открылась и наружу выскочила тоненькая брюнеточка в темно-сером топике и джинсах, на носу у милашки сидели огромные черные очки. Не замечая меня, она ринулась прямиком к выходу в торговую галерею.

— Эй, девушка, — отмерла я. — Что происходит? В помещении, из которого вы вынеслись, как ошпаренный таракан, должна находиться Ирина Савельева. Лучше остановитесь, а то я вызову охрану.

Девица застыла, словно налетев на стену, я подождала пару секунд, потом встала и воскликнула:

— Ой! А у вас сумочка, как у Иры! И кроссовки! Ну надо же, какое интересное совпадение!

Брюнетка не шевелилась. Я распахнула дверь в покинутую ею кабинку и изобразила изумление:

— Конверт! Он лежит на бачке! Ну-ка, дайте

почитаю... «Это похищение. Не смейте звать милицию, иначе я убью Ирину. Выкуп 200 тыс. долларов. Ждите звонка». Надо срочно сообщить на Петровку! Иришу украли! Беда! — завопила я.

— Перестань, — знакомым голосом прошипела брюнетка. — Как ты очутилась в этом холле? Должна же сидеть не здесь!

Я продолжала играть свою роль:

— Мы знакомы? Извините, не припомню, где мы встречались.

Брюнетка втянула голову в плечи, а мне надоело ломать комедию.

— Ирина, ты дура!

Девочка сдернула с головы парик, сняла очки, приблизилась к дивану, рухнула в бархатные подушки и простонала:

— Ну как ты догадалась?

Я устроилась рядом с юной мошенницей.

— Просто умею внимательно слушать людей. Вера обронила что-то вроде: «Ира потребовала платье только из «Рая», вот и пришлось сюда тащиться». Но, помнится, ты несколько раз говорила мне название другого бутика, подчеркивая, что это «единственное место в Москве, где продают достойную одежду». Кстати, по какой причине ты в жару напялила на себя хламиду с рукавами, да еще длиной почти до щиколоток? И сумку не захотела мне оставить.

— Мне были нужны прокладки, — глупо оправдывалась Ира. — Не тащить же упаковку в руках!

— Нет, в торбе лежали парик, очки, заранее приготовленное письмо, и в нее ты запихнула платье, которое ранее было надето поверх футболки и джинсов, закатанных выше колен, — пресекла я ложь. — К тому же я тоже читала книгу Милады Смоляковой, которая и вдохновила тебя на сей подвиг. Насколько помню сюжет, там девочку крадут из сортира в торговом центре, утаскивают несчастную через окно, весьма удачно расположенное над унитазом, оставив на крышке бачка письмо с требованием денег. Ты, смотрю, отлично справилась, вырезала из журналов нужные слова, наклеила их на лист. Работала в перчатках?

— Да, — тихо подтвердила Ира.

Я пришла в восторг.

— А еще некоторые люди ругают авторов криминальных историй! Да они просветители! Ты вот узнала, как разыграть похищение.

— Пожалуйста, не надо, — зашмыгала носом Ира.

Я не обратила внимания на жалобную просьбу.

— Но все же не советую полностью полагаться на Смолякову. Она поверхностна и, очевидно, не знает, что теперь в распоряжении криминалистов имеется удивительная техника. Нет отпечатков пальцев? Ничего страшного, эксперты не сдаются. Человек дышит, чихает, кашляет, чешется, на бумаге остаются микроскопические капельки его слюны, частички кожи, волос, а они носители ДНК. Твой отец богатый человек, он не пожалеет денег на поиски доченьки. С письма возьмут образец, прогонят по базе, а потом сравнят с ДНК Веры. Это общая практика, члены семьи всегда первыми попадают под подозрение. И что обнаружится? Что письмо составила сама похищенная. Глупая девчонка! Ты о маме подумала? Как она переживет происшествие? Уж не говорю о себе, ты понимаешь мои терзания? Взялась присматривать за ребенком, а его украли... Нет, ты не глупая, ты сволочь!

— Тетя Дашенька, — захныкала Ира, хватая меня за плечо, — простите! Пожалуйста, не рассказывайте никому! Я правда очень устала — меня ни на секунду не оставляют одну, ребята в школе смеются... В клуб пойти не могу, в гости никто не зовет...

— Может, ты сама виновата? — вздохнула я. — Наверное, ябедничаешь учителям, не даешь списывать, вредничаешь или хвастаешься нарядами.

Ира скривилась.

— Перед кем? Папа Андрюша перевел меня в самую лучшую частную гимназию. У нас в классе десять человек, у двух родители «форбсятники», остальные — крутые бизнесмены. Наоборот, я там из бедных! Но только со мной одной охрана всегда ходит. Иду со своим «шкафом» на тусу, фест[1] или днюху, а гоблин таращится. Кому такое приятно? Я хочу жить, как все люди! Приехать с шофером и уйти к подруге, оставив секьюрити сидеть внизу.

Я с трудом удержалась от фразы: «Все люди ездят в метро или сами сидят за рулем, личные водители — недоступная для большинства населения роскошь» и произнесла:

— Вот Ирочка и надумала удрать.

— Да! — с вызовом ответила девочка. — Двести тысяч папа нашел бы. И вообще...

Я решила дать ей выговориться.

Чем больше претензий выливалось из ярко на-

---

[1] Ф е с т — праздник.

крашенного ротика, тем печальнее становилось у меня на душе. Вера, а теперь и Андрюша обожают Иру, родители изо всех сил стараются отгородить доченьку от любых проблем. В свои тринадцать лет Иришка не умеет заваривать чай, чистить картошку, заправлять постель. Она давно не спускалась в метро, не ездила ни в автобусе, ни в маршрутном такси. До появления в жизни девочки папы ее везде возила на машине гувернантка. Ира наивно полагает, что все дети России учатся в просторных классах, где преподают вежливые и справедливые кандидаты наук, а после уроков, вкусно пообедав в местной столовой, ребята перебираются в спортивный комплекс, развлекаются в бассейне или занимаются йогой, пилатесом, аэробикой. Ира абсолютно уверена: отдыхать надо в Испании или на Карибах, и она никогда не видела, что творится в августе в Домодедове, ведь Вера оформляет билеты на самолет в VIP-зале, идет на большие расходы, лишь бы дочурке было комфортно. Я сомневаюсь, что Ирочка хочет жить, как все, она не имеет ни малейшего понятия о том, как эти *все* живут, и просто мечтает избавиться от опеки. Но самое главное, о чем Ира не догадывается, это каким трудом даются и маме, и Андрею деньги.

Савельев не бизнесмен, не олигарх, не банкир. Он массажист.

Представляю себе ваше лицо и недоумение: «Но откуда у обычного мануальщика столько денег?»

В том-то и дело, что Андрей совсем даже не обычный специалист, с чужим телом он способен проделывать чудеса. Я не очень верила в его способности, широко разрекламированные благодарными клиентами. Но один раз, когда я сидела у Савельевых на кухне, ощутила, что подкатывает приступ мигрени. Боясь, что не успею до его начала добраться до дома в Ложкино, я стала быстро прощаться.

— Лучше останься, — сказал муж Верочки, — я сейчас тебе помогу.

— Как ты догадался, что у меня начинается мигрень? — удивилась я.

Андрюша пожал плечами.

— Почувствовал. Ляг на диван.

— Лучше мне все же уехать, — борясь с накатывающей тошнотой, возразила я, — иначе застряну тут на трое суток.

Савельев, засучив рукава рубашки, скомандовал:

— Устраивайся на софе, лицом вниз.

— Нет-нет, — бормотала я свое. — Спасибо за заботу, но ни таблетки, ни уколы, ни мази мне ни разу не помогли. Уж поверь, я исправно глотаю все новинки, выпускаемые фармацевтическими концернами мира, но только зря трачу деньги.

— Но на массаж ко мне ты не ходила, — усмехнулся Андрей.

Он все же уговорил меня лечь на софу и опустил руку на мой затылок. А через секунду в череп будто воткнулась острая игла. Боль заставила меня взвизгнуть, веки потяжелели, в ушах зазвенело, и наступила темнота.

Очнулась я так же неожиданно, как и ушла в дремоту. Села на диване и спросила:

— Который час?

— Четверть восьмого, — улыбнулась Вера.

Изумление заставило меня вскочить на ноги.

— Я спала всего пять минут?

Подруга кивнула. Андрей с любопытством окинул меня взглядом.

— Мигрень прошла?

Я прислушалась к своим ощущениям и ахнула:
— Да!

— Совсем голова не болит? — не успокаивался массажист. — Может, осталось неприятное чувство?

— Невероятно... — забормотала я, — такого со мной еще не случалось... и кажется, что я проспала часов восемь. Как ты это делаешь?·

Верочка засмеялась.

— Андрюша гений! У дочки Златы Величжановой страшная аллергия буквально на все, ей нельзя делать наркоз, так Андрей сделал обезболивание девочке во время операции аппендицита.

— Как тебе это удается? — растерянно спросила я.

Савельев улыбнулся.

— Дашута, я учился массажу большую часть своей жизни, ездил и в Китай, и во Вьетнам, и в Японию. Я не могу за полчаса передать свои знания. Воздействие бывает разным. Поглаживание, похлопывание и поколачивание — вот три движения, которые выучило большинство теток на двухнедельных курсах по массажу, но это всего лишь первый, крохотный шажок к необъятной горе знаний. Не парься. Просто звони, когда тебе станет хреново, я приеду и сниму мигрень.

После того вечера я, когда возникает боль, исправно обращаюсь к Андрюше, и теперь мне понятно, по какой причине пациенты рвут Савельева на части. Он постоянно вкалывает и, как понимаете, получает немалые деньги. Всего в жизни Андрей добился сам, потому что, как и Верочка, воспитывался без родителей. У него не было счастливого детства, вот он и балует Иришку.

Я глубоко вздохнула и сказала:

— Сейчас я сделаю то, на что не имею никакого права: открою чужую тайну. Надеюсь, спокойно меня выслушав, ты изменишь свое отношение к охране.

Глава 4

Когда я завершила свой рассказ, Иришка прошептала:

— Я ничего не знала... Почему мама никогда не упоминала о Сереже?

Я обняла девочку.

— Вере трудно вспоминать погибшего ребенка, и она не хотела посвящать дочь в подробности. Мама тебя обожает, Андрей в тебе души не чает, отсюда и тревога, беспокойство за твою жизнь, опека.

Иришка встала, подошла к рукомойнику, оглядела свою симпатичную мордашку и вдруг заявила:

— Да, папа меня любит. А вот мама нет. И она всех обманывает!

— Твоя мама? — Я улыбнулась и поднялась с дивана. — Солнышко, можешь мне поверить, Вера самый честный человек на свете. Очень странно, что тебе в голову взбрела подобная мысль. Пошли, надо купить платье...

Ира, опустив голову, поплелась за мной. На

пороге одного из бутиков она, так и не объяснив, с чего вдруг подумала о маме такое, тихо спросила:

— Ты не расскажешь родителям?

Я сделала удивленное лицо:

— О чем?

— Спасибо, — прошептала она. — Я не виновата!

Мне показалось уместным сменить тему беседы:

— Вон в витрине висит весьма симпатичный наряд, но цвет... На свадьбу не хочется надевать черное.

Иришка обняла меня и не дала войти в магазинчик, мы медленно пошли по линии. И вдруг она вернулась к предыдущей теме:

— Мама в последнее время ходит странная, то смеется, то плачет. И постоянно разговаривает шепотом с кем-то по телефону. Если папа дома, она с трубкой в свою спальню уходит.

— В свою? — удивилась я. — Но твои родители всегда имели общую спальню!

— Накануне майских праздников мама подцепила простуду и ночевала в гостевой, не хотела, чтобы папа заразился, — пояснила Ира.

— Естественное поведение, — кивнула я. — Слава богу, у вас огромная квартира, можно при болезни изолироваться от домочадцев. Не удивлюсь, если Верочка нацепила маску и выделила себе личный комплект посуды. Твоя мама очень аккуратна!

Ира насупилась.

— Это точно. Довела всех до дрожи, вечно заставляет руки мыть. Но и выздоровев, мама к папе не вернулась, теперь они спят отдельно.

Я опешила. Но потом подумала, что современные дети в тринадцать лет вряд ли не слышали об интимной стороне брака, и сказала:

— Не следует делать далекоидущие выводы. Очень часто муж и жена имеют разные спальни, что не мешает им быть счастливыми. Не все способны хорошо выспаться, если рядом храпит пусть даже и очень любимый человек.

— Не маленькая, понимаю, — отмахнулась Ира. — Да только мама стала очень взвинченной, то напевает, то плачет. И странно себя ведет. Представляешь, купила миниатюрную модель машины, какими мальчишки играют!

В голосе Иры звучала плохо скрытая обида, а я ощутила царапающее беспокойство, слушая ее рассказ.

Накануне Пасхи Иришка, как многие любопытные дети, решила полазить по укромным местам в квартире, чтобы посмотреть, какие подарки ей вручат на праздник. Вера довольно наивна, всегда прячет сувениры в своем шкафу, вот Ириша и выждала момент, когда мать пошла принимать ванну, и шмыгнула в гардеробную. Расчет оправдался, предусмотрительная Вера уже запаслась презентами. Ира нашла запонки для папы, новый мобильный для себя, золотую цепочку, предназначенную домработнице Анжеле, и еще один пакет, внутри которого лежали машинка и открытка. Ира уставилась на почтовую карточку и прочла шокировавший ее текст. «Моему самому любимому солнышку. Скорей возвращайся навсегда». Подписи не было, но Ирина моментально узнала почерк матери.

Сначала у девочки от ревности потемнело в глазах. Что это такое? Титул любимого солнышка принадлежит ей, Ирочке! Но спустя некоторое время до девочки дошло: модели автомобилей часто собирают взрослые мужчины, значит, у мамы появился любовник!

Заподозрив родительницу в адюльтере, девочка начала за ней следить. Устраивала в отсутствие матери обыски, рылась в ее вещах. Но ничего предосудительного не нашла. А потом к ней в аську обратился человек с ником Немо. Он сообщил невероятную информацию: у Веры есть сын, мальчик пяти лет. Малыш рожден в тайне от Ирочки, мать его обожает. Вероятно, она скоро бросит и дочь, и мужа и уедет с сыночком за границу. В качестве доказательства Немо прислал файл с фото. Снимки можно было рассматривать не больше десяти минут, потом письмо само удалилось, исчезло, словно его и не было. Немо посоветовал Ире взять мамин ежедневник и тщательно изучить в нем записи.

Девочка сразу возненавидела весело улыбающегося малыша. Больше всего ее сердце ранил снимок, на котором крошка был запечатлен на коленях у Веры. Никогда в жизни Ира не видела у мамы такого лица, полного радости и счастья. Она по наводке Немо нашла записную книжку со странными заметками. «Понедельник КЕ в 19», «Среда КЕ в 20». Таинственные буквы «КЕ» встречались очень часто. Иногда, правда, появлялись вполне нормальные фразы: «Купить солнышку синие ботинки» или «Солнышко мечтает о «пи эс пи».

Иришке стало совсем нехорошо, когда она вспомнила об одном случае. Ее мама не дружит ни с какими техническими штучками, она с огромным трудом научилась посылать sms-ки, а е-мейл так и не освоила. Но в начале мая к Савельевым в гости пришли Федор и Света Бондаревы. У них, кроме девочки Леси, чуть помладше Иры, есть еще мальчик Паша, которому недавно исполнилось пять. Плотно поужинав, Андрей с гостем пошли в кабинет смотреть по телику футбольный матч, а оставшиеся в гостиной женщины завели разговор о детях. И Света воскликнула:

— Паша совсем другой, чем Леся, он в свои пять лет ведет себя так, как его старшая сестра. Представляешь, он умеет обращаться с компьютером! Обожает играть в «пи эс пи». Я почти разорилась на дисках. Вчера купила ему новинку «Рыцарь», хочу подарить на день рождения.

— «Рыцарь» вышел давно, — вдруг сообщила Вера, — еще в марте, сейчас появилась вторая часть. Называется «Атака клонов».

— А ты откуда знаешь? — поразилась Света. — Неужели Ирка играет?

Верочка вздрогнула.

— Нет, у нашей домработницы есть племянник, она ему вечно игрушки покупает, — торопливо сказала она и быстро сменила тему: — Хочешь посмотреть на план? Андрей решил строить загородный дом.

— Ой, здорово! — обрадовалась Света, разом забыв про «пи эс пи» и диски с бродилками и стрелялками для малышей.

А вот у Ирочки осталось недоумение, мало того, что мама, оказывается, знает про компьютерную забаву, так она еще и помнит подробности о новинках. И девочка сделала вывод: мать не просто завела любовника, она уже давно живет с другим мужчиной, обманывает мужа и дочь. Но самое шокирующее не это — у Веры есть сын...

Я издала протяжный стон.

— Ириша! Твоя мама человек отчаянной, порой глупой честности. Она любит Андрея, обожает тебя и не способна на адюльтер. И каким образом Вера может скрывать ребенка?

Ирина поджала губы и стала похожа на злую обезьянку.

— Тетя Даша, вы ее не знаете!

Во мне вскипело раздражение:

— Уж побольше твоего знакома с Верочкой! Как тебе не стыдно говорить о маме гадости? И... Надеюсь, ты не пошла к отцу, делиться своими соображениями?

— А что? — с вызовом вскинула голову Ира. — Боитесь, что он вытурит жену из дома?

— Нет, надает тебе оплеух, — взвилась я. — Ладно, давай рассуждать трезво. Что случается с женщиной, когда она беременеет? У нее растет живот. Так?

Ира кивнула, а я продолжила:

— Но Вера не поправилась ни на грамм. Далее. Роды — длительная процедура, требуется лечь в больницу хотя бы на несколько дней.

— Во-во! — обрадовалась девочка. — Несколько лет назад мама стала жаловаться на головную боль и захотела обследоваться. Легла в клинику на целых две недели!

Глупость Иры начала меня раздражать. Я знаю, что в период полового созревания подростки частенько бывают невыносимы и на самом деле школьника лет тринадцати нельзя назвать нормальным человеком. Но поведение младшей Савельевой не укладывалось ни в какие рамки. Надо немедленно образумить девочку!

Я откашлялась.

— Ирина! Только что я рассказала тебе о трагедии, произошедшей до твоего рождения. Успокойся, мама любит только тебя и мужа. Но если ты продолжаешь упорно настаивать на своей версии об адюльтере, то давай опять же рассуждать логически. Сколько лет мальчику на снимках?

— Четыре, пять, шесть, — пожала плечами Ира, — я не умею определять возраст детей.

— Но это не младенец?

— Нет.

— И зачем Вера скрывает ребенка? К тому же как посторонние и ты не заметили беременности? — спросила я.

Ира принялась накручивать на палец прядь волос.

— Она носила широкую одежду!

— А куда дела младенца? — не сдавалась я. — Почему не принесла его домой? За Андрея-то Вера вышла не так давно!

Ира стиснула кулачки.

— Не знаю! Наверное, мама до сих пор с тем дядькой встречается. Он бедный, а папа богатый. Или тот женат.

— Тогда разумнее было сделать аборт, — безжалостно сказала я. — Вот уж что сейчас легче легкого, так это избавиться от нежелательного ребенка. Кое-кто ухитряется в обеденный перерыв уложиться, втайне от мужа, свекрови и подруг. И вернемся к моему вопросу: зачем прятать мальчика?

Иришка заплакала.

— Она меня не любит! Ненавидит! Изводит замечаниями! Сыночку машинки покупает, а к родной дочери охрану приставила!

Я притянула девочку к себе.

— Охохоюшки... Сейчас в тебе не разум говорит, а гормоны вопят. Так вот почему ты придумала похищение! Пусть мама поволнуется, вспомнит о дочке... И где ты хотела спрятаться?

— Неважно, — шмыгнула носом Ира.

Я решила не выяснять правду до конца. Вероятнее всего, Ира задумала пойти в небольшую гостиницу, где не спрашивают паспорт, или ночевать в зале ожидания на вокзале. Сейчас главное — утешить глупышку...

Минут через сорок, схватив с вешалки в одном из бутиков чуть ли не первое попавшееся под руку платье, мы с Ирой вернулись в кафе, где оставили Верочку. Перед тем как войти в зал, я спросила девочку:

— Ну? Порядок?

— Мне стыдно, — прошептала она. — Ой, тетя Даша, что я наделала! Но я не виновата!

Я поправила ее белокурые волосы.

— Главное, ты теперь знаешь — мама никогда не лжет. Очень прошу, если в твою буйную голову придет новая завиральная идея, сразу звони мне, вместе разберемся.

— Спасибо, — прошептала Ирочка. — Ты не скажешь маме про похищение?

— Никогда в жизни, — твердо пообещала я. — А тебе не следует упоминать дома о том, что ты знаешь про трагедию с Сережей. Рано или поздно мама сама расскажет тебе ту историю. А сейчас постарайся выглядеть веселой. Мы чудесно провели время, купили шикарное платье, жизнь прекрасна!

— Жизнь прекрасна, — эхом отозвалась девочка.

— Молодец! — похвалила я ее. — И станет еще прекраснее, если ты перестанешь выдумывать глупости. Подожди, в твоей судьбе еще произойдут настоящие, а не выдуманные неприятности.

На этой бодрой фразе мы вошли в кафе.

Девочка незамедлительно кинулась Вере на шею.

— Мамулечка, я тебя люблю больше всех на свете!

— Что случилось? — насторожилась Вера, которая, как все матери, отлично понимала: если чадо проявляет излишнюю нежность — жди беды.

Ира, ничего не ответив, продолжала обнимать мать.

— Боюсь, мы слегка превысили дозволенный лимит, — лихо солгала я, — платье оказалось дороже, чем предполагалось.

— Ерунда, — с облегчением ответила подруга, — на свадьбе надо выглядеть празднично.

Выпив чашку чая, я распрощалась с подругой и ее дочкой, вышла на улицу и услышала попискивание мобильного. Но это был не звонок или прилетевшая эсэмэска, сработало напоминание в блокноте. Я посмотрела на дисплей, там значилось: «Покормить малыша Гали».

Поскольку в нашем доме обитает множество животных, я завоевала у своих подруг устойчивую репутацию ветеринара и хозяйки гостиницы для домашних животных. Например, Наташа Строкова всегда просит меня постричь когти ее пуделю Чарлику. Забавно, но, если к нему подкрадывается с кусачками сама хозяйка, собака принимается истерически лаять и норовит ее цапнуть, а когда к Чарлику приближаюсь я, он молча подает мне лапу. У Раскиных я делаю уколы коту Тимофею, заработавшему к старости артрит, у Нюши Мамонтовой чищу панцирь черепашке. Есть еще Альбина Терентьева, которая, наплевав на предписание ветеринаров, угощает терьера Бублика сосисками, а затем звонит мне и кричит:

— Пожалуйста, Даша, налей обжоре в рот масла, у него опять желудок не работает!

Я не удивляюсь таким просьбам. И совсем не поразилась, когда вчера Галка Монахова привезла мне ключи и сказала:

— Улетаю на два дня в командировку. Сделай одолжение, загляни завтра ко мне и подсыпь малышу корма.

— Ты завела домашнего любимца! — обрадовалась я.

— Ага, — на ходу сообщила Монахова. — Прости, потом расскажу, опаздываю. Да, чуть не забыла! Я же переехала, теперь снимаю «однушку» в Калинкином переулке, дом шесть, квартира сто двенадцать.

Я не успела открыть рот, а Галя уже скрылась, забыв сообщить, кто теперь обитает в ее квартире: щенок или котенок.

Калинкин переулок находится в Куркине. Монахова всегда подыскивает жилье подешевле, вот и теперь поселилась не в новой части, застроенной красивыми современными домами, а в старом микрорайоне, в простой пятиэтажке без лифта. И угадайте, на каком этаже оказалась сто двадцатая квартира? Правильно, на самом последнем.

Тяжело дыша и дав себе твердое обещание наконец-то заняться фитнесом, я взобралась по лестнице и начала тыкать ключом в скважину.

Хозяева сдаваемых квартир, как правило, хотят сэкономить на всем, поэтому особо не заморачиваются, устанавливая видеофоны и замки повышенной секретности. Сейчас я пыталась справиться с наипростейшей конструкцией, такие замки в прошлом столетии были практически во всех московских квартирах. Помню, сколько раз я, потеряв ключи, ждала бабушку, сидя на холодном подоконнике в подъезде! Сколько раз Фася ругала меня и отправляла в мастерскую заказать новые! Но в классе этак девятом наш школьный хулиган Веня научил меня вскрывать дверь при помощи... пилки для ногтей. Оказалось, в ремесле домушника нет ничего хитрого, требуются лишь хладнокровие и твердая рука. В скором времени я навострилась весьма ловко орудовать заостренной железкой, и проблема с ключами исчезла. Ныне такие запоры канули в Лету, я и не предполагала, что кто-то еще не поменял реликт на более современный замок. И вот раритет перед моими глазами!

Ключ с небольшим усилием вошел в скважину, но поворачиваться отказался. Я вытащила его, повторила операцию, вновь не добилась успеха и решила тряхнуть стариной. Большинство женщин имеет в сумочке массу полезных вещей, и я не исключение, поэтому, порывшись в ридикюле, вытащила на свет божий пилку, а затем на раз-два справилась с задачей.

Глава 5

Из квартиры пахнуло переваренными щами. Я удивилась: Монаховой не придет в голову стряпать еду, она одинокая женщина, предпочитающая питаться в кафе. Апофеоз ее кулинарных возможностей — собственноручное открывание баночки с йогуртом. Наверное, запах остался от прежних жильцов.

Я посмотрела на очень грязный пол, поколебалась пару секунд и решила не снимать балетки. Галка, насколько я ее знаю, совсем не занимается домашним хозяйством, паркет, покрытый пятнами, ее абсолютно не смущает. Вероятно, сейчас на кухне обнаружится гора немытых тарелок. Однако на сей раз Монахова сняла совсем уж противную квартиру, ремонт тут не делали лет сорок...

Я бочком протиснулась мимо здоровенного шкафа, запертого на огромный навесной замок, миновала пару плотно прикрытых дверей и в очередной раз изумилась. Обычно Галка всегда снимает «однушку», она собирает средства на собственное жилье и предпочитает каждый далеко не лишний рубль положить в копилку, но эта квартира, похоже, трехкомнатная. Однако уже через секунду я нашла объяснение: кое-кто сдает жилье, заперев часть помещений.

Кухня, как и предполагалось, находилась в полном беспорядке. Я стала шарить в шкафчиках, пытаясь найти пакет с сухим кормом, но никакой собачье-кошачьей еды не обнаружила. Не было на виду и миски с водой и остатками предыдущей трапезы, зато оказалось много рыбных консервов с этикеткой «Марыма в томате». Почему я решила, что таинственная марыма плавает в воде, а не топчет копытами сушу? Оцените мою сообразительность, на бумажках, опоясывающих банки, имелось изображение кого-то, сильно смахивающего на акулу, и надпись «Улов произведен в экологически чистой реке, микрорайон «Бензозавод», город Нефтеградск».

Чтобы найти еду для Барсика или Бобика, я распахнула холодильник и обнаружила там открытую банку со все той же марымой. Из-под вспоротой крышки на меня смотрела голова с одним глазом и торчащим вверх ухом. Очевидно, в микрорайоне «Бензозавод» водятся существа типа Несси. Надо же, а я, наивная, до сих пор полагала, что уши есть только у сухопутных животных...

Я захлопнула холодильник и решила позвать голодного малыша.

— Кис-кис! Иди сюда! Или ты не кошка? Беги на кухню! Хочешь кушать? Ням-ням! Кис-кис! К ноге!

Издалека послышалось кряхтение. Я высунулась из кухни и приросла ногами к полу. В самом конце кишкообразного коридора приотворилась дверь, и из комнаты выбралось существо, которое, издавая стоны разной степени надрывности, тихо поволоклось в мою сторону.

Чем ближе подбирался к кухне малыш Галки, тем внушительнее он выглядел. Сначала я разглядела темную шерсть, торчащую в разные стороны, потом оценила размер «малютки» и сообразила: ЭТО никак не может быть кошкой! Вы встречали кисок ростом около метра шестьдесят и объемом с мешок, набитый цементом? Значит, питомец Монаховой собака.

В голове вертелись названия пород крупных псов: мастино-неаполитано, аргентинский дог, фила-бразильеро, мастиф... Кого приголубила Галка? Где она нашла щенульку? И почему верный друг человека так странно движется? Господи, это лошадь!

Я попятилась в кухню. Четвероногое доплюхало до порога пищеблока и громко чихнуло. Нет, ЭТО не было ни кобылой, ни жеребцом, неведомый зверь стоял на задних лапах, передние болтались в воздухе и заканчивались они не копытами, а пальцами с длинными черными когтями. Тело прелестного создания было покрыто шерстью темно-коричневого цвета, причем она распределялась пучками. Но больше всего меня поразила морда чудища, отдаленно напоминавшая... человеческое лицо. На секунду я испытала страстное желание залезть под стол. Похоже, Галка притащила из одной своей командировки снежного человека! Но потом ко мне вернулась способность разумно мыслить: говорят, йети высокого роста, чуть ли не более двух метров. Значит, я сейчас вижу перед собой обычную обезьяну. По всей видимости, шимпанзе.

— Здравствуй, дорогая, — заискивающе улыбнулась я малышу. — Хочешь кушать?

Животное скривилось. Затем, охая на все лады, направилось в сторону мойки, открутило кран и принялось с утробным рыканьем ловить ртом струю воды.

— Наелся «Марымы в томате», а теперь страдаешь жаждой? — дрожащим голосом произнесла я, прикидывая в уме, каким образом проще удрать из квартиры.

Зверюга перестала хлебать и уставилась на меня. Ее губы мучительно искривились, из горла вылетело клокотание.

— Кто тебе разрешил выходить? — раздался из коридора пронзительный голос. — Геть на место! Ишь обнахалился!

Шимпанзе затрясся крупной дрожью и споро юркнул под стол. Я, поддавшись стадному чувству, кинулась следом.

— Вылазь, гад! — заорали уже в кухне. — Ну, ща огребешь! Надо же, веревку перегрыз! Как только умудрился, я толстый канат купила...

Тут только я заметила, что от одной из передних лап обезьяны тянется обрывок толстого витого шнура. Огромная жалость охватила меня. Бедное, несчастное создание... Похоже, его никогда не мыли, от него отвратительно воняет, не кормили досыта, не водили гулять, привязали к батарее, мучили дни напролет... Да таких хозяев следует в тюрьму сажать! В уголовном кодексе, слава богу, теперь есть статья, осуждающая жестокое обращение с братьями нашими меньшими.

Край клеенки, свисавшей до полу, задрался, животное, сжавшись в комок, ухитрилось спрятаться за мою спину, а я увидела красное от злости лицо пожилой женщины. Она не ожидала обнаружить под столом незваную гостью и застыла, напряженно дыша. Потом спросила:

— Этта кто?

— Даша Васильева, — вежливо представилась я. — Пришла покормить малыша, да никак не найду пакет с кормом. А вы, вероятно, хозяйка, сдавшая Гале квартиру?

— Чаво? — растерянно отозвалась пенсионерка. — Этта кто?

— Даша Васильева, — изо всех сил улыбаясь, вновь представилась я, — близкая подруга Гали, которая здесь живет.

— Ты Галя? — не разобралась в ситуации бабуся. — Чего тут делаешь, а?

Я представилась заново.

— Извините, меня зовут Даша, я только что пришла, а Галя здесь поселилась.

Лицо пенсионерки налилось краской.

— И давно?

— Точно не скажу, — пропела я, — вероятно, пару дней, как перебралась.

— Она Галя, а ты Даша? — проявила удивительную сообразительность бабка. — И чего тут делаешь?

— Галя уехала в командировку, попросила дать корма ее любимцу, вручила мне ключи.

Старуха склонила голову набок.

— Ишь ты... любимец, говоришь? Светка-а-а!

От вопля у меня заложило уши, а несчастная обезьяна затряслась крупной дрожью.

— Мама, хватит визжать, — загремел другой женский голос. — Где эта падла? Сбежала?

— Говорила я тебе сто раз... твердила... — заканючила старуха, — предупреждала: «Не приводи в дом кобеля». И че?

— Ой, мама, прекрати, — затарахтела дочь. — Куда он подевался?

— Веревку перегрыз, — ответила пенсионерка.

— Сбег?! — взвилась дочь. — Неужели дверь открыть сумел? Может, он не такой уж идиот?

— Под стол глянь, там баба сидит, — с неожиданной радостью сообщила маменька. — Полюбуйся и наконец-то меня послушай!

— Врешь... — не поверила дочурка.

— Нагнись, — распорядилась маман.

Через секунду я увидела растрепанную белокурую голову, накрашенные глаза за частоколом слипшихся ресниц и сиренево-розовые губы.

— Ты кто? — задала уже надоевший мне вопрос дама.

Я выползла из-под стола, провожаемая жалобным постаныванием обезьяны, встала на ноги и попыталась внести ясность в идиотскую ситуацию.

— Еще раз здравствуйте. Меня зовут Даша Васильева, я пришла сюда по просьбе Гали Монаховой, покормить ее любимца, вот ключи.

— Кто такая Галя? — выпучила глаза Светлана.

— Не поняла? — противно захихикала мамаша. — Она здесь спать пристроилась со своим любимцем!

— С Яшкой? — уточнила Света.

— А больше тута никого нет, — заявила маменька.

Светлана сжала кулаки и вонзила в меня взгляд.

— Ты кто?

Я разозлилась.

— Послушайте, мне надоело твердить одно и то же! Здравствуйте, разрешите представиться, Даша Васильева, подруга Гали Монаховой, которая снимает эту квартиру. Галка дала мне ключи, чтобы я съела ее любимца. То есть, наоборот, чтобы он съел меня... Черт, вы меня совсем запутали. Короче, я пришла покормить собаку или кота, а он, оказывается, обезьяна. Не успела еду найти, как вы пришли. Это все! Ясно?

Старуха и Света переглянулись.

— А где Галя? — поинтересовалась дочурка.

— В командировку укатила, — отозвалась я, — а мне велела любимца покормить.

Света наморщила лоб, вытянула вперед руки и начала загибать пальцы.

— Ты — Даша. Она Галя. Яшка не твой любимец.

— Нет, — согласилась я.

— Галя уехала, а Яшку надо покормить... — бубнила Света. — Круто получается. Ты кто? Как дверь открыла?

— Галя ключи дала!

— Кому?

— Мне!

— Зачем?

— Обезьяну покормить! Я считала, что тут будет собака или кот! Ну сколько можно одно и то же талдычить? — взвыла я.

Светлана схватила старуху за локоть.

— Мам, о какой Гале она бормочет?

— Не врубаюсь, доча, — замотала головой бабка, — без понятиев вовсе.

Я поняла, что никогда не смогу объяснить тупицам, в чем дело, и, пытаясь погасить назревающий конфликт, начала новый виток разговора:

— Лучше нам...

— Сукан! — взвизгнула Света и нырнула под стол. — Вылазь, подлюка!

— Дошло, как до жены жирафа, — удовлетворенно отметила старуха. — Хоть я и разменяла седьмой десяток, да ум быстрым остался, враз мозголомку сложила. Ух какие наглые бабы встречаются! Ща Светка Яшку отхреначит, потом тебе правду жизни объяснит!

Стол стал подпрыгивать, обезьяна жалобно зарыдала.

— Не смейте трогать несчастного! — встала я на защиту шимпанзе.

— Лучше не вмешивайся, — вполне дружелюбно посоветовала бабка. — Светка на гнев скорая, ее даже мужики побаиваются.

Я быстро оглядела загаженную кухню, схватила со стола сковородку, взяла ее на манер теннисной ракетки и храбро заявила:

— Пусть попробует, я смогу за себя постоять. Если вы не любите животное, сдайте беднягу в зоопарк!

Старуха фыркнула, как простуженная кошка.

— Кто ж его туда возьмет? Небось много заплатить надо, чтоб избавиться. Если б так легко станцовывалось, все бы туда ринулись!

Тут Света вытащила на середину кухни бедное шимпанзе и отвесила ему затрещину. Я сжала зубы, подняла сковородку и шагнула вперед. Мне несвойственна агрессивность, никогда не решаю проблемы при помощи кулаков, да и не обладаю физической мощью, но, когда при мне обижают бессловесное животное, не могу стоять спокойно.

— Не надо, — взвизгнуло человекообразное.

Сковородка выпала из моих рук. Говорящая обезьяна!

— Еще не так получишь! — завизжала Светка. — Завел бабу, пустил к себе жить!

— Первый раз ее вижу, — ныло животное, — сам удивился, услышал крик, выглянул, а она меня манит, приговаривает: «Кушать иди, миленький!» Сперва я подумал — это глюк, типа белочка...

— И правильно рассудил, — неожиданно похвалила обезьяну бабка. — Кто ж такого урода «миленьким» назовет!

Шимпанзе ткнул в мою сторону желтым пальцем:

— Так она живая!

Я сумела справиться с оцепенением.

— Оно не обезьяна? А кто?

Светлана энергично встряхнула чудище и без всякой злобы ответила:

— Яшка, муж мой.

— Зятек золотой, — язвительно подхватила бабка. — И как только твоя подруга на такого прынца позарилась!

Я опустилась на колченогую табуретку.

— А почему у него на руке кусок веревки?

Света дернула за обрывок.

— Яха у нас запойный. Начнет квасить, мы его с мамой к батарее привязываем и в деревню к ней уезжаем. Посидит красавец пару дней и очухается!

Только тут я поняла: тело несчастного покрывает не шерсть, а донельзя грязный спортивный костюм начесом наружу. От неожиданно сделанного открытия моя растерянность лишь возросла.

— А где собака? Или кошка?

— Не хватало нам лишний рот кормить, — подбоченилась бабка.

— Из животных один муж, — абсолютно серьезно подхватила Света и отвесила Якову очередной тумак.

— Если бить человека по голове, он дураком станет, — попыталась я остудить пыл женщины.

— Хуже не будет, — каркнула старуха. — А ты кто? Как сюда вперлась?

— Вы сдали квартиру с пьяницей? — задала я в ответ свой вопрос. — Ловко устроились. И сколько несчастная Галка платит за этот комфорт?

— Ах падла, — пнула супруга Света. — Вот где ты бабло достаешь! С бабами за рубли спишь!

— Проститут! — заклеймила находящегося в состоянии грогги зятя старуха.

Неожиданно ко мне вернулось хорошее настроение.

— Девушки, подумайте сами, кому ваш Яша нужен?

— Верно, — вздохнула пенсионерка, — одна моя Светка дура.

— Мама, замолчи, — оборвала ее дочь.

— Правда глаза колет, — не успокаивалась старуха. — Нормальные парни тебе не по вкусу были, скучными казались. Вот уж выбрала бобра! Хорош да умен, сто угодий в нем!

Дочурка схватила со стола початую банку «Марымы в томате» и швырнула в матушку. Красная подливка фонтаном рассеялась по кухне.

— Ах стерва! — возмутилась мамонька и зафутболила в милую доченьку подобранной с пола тряпкой.

Света выставила вперед руки и ринулась на родительницу. Яша, очевидно, не раз принимавший участие в семейной забаве под названием «драка с матерком», пригнулся и споро побежал в коридор. Я мгновенно последовала его примеру. Из кухни, где бушевало уже нешуточное сражение, несся вопль Светы:

— Ща с мамой разберусь, потом тебя, Яха, к ногтю прижму! Любимец... Кормить его приехали...

Вместо того чтобы еще раз попытаться объяснить теткам суть дела, я малодушно выбежала на лестничную клетку и, аккуратно захлопнув дверь, уставилась на косо приклеенные цифры «120». Монахова скромный человек, она не станет причинять другим людям беспокойство. И я теперь понимаю, как обстояло дело. Когда живешь на чужой квартире, будь готов к тому, что тебя, несмотря на подписанный договор, могут в любое время выставить вон. Хозяйка велела Галке срочно сматываться, и Монахова разнервничалась: хорошую квартиру сразу найти трудно. Вот она и схватилась за первое предложение. Ну почему Галя мне не позвонила? Пожила бы в Ложкине спокойно, а не в этой ужасной халупе номер сто двадцать, которую отдали внаем вместе с алкоголиком, привязанным к батарее.

В сумке ожил мобильный, я вынула трубку и услышала радостный голос Маши:

— Муся, стою около прилавка, тут...

Связь прервалась. Я подождала пару мгновений, потом сама попыталась соединиться с Марусей и услышала щебетанье на французском языке: местный оператор связи сообщал, что телефон девочки находится вне зоны доступа. Очевидно, Манюня, как обычно, забыла вовремя подзарядить телефон. Я положила трубку в карман, глянула на дверь, за которой набирал обороты скандал, и, внезапно ощутив озноб, еще раз обозрела цифру «120», потом вынула мобильный, открыла ежедневник и прочитала адрес Монаховой: «Калинкин переулок, дом 6, квартира 112». Так вот почему ключ с таким трудом влез в замочную скважину, а потом не хотел поворачиваться! Я проникла в чужую квартиру, использовав пилку для ногтей! И как теперь поступить? За плотно закрытой створкой раздался оглушительный грохот, очевидно, Светлана обрушила на мужа трехстворчатый гардероб, громоздившийся в коридоре.

Понимаю, что сейчас потеряю ваше уважение, но я не стала возвращаться в скандальную семейку и пытаться объяснить свою ошибку. Нет, продемонстрировав трусость и малодушие, я сбежала вниз по лестнице, чтобы найти нужную квартиру. В свое оправдание могу сказать, что я испытывала угрызения совести, но инстинкт самосохранения оказался сильнее благородства.

Глава 6

Ника Пестова играла свадьбу в пятницу днем. Когда я добралась до ресторана, торжество шло полным ходом, гости уже основательно выпили, и ведущий церемонии начал развлекательную программу, группа подружек невесты и приятели жениха вовсю соревновались в поедании висевшего на нитке здоровенного яблока. Незатейливая забава приводила народ в восторг, больше всех веселилась невеста, за плечами у которой было уже три брака. Ника блистала в роскошном кружевном белом платье, ее голову венчала фата, правую руку украшали два кольца: одно платиновое, с брильянтовой россыпью, второе золотое, со здоровенным многокаратным «лучшим другом девушек».

Я присоединила свой подарок к куче презентов и стала бродить по залу, слушая обрывки чужих разговоров.

— С каждым замужеством она делается богаче...

— Если отдадим товар по двадцать, то ничего не получим...

— А он мне и говорит: «Да ты лохушка...»

— Не ешь, семга отвратная...

— Ника сразу полетит в Париж...

Как всегда, люди обсуждали хозяев мероприятия и пытались попутно заниматься своими делами.

— Дашунечка, — окликнул меня знакомый голос, и я увидела Веру.

Подруга выглядела замечательно. На секунду я даже заподозрила, что она проделала со своим лицом некие манипуляции, настолько свежей — практически без морщин — выглядела ее кожа.

— Очень красивое платье, — заулыбалась Вера, — тебе идет красный цвет.

Я не осталась в долгу:

— Шикарно смотришься, больше двадцати пяти не дать.

— А я и не возьму! — воскликнула Вера.

— Ты с Андреем? — поинтересовалась я.

— Нет, — сообщила подруга, — только с Иришкой. Андрюша улетел на Кипр, его постоянного клиента скрючило. Московская недвижимость расползлась по загранице.

Я не удержалась от смешка. У Андрея много постоянных больных, к которым он безропотно выезжает или вылетает в любое время суток. Некоторые клиенты, когда массажист заходит к ним в спальню, способны двигать только глазами — остеохондроз коварная штука, чихнешь со вкусом и останешься в позе буквы «зю». Андрюша (кстати говоря, он находится в тесной дружбе с абсолютным большинством своих подопечных) в шутку называет недужных «московской недвижимостью». Бедолаги не обижаются, наоборот, посмеиваются и говорят врачу:

— Срочно прикатывай, а то недвижимость превратится в бочку с цементом.

Один внешний вид Савельева внушает доверие и вызывает улыбку. Андрюша похож на счастливого кота, надевшего ради прикола очки. Появляясь, он довольно потирает руки и сообщает:

— Утренний ужас явился. — И, начиная массаж, самозабвенно болтает о всякой ерунде: пробки на дорогах, зловредные гаишники, погода, проделки его собаки по имени Пан, телепередачи. По первому впечатлению Андрюшу можно принять за наивного человека, который просто не способен держать рот на замке. Но спустя некоторое время становится ясно: Савельев никогда ничего не сообщает о других клиентах, он свято блюдет медицинскую тайну и говорит лишь на общие темы. Редкостной говорливостью массажист маскирует момент, когда ему предстоит сделать вам

больно, подчас даже очень больно. Лена Варфоло-
меева, которую Андрюша учил ходить после серь-
езной аварии, когда он уезжал, звонила мне и рыдала в трубку:

— Ужасно! Я не выдержу. Теперь я точно
знаю, пока Савельев несет чушь про собаку, можно расслабиться, но если он произнес: «Погода
нынче отвратительная», сейчас так кость выкру-
тит, что искры из глаз посыплются. Садюга!

Через месяц мучений Ленка отбросила косты-
ли. Может, Андрюша и садист, но он добивается
потрясающих результатов: убирает артрит, кифоз,
мигрень, депрессию, почти все болячки боятся
Савельева. Чего только нет в его объемном порт-
феле: молотки, иглы, банки, ремни, полоски ткани, утыканные острыми пластиковыми зубцами,
полынные сигары. А в машине ждут своего часа
аппараты, весьма смахивающие на экспонаты из
музея пыток. Андрюша весь состоит из мышц и
легко поднимает стокилограммового мужчину. Он
всегда готов помочь друзьям и тем людям, у которых элементарно нет денег на массаж. Если Савельев понимает, что бедному человеку его услуги
жизненно необходимы, он спокойно провозится с
ним пару часов безо всякого вознаграждения. Андрей настоящий врач, за своих больных он борет-
ся до конца и очень переживает, если кому-то не
удается помочь. Будь все доктора как Савельев,
Россия легко стала бы страной исключительно здо-
ровых людей.

— Верочка! — закричала незнакомая мне дама
в сильно декольтированном платье.

— Люсенька! — обрадовалась подруга. — Извини, Дашута!

— Конечно, — кивнула я, — ступай.

Неожиданно Вера меня обняла.

— Я так счастлива! Прости!

— Ты не сделала ничего плохого! — Мне было странно услышать от нее извинения.

Верочка хитро улыбнулась и добавила:

— Я должна многое тебе рассказать. Есть тайна! Но он запретил болтать.

— Ничего не понимаю, — остановила я Савельеву.

— Это вообще невозможно осознать, — вспыхнув от возбуждения, зашептала Верочка. — Ты просто на пол рухнешь, когда его увидишь!

— Кого? — напряглась я.

Вера приложила палец к губам.

— Тс-с-с... Не здесь и не сейчас! Давай встретимся завтра, идет?

— Идет, — в растерянности повторила я.

Подруга по-детски подпрыгнула и ввинтилась в толпу изрядно подвыпивших гостей. Я недоумевала: что с Верой происходит? Она выглядит и ведет себя как первокурсница.

Мимо прошмыгнул официант в белой куртке, в руках он нес поднос, уставленный бокалами.

— Какое вино? — спросила я исключительно из любопытства.

— Коктейль «Бруно». Желаете?

— Нет, спасибо, мне еще домой рулить, — улыбнулась я.

— А я выпью, — заявил знакомый голосок.

Дочь Веры схватила фужер и поднесла ко рту.

— Ира, — строго сказала я, — думаю, мама будет не в восторге, узнав, что ты увлеклась спиртным.

— Ерунда, — бесшабашно объявила девочка, цапнула вторую порцию и отправила ее в свой желудок вслед за первой.

— Прекратите предлагать ребенку алкоголь! — налетела я на официанта. — Разве не видите, что девушке еще далеко до восемнадцатилетия?

Парень счел за благо исчезнуть, а я взяла Иру за руку.

— Пошли.

— Куда? — попыталась выдернуть свою ладонь девочка.

— Сначала умоешься холодной водой, потом выпьешь кофе в баре.

— У меня макияж наложен, — заявила Иришка и громко икнула. — И вообще, я уже давно взрослая! Что мне коктейли?

— Смеси — самый опасный вариант спиртного, — вздохнула я, — уж лучше взять вино в чистом виде.

— Не фиг меня учить! — возмутилась Ира. — Нашлась тут самая умная...

Я стала искать глазами в толпе Верочку, надо увести девочку, пока та, налившись сладким пойлом, не натворила глупостей. Как на всех мало-мальски значимых светских мероприятиях, сейчас в ресторане полно папарацци, и меньше всего Андрею Савельеву захочется увидеть фото наклюкавшейся дочурки в какой-нибудь «Желтухе».

— Тетя Даша, мне плохо, — захныкала Ира.

— И понятно почему, — вздохнула я. — Пьяный ребенок — позор семьи!

— Меня хотят похитить, — снова икнула Ира, — или вообще убить.

Я поморщилась.

— Эта тема уже исчерпана, не начинай заново.

Иришка прижалась ко мне и, обдавая сильным запахом алкоголя, прошептала:

— Нет, правда! Вон тот дядька так нехорошо смотрит... Я его стопудово откуда-то знаю.

— Кто тебя напугал? Сейчас же его прогоню, — я попыталась успокоить глупышку.

— Такой урод свинский... — заплетающимся языком пролепетала Ира. — Угостил меня... ик... соком... а он... ик... с градусами!

Глаза ее стали закрываться, и девочка начала валиться на бок, но я успела подхватить глупышку и вывела ее из ресторана в холл гостиницы. Иришка еле-еле шевелила ногами и буквально рухнула в большое кожаное кресло, стоявшее неподалеку от рецепшен.

Я подошла к портье.

— Мне нужен номер на сутки.

Молодой человек в черном костюме быстро окинул меня взглядом, но вежливо отказал:

— Увы, свободных комнат нет.

Я открыла клатч, вытащила платиновую кредитку, потом симпатичную зеленую банкноту и, постукивая карточкой по стойке, уточнила:

— Совсем нет?

Портье с сожалением посмотрел на купюру.

— Рад бы помочь, но гостиница переполнена.

— Мне очень надо, — нежно улыбаясь, закурлыкала я, добыв из сумочки французский паспорт и еще одну ассигнацию.

— О да, мадам! — засуетился администратор. — Для нас честь вас принять! Где багаж? Его сейчас же отнесут наверх. Разрешите заглянуть в паспорт?

Пока парень рассыпался в комплиментах, его руки с ловкостью фокусника спрятали деньги. Я получила ключ и поманила коридорного, вдвоем мы довели несопротивляющуюся Иру до кровати и положили поверх покрывала.

— Давайте горничную позову? — предложил паренек, одетый в красную куртку с золотым шитьем. — Она вам ее раздеть поможет.

— Спасибо, дружочек, — кивнула я, одаривая помощника чаевыми, — сама справлюсь. Не болтай о том, что девочка напилась.

Юноша строго посмотрел на меня.

— В отеле всякое случается, начнешь языком молоть, работу потеряешь. Вот, держите визитку, на ней мой мобильный. Если захотите дочку тайком увезти, звякните, выведу вас через служебное помещение.

— Очень мило с твоей стороны, — улыбнулась я, пряча визитку.

— Любой каприз за ваши деньги, — торжественно пообещал коридорный и умчался.

Я посмотрела на уже крепко спящую Иру, сняла с нее туфли на высоком каблуке, аккуратно поставила их в предбаннике на подставку, прикрыла девочку пледом и, не забыв тщательно захлопнуть дверь, пошла в ресторан.

Услыхав о «выступлении» дочери, Вера всплеснула руками:

— Вот безобразница! На короткое время упустила ее из вида, и вот, пожалуйста, результат!

— Может, надо дать ей чуть больше свободы? — предположила я. — Ира, вероятно, бунтует против чрезмерной опеки. Даже взрослого человека обозлит постоянная охрана.

Подруга с шумом выдохнула.

— Дочка в последнее время несносна. Я даже обратилась к невропатологу, и он посоветовал для нее лекарство. Но Ирина отказалась его принимать, я подсыпаю порошок ей по утрам в кашу. Чувствую себя как леди Макбет! Огромное тебе спасибо за помощь. Сколько я должна за номер?

Я поморщилась.

— Прекрати!

— Надо бы подняться к ней, — без особой охоты протянула Вера. — Мы здесь без охраны. Вдруг что случится!

— А смысл? — отвергла я ее идею. — Меньше двух часов она не проспит. Номер заперт на ключ. Отдыхай спокойно. Никому твое сокровище не нужно.

— Полагаешь? — обрадовалась Вера. — У меня сегодня на редкость праздничное настроение. Даже Иркино хулиганство его не испортило.

— А помнишь, как сама надралась в кафе «Московское», отмечая окончание первого курса? — ехидно поинтересовалась я. — Ты тогда стала фирменными блинчиками в официанта швыряться. Спасибо, Ваня Марков все уладил, а не то бы сидеть тебе пятнадцать суток.

— Ой, правда... — захихикала Вера и схватилась за сумочку, в которой запищал мобильный. — Да, я. Слушаю, милый, добрый вечер, солнышко!

Голос Веры стал сладким, как рахат-лукум, щеки порозовели, глаза приобрели счастливое выражение. Искоса глянув на меня, подруга быстро отошла в сторону, явно желая продолжить беседу без лишних свидетелей. Я не могла прийти в себя от изумления. До сих пор у Веры не было от меня тайн. И с кем сейчас воркует Савельева, разом забывшая и об Ире, и обо мне, и о свадьбе Пестовой?

Глава 7

Примерно через полтора часа мы с Верушкой улизнули из ресторана и поднялись в номер. Иры на кровати не оказалось.

— Она ушла? — испугалась мать.

— Маловероятно, — успокоила я подругу. — Слышишь шум? Вода течет... Девочка слегка оклемалась и принимает душ.

Вера подбежала к двери в санузел и крикнула:

— Заинька, открой маме!

Я села в кресло и с наслаждением освободилась от шпилек. Когда мадам Помпадур, любовница одного из Людовиков, изобрела туфли на шпильках, она всего-то хотела казаться повыше ростом и совершенно не предполагала, что спустя пару сотен лет после ее кончины основная часть женщин планеты станет пользоваться шпильками и по вечерам испытывать неземное блаженство, меняя их на тапки.

— Дашута, — растерянно сказала Вера, — она не хочет выходить.

Мне пришлось встать и тоже стучать в створку, строго приговаривая:

— Ира! Сейчас же отопри!

Но девочка не отвечала. Вера принялась нервно ломать пальцы, я же прислушалась и поняла: вода шумит ровно, а если человек плещется под струей, звук должен быть прерывистым.

— Ей плохо! — испугалась Вера. — Надо срочно звать на помощь, пусть сломают дверь.

Я вынула из сумочки визитку, полученную от коридорного.

— Не паникуй. Вероятно, твоя пьяная доченька мирно спит на софе, которая стоит в ванной комнате. Сейчас решим проблему без шума и пыли. Алло, Илья? Не могли бы вы подняться в пятьсот третий номер?

Коридорный оказался ушлым пареньком. Он вытащил из кармана нечто, похожее на пластиковый футляр для зубных щеток, выудил оттуда изогнутую железку, всунул ее в щель между косяком и дверью, подергал пару раз, затем объявил:

— Опаньки! Открыто!

Я быстро сунула парню купюру.

— Ириша! — закричала Вера и бросилась к дочери, скрючившейся на полу.

Я последовала за Верой, присела на корточки возле Иры и вздрогнула. Широко открытые глаза девочки смотрели в потолок, нижняя челюсть слегка отвисла, лицо приобрело восковой оттенок. Из унитаза отвратительно пахло, похоже, младшую Савельеву сильно рвало.

— Что с ней? — прошептала Вера.

— Сейчас позову доктора, — ответила я, вытесняя подругу из ванной комнаты.

Спустя некоторое время в номере скопилось много народа. Главный администратор отеля бегал между Мишей Стрельцовым, заместителем Дегтярева, которому я позвонила, поняв, насколько плохо дело, экспертом Алиной Хоменко, заполнявшей пробирки образцами, взятыми из унитаза, и врачом, который делал укол Верушке.

— Господа, умоляю вас, не поднимайте шума, — стонал работник гостиницы, — в ресторане свадьба, там море журналистов, в конференц-зале церемония «Любовь года», и у них прессы в избытке, а в холле дежурит с десяток папарацци, к нам сегодня поселяется звезда из Голливуда. Прошу, давайте тихонечко, без крика! Боже, ну почему именно в мое дежурство случился форс-мажор? Отчего я такой несчастный?

Мне захотелось треснуть идиота стулом, но тут Вера вдруг резко села.

— Где Ира?

Врач попытался уложить Савельеву, но она не подчинилась и повторила:

— Где Ирочка?

— Ее увезли в больницу, — быстро ответила я.

— Она выздоровеет? — не успокаивалась подруга.

Доктор предостерегающе кашлянул, я хотела соврать, но не сумела, на помощь пришел Мишка:

— Медики попытаются сделать все возможное. Позвоните мужу, пусть он немедленно сюда прибудет.

Вера сгорбилась.

— Дашута, набери Андрюшу. Скажи, что Иру увезли в клинику, а причину заболевания ты не знаешь.

Я кивнула.

— Мне придется воспользоваться твоим мобильным, в моем батарейка села.

— Он в сумке, — прошептала подруга.

Я пошарила в небольшом мешочке из замши, вынула дорогущий сотовый и вызвала Андрея.

— Аппарат абонента выключен или находится

вне зоны действия сети, — объявил мелодичный женский голос.

Я повторила попытку — тот же результат.

Ничего странного в том, что Андрей отключил телефон, не было. Занимаясь с больным, массажист всегда «отрубает» сотовый. Вера сегодня упомянула, что муж находится на Кипре. Савельев, несмотря на свои немалые заработки, очень хозяйственный человек. Поймите меня правильно: не жадный, а благоразумный. Андрюше не нравится, когда деньги улетают на ветер, он маниакально выключает в квартире за всеми свет, выговаривает дочери, когда та выбрасывает бутылку с остатками геля для мытья, и тяжело вздыхает, глядя на засохший кусок сыра в холодильнике. Андрей не станет держать за границей постоянно включенный телефон, он будет им пользоваться раз в день, позвонит домой и снова отсоединится от сети.

— Вы можете встать? — спросил врач у Веры. — Сами до «Скорой» дойдете?

Я сунула телефон подруги в свой клатч и ринулась ей на помощь.

Домой я приехала поздно. Верочка крепко спала в палате, одурманенная снотворным, ей пока не сообщили о смерти Иры. Тело несчастной девочки еще не вскрывали, но эксперт в неофициальном порядке сказала мне по телефону:

— Думаю, обнаружим кровоизлияние в мозг.

— Инсульт? — поразилась я. — В столь юном возрасте?

Алина вздохнула.

— Ирина выпила, ее стало тошнить, девочка смогла дойти до унитаза, и тут у нее началась сильная рвота. У меня уже были подобные случаи, сосуд в мозгу лопается от напряжения.

— Почему? — растерянно спросила я. — Ей ведь не сто лет!

Хоменко цокнула языком.

— Полно причин. Зря люди полагают, что дети появляются на свет здоровыми, а потом, в процессе жизни, обретают болячки. Сосудистая патология частенько наблюдается и у школьников, и у детсадовцев. Вскрытие внесет ясность, но пока ничего криминального не вижу. Есть синяк, полученный при жизни, похоже, она его заработала незадолго до кончины. Но он не представляет интереса. Наверное, Ирина ударилась рукой чуть повыше локтя о какой-то округлый предмет, диаметром около полутора сантиметров.

— Где рука и где мозг... — прошептала я. — В огороде бузина, а в Киеве дядька.

— Взяты анализы, — буднично говорила Алина, — сделаем токсикологию, может, чего и выскочит, но поверь моему нюху и опыту: смерть естественная.

— Кончину подростка вряд ли можно считать естественной, — пробормотала я.

— Ошибаешься, — спокойно ответила Алина. — Согласна, в юном возрасте отправляться на тот свет преждевременно. Но для меня важно другое: смерть бывает насильственной и естественной. Главное, точно определить, с чем мы имеем дело в данном случае. Жаль девочку, но, очевидно, она была больна. Не знаешь, Ира не страдала головными болями, ухудшением зрения, слуха, нарушением координации движений?

— Вроде нет, — выдавила я. — Вы проверили ее мобильный?

— Конечно, — подтвердила Алина. — Ничего особенного, куча эсэмэсок с обычной глупостью, звонки от подружек. Ох уж эти мне новорусские детки! Многие из них засекретили номера, берут пример с родителей.

— Вероятно, это продиктовано соображениями безопасности, — тихо сказала я.

— Может, и так, — согласилась Хоменко, — но сильно усложняет нашу работу. Кстати, последний ее разговор состоялся как раз с таким абонентом и длился несколько секунд. Больше она на вызовы не реагировала.

Едва я поставила трубку домашнего телефона на базу, раздалось пение мобильного. Звук шел из клатча. Я вытащила из сумочки аппарат и слегка удивилась. Что-то было не так, но разбираться в своих ощущениях не было времени, если кто-то беспокоит меня в полночь, значит, случилась беда.

— Алло, — сдавленным голосом сказала я в трубку.

— Не ищи виноватых далеко, — произнес мужчина, — никого не обманешь, посмотри на себя, убийца.

— Что? — поразилась я.

— Сколько кости ни закапывай, они на свет вылезут, — продолжал незнакомец. — Я знаю все!

— Кто вы? — прошептала я.

— Никогда не меняй одного ребенка на другого, бойся своих желаний, они могут исполниться. Скоро все узнают правду! Анна Родионова, Валентина Палкина и много других. Помнишь их? По ночам тебе не снятся? Скоро все узнают правду!

— Кто это? — тупо повторила я.

— Ким Ефимович не помог, — гудел баритон, — обмен не свершился. Ты убила Иру и мальчика во второй раз. Никогда об этом не забывай! Не приезжай за Сережей, он умер. Молись за своих убиенных тобой детей.

Из сотового понеслись гудки. Я уставилась на сверкающий золотом телефон и только сейчас сообразила, что держу в руке мобильный Веры. Дикий текст предназначался для ушей Савельевой. Конечно, я в курсе, что на свете существует категория уродов, которые любят ночью набрать любую пришедшую им в голову комбинацию цифр и сказать тому, кто ответит:

— Приезжай скорей, он умер!

Хулиганам розыгрыш кажется прикольным, но абсолютное большинство людей, услышав такие слова, мигом впадают в истерику и начинают судорожно звонить родным и друзьям, пытаясь выяснить, с кем случилось несчастье. Вот только негодяи всегда пользуются услугой «скрытый номер», а сейчас на дисплее высветился набор цифр.

Вне себя от негодования, я нажала на кнопку «вызов». Ну, сейчас кое-кому мало не покажется...

— Добрый вечер, — пропел девичий голосок, — вы позвонили на фирму «Привет от друга», мы круглосуточно рады вам, непременно дождитесь ответа менеджера.

Заиграла заунывная мелодия. Меня чуть не разорвало от злости, на дворе стоит ночь, и маловероятно, что в конторе кипит работа, скорей всего там включен автоответчик. Ну ничего, еще будет утро!

В трубке громко щелкнуло.

— Слушаю вас, меня зовут Татьяна.

Еле-еле сдерживая клокочущее негодование, я потребовала:

— Немедленно позовите сюда мужчину, который нагло...

— Вы обратились в фирму «Привет от друга», — вежливо проговорила, перебив меня, Татьяна.

Я пошла вразнос и следующие пять минут высказывала ни в чем не повинной девушке свои претензии. В конце концов мне стало стыдно:

— Извините, вы тут ни при чем.

— Можете ругаться сколько хотите, — по-прежнему вежливо отозвалась Татьяна, — моя работа состоит в выслушивании получателей.

— Кого? — не поняла я.

— Разрешите дать объяснение? — предложила девушка.

Только сейчас я поняла, до какой степени устала.

— Говорите!

Татьяна не обманывала, она и в самом деле была обучена общению с обозленными людьми, девица оттарабанила выученную речь без запинки. А мне оставалось лишь удивляться предприимчивости некоторых бизнесменов.

«Привет от друга» специализируется на передаче сообщений. Допустим, вы хотите анонимно настучать начальству на коллег или открыть глаза другу на измену жены, но самому звонить вам не с руки. Даже если попытаетесь соблюсти полнейшую секретность, то все равно есть шанс проколоться, и чтобы этого не произошло, на помощь приходит «Привет от друга». Человек не приезжает в офис, он связывается с фирмой и оплачивает услугу по Интернету. Обговаривает день и час, когда известие должно дойти до получателя, сообщает его номер телефона и исчезает. В указанное время перед оператором на мониторе появляется номер телефона и послание. Служащий соединяется с абонентом и озвучивает послание. Фирма не несет ответственности за текст. Ясное дело, многие, получив «подарочек», начинают звонить по номеру, высветившемуся на определителе, и попадают в специальную службу, где негодующим спокойно объясняют:

— Мы тут ни при чем.

— Отвратительное занятие, — зашипела я.

— Мы приносим пользу людям, — заученно ответила Татьяна.

— Вы пособники шантажистов, — не успокаивалась я.

— Содержание звукового письма нас не интересует, — напомнила девушка. — Но вы ошибаетесь, угрозы звучат совсем не часто. В основном нас используют, чтобы сообщить о своей любви.

— Все равно гадость, — фыркнула я. — А можно узнать, кто заказал ласковое воркование для Веры Савельевой?

— Нет, — твердо ответила сотрудница фирмы, — инкогнито клиентов не нарушается. Ну подумайте, вдруг сами захотите нашей помощью воспользоваться, небось пожелаете соблюсти секретность! И потом, мы же работаем в Интернете, где скрыть свою личность очень легко.

Я с размаху швырнула мобильный на диван. Похоже, прогресс в России зашел слишком далеко, если контора, названная с издевкой «Привет от друга», работает в Москве на законных основаниях, да еще гордится тем, как тщательно оберегает тайну личности негодяев и трусов, прибегнувших к ее услугам.

Утром мне позвонил из больницы Николай Иванович, лечащий врач Веры, и настоятельно попросил приехать, пояснив:

— Ваша подруга находится в сильном возбуждении. И настоятельно требует к себе Дашу Васильеву.

— Надеюсь, вы не сообщили ей о смерти Иры? — спросила я, входя в ординаторскую.

— Нет, — сказал доктор. — Но Савельева понимает, что с дочерью произошла беда, и хочет видеть вас и Сергея, своего мужа.

— Ее супруга зовут Андреем, — поправила я. — Предполагаю, он сейчас как раз летит с Кипра в Москву.

Николай Иванович снял очки и положил их на стол.

— Но Савельева постоянно повторяет: «Скоро появится Сережа!» У нее есть сердечный друг? Если так, то не хотелось бы скандала в клинике. Подчас мужчины весьма нервно реагируют, когда выясняется, что они давно носят на голове ветвистое украшение.

Я села на стул.

— Вера верная жена и исключительная мать, у нее никогда не было любовников.

— Тогда какого Сергея она все время поминает? — удивился врач.

Я зябко поежилась.

— Не знаю. Единственное, что приходит в голову... Сынишка у Веры погиб малышом в результате несчастного случая.

— Давно? — деловито осведомился Николай Иванович.

Я с трудом кивнула внезапно потяжелевшей головой.

— На мой взгляд да, еще до рождения Иришки. Но для матери в данном контексте слова «давно» не существует.

— Вот бедняга, — вполне искренне пожалел доктор пациентку. — Потерять двоих детей не шутка. Возраст у Савельевой не юный, третьего родить она уже не сможет.

— Доктора Беликова просят спуститься во второй кабинет! — гаркнуло вдруг с потолка.

Я невольно задрала голову, а Николай Иванович, поморщившись, пояснил:

— Нововведение нашего хозяина. В помещениях установлены громкоговорители, а на третьем этаже расположена радиорубка, вот и объявляют целый день! Глупее ничего не придумать! Больных беспокоят, персонал отвлекают, но разве с боссом поспоришь... Извините, мне пора бежать.

Глава 8

На первый взгляд Вера показалась мне вполне адекватной. Она села на кровати и воскликнула:

— Слава богу, ты пришла! Нам необходимо поговорить. Как Ирочка? Я хотела пойти поискать ее палату, но голова сильно кружится, я на бок заваливаюсь. Вот глупость, ничего не болит, а ходить не могу.

Я постаралась не отвести в сторону взгляд.

— Это признаки вегетативно-сосудистого спазма, пройдет без следа.

— А Ира? Она уже в порядке?

— Девочка отравилась алкоголем, — с огромным трудом произнесла я, — находится пока в реанимации.

Вера закуталась в одеяло.

— Ты должна мне помочь! Пообещай, что все сделаешь!

— Конечно, — опрометчиво согласилась я, радуясь, что временно можно не говорить об Ирине.

Вера улыбнулась.

— Сейчас я доверю тебе свою самую удивительную тайну!

Мне почему-то стало тревожно.

— Слушаю.

— Поклянись никому о ней не говорить, — потребовала подруга.

— Буду нема как рыба, — кивнула я, — всю жизнь промолчу.

Вера подмигнула мне.

— Столько не надо. Ну ладно!

Подруга оглянулась на дверь и понизила голос:

— Если сюда кто войдет, сразу тему сменю, не удивляйся и подхватывай игру.

— Непременно, — согласилась я.

Верочка выпростала из-под одеяла руки, сложила их на груди.

— Помнишь Сережу?

— Будь добра, уточни, кого ты имеешь в виду, — попросила я, — имя весьма распространенное.

— Моего сына, — объявила Верочка.

Я не знала, что ответить, и промямлила:

— Очень сожалею о твоей потере.

Подруга взяла с тумбочки бутылку с водой и, сделав пару глотков, продолжила:

— Дня не проходило, чтобы я не подумала: вот, сейчас Сереженька пошел бы в садик, танцевал на елке, катался на санках, поступил бы в школу... Рождение Иришки не уменьшило боли, мне не стало легче.

Вера примолкла, я выжидательно глянула на нее.

— Понимаешь, если я каждодневно не вспоминала Сереженьку вслух, это не значит, что малыш был мною забыт, — продолжала подруга. — Едва Ириша появилась на свет, я дала слово: девочка ничего не узнает о брате. Она не должна была думать, что явилась на свет для утешения мамы, я совершенно не хотела взваливать на плечи малышки груз ответственности и заставлять ее жить, как говорится, за себя и за того парня.

Я похвалила Верочку.

— Ты на редкость здраво мыслишь.

— Сережа всегда был со мной, — не заметила моего высказывания Савельева. — И, конечно, я изо всех сил забочусь об Иришкиной безопасности, второй раз смерти ребенка не перенесу. Но через пару дней я освобожусь от страха, горя и тоски. Сереженька жив!

Я вздрогнула.

— Прости... кажется, я ослышалась...

Верочка подоткнула под спину подушку и повторила:

— Сережа жив! Я с ним встречаюсь, разговариваю, дарю ему игрушки.

Мой лоб как будто стянуло кожаным ремнем, в горле возник комок, я с огромным трудом сказала:

— Верочка, останься Сережа жив, он сейчас бы уже учился в институте. Взрослому юноше пистолетики и солдатики ни к чему.

Вера прижала руки к груди.

— Сущность начинает жить с момента ухода, ее возраст неизменен, и Сережику сейчас всего пять. Он меня сразу узнал! И я его тоже!

Мне пришлось призвать на помощь все свое самообладание, чтобы продолжать беседу спокойным тоном.

— Объясни по порядку. Предположим, малыш жив, и он до сих пор дошкольник, не умеющий четко выражать свои мысли словами. Как он тебя нашел?

Вера покосилась на дверь и понизила голос до минимума.

— Помнишь, по телику показывали шоу «По ту сторону»?

— Я не очень люблю телевизионные передачи, предпочитаю DVD-диски с криминальными сериалами, — призналась я.

— «По ту сторону» не совсем обычная программа, — пустилась в объяснения подруга. — В ней принимали участие экстрасенсы, некоторые очень талантливые, они двигали силой взгляда предметы, безошибочно рассказывали зрителям в студии об их прошлом.

Я не перебивала Веру. Извините, если покажусь вам циничной, но я имею на сей счет иное мнение. Наша Зайка работает в Останкино и даже достигла статуса звезды[1]. Ольга иногда рассказывает о закулисных делах, и у меня сложилось впечатление, что основной задачей телевизионщиков является повышение рейтинга и как следствие этого — увеличение количества рекламы, которая приносит каналу прибыль. Думаю, те «экстрасенсы» вовсе не обладают способностями к телекинезу, они просто дергали предметы за ниточки в прямом смысле слова, поэтому всякие там бутылки, спичечные коробки, ложки-вилки свободно перемещались в пространстве. В студию можно посадить актера, который за небольшой гонорар сыграет роль простого зрителя и изобразит изумление, когда человек с так называемым третьим глазом расскажет подробности из его жизни.

— Я выписываю газету «Тайны звезд» и журнал «Предсказания», — быстро говорила Верушка, — мне в качестве подарка за подписку вручили билет на это шоу.

Что ж, побывать в студии интересно. Я внимательно слушала подругу.

Савельева охотно согласилась. За кулисами к ней подошел человек, назвался Кимом Ефимовичем и вдруг сказал:

— У вас умер ребенок.

---

[1] Ольгу, жену сына Даши, домашние называют Зайкой. История семьи Даши Васильевой наиболее полно изложена в книгах Дарьи Донцовой «Крутые наследнички» и «За всеми зайцами», издательство «Эксмо».

Вера отпрянула от него, с трудом выдавив из себя:

— Да.

Незнакомец ощупал лицо женщины взглядом.

— Не можете забыть малыша?

Савельева растеряла старых подруг, прежних знакомых у нее осталась мало, мы с ней никогда не говорили о Сереже, эта тема была закрыта. А тут вдруг посторонний человек затронул больное... Верочка хотела уйти, но Ким Ефимович удержал ее странным заявлением:

— Иногда мертвые возвращаются.

— Как это? — прошептала Савельева, ощущая себя как моряк, стоящий в шторм на палубе.

Ким Ефимович пригласил Веру в буфет и там, усевшись за столик, рассказал невероятные вещи. По его словам, человеческое тело умирает, но душа продолжает жизнь в другом измерении. Смерть не конец истории, а лишь ее начало. Ушедшие родственники наблюдают за нами, кое-кто помогает оставшимся на земле, хотя основная часть счастлива под божьим крылом и терпеливо ждет, когда к ним присоединятся другие члены семьи.

— Не следует горевать об умерших, — вещал Ким Ефимович, — и не стоит бояться смерти тела. Умереть — это как птице улететь из клетки, железную конструкцию унесут и выбросят, а соловушка порхает под ночным небом. Но иногда, крайне редко, горе человека, которого покинул кто-то очень любимый, настолько велико, что душа притягивается назад, обретает тело и мыкается на земле. Вся беда состоит в том, что индивидуум, вызвавший к жизни умершего, не знает о его воскрешении. А оживший не понимает, почему он здесь. Если они встретятся, то непременно узнают друг друга, вспомнят все и будут счастливы. Вот только вы можете жить в Москве, а дорогое вам существо появилось, скажем, в Нью-Йорке, Найроби, во Владивостоке или в деревне Глухово. Как увидеться? Судьба выхваченного из мира теней обычно печальна. Если это ребенок, то он чаще всего оказывается в детском доме, взрослый попадает в психиатрическую клинику. Не стоит звать умерших, вероятность встречи с ними практически равна нулю. Но... иногда случаются чудеса.

Ким Ефимович посмотрел на ошарашенную Веру.

— Я знаю, где находится ваш Сережа. Он появился около десяти месяцев назад, ему пять лет. Хотите его увидеть?

Вера сделала короткую паузу в рассказе, а я, не сдержавшись, воскликнула:

— Негодяй! Неужели ты ему поверила? Вера, ну почему ты не позвонила мне?

Это не новая идея, одного гада уже осудили за подобные фокусы! Те колдуны и ведьмы, которые обещают отучить мужа ходить налево, снимают венцы безбрачия и заговаривают талисманы, тоже поступают некрасиво, потому что стригут деньги с глупых, доверчивых людей. Но обещать воскрешение погибшего ребенка, играть на материнских чувствах, расковыривать болезненную рану — это... это... Нет слов для определения поведения Кима Ефимовича! Верочка, очнись, этот человек сволочь, он наживается на чужом горе!

Подруга стукнула кулаком по постели.

— Замолчи! Ким Ефимович святой! Он даже

выглядит, как божий человек, худой, хрупкий, руки изящные, кисти тонкие, ладони узкие, пальцы длинные, а борода словно у апостола, и волосы рыжие. Таких на иконах рисуют! Он работает бесплатно!

Я удивленно заморгала.

— Даром?

— Именно так, — подтвердила Вера. — Если экстрасенс принимает плату, он лишается таланта. Ким Ефимович бескорыстно помогает людям.

— Ну-ну... — недоверчиво протянула я. — И как проходил процесс?

— Сначала Ким Ефимович совершал разные обряды, — на полном серьезе продолжала Савельева. — И вот один раз прихожу я к нему, а целитель мальчика из кухни выводит... Сереженьку... Волосики светлые, глаза голубые, нос кнопочкой... он меня сразу узнал... Как закричит: «Мамочка, мама!». На шее повис, целует...

Из глаз Веры полились слезы.

У меня перехватило горло. Вера вытерла лицо краем пододеяльника и заявила:

— Одна беда, следовало его удерживать, иначе облик растворялся в воздухе. Сначала Сереженька только пять минут с нами жил, потом десять, двадцать. Ким Ефимович постоянно проводил обряды. И вот вчера должно было состояться его полное возвращение. Если бы ты только знала, на что я согласилась ради этого! Но нельзя никому рассказывать... Обмен случился... Хочешь, покажу тебе Сереженьку.

— Нет, — в ужасе отказалась я, — боюсь привидений.

Вера укоризненно прищурилась.

— Он не призрак, а настоящий мальчик, теплый, живой, веселый. Мы должны сегодня воссоединиться, я приведу его домой!

И как мне следовало поступить? Немедленно вызвать психиатра или дождаться Андрея и пересказать ему рвущую нервы историю?

Вера тем временем схватила лежащий на тумбочке клатч и вынула кошелек.

— В тайном отделении я держу фото, — ликующим голосом сказала она. — Смотри! Помнишь малыша?

Я выхватила из подрагивающих пальцев подруги карточку и прикусила губу. Объектив запечатлел Верушку, на коленях которой сидел бутуз со светлыми, слегка растрепанными волосами и удивленно-круглыми голубыми глазами. Честно скажу: я никогда не видела на лице Савельевой выражения такого счастья. Что же касается мальчика, то он выглядел обычно: пухлые щеки, почти отсутствующие бровки, губки бантиком, круглый подбородочек. Малыши славянского происхождения, как правило, походят друг на друга. И в последний раз я видела Сережу много лет назад. Тот, кто придумал аферу, расчудесно понимал: со дня кончины Сережи прошел не один год, даже родная мама уже точно не вспомнит его лица, осталось лишь общее впечатление: светленький, любимый. Темноволосый и кареглазый ребенок тут не подойдет, а вот блондин...

— И он пахнет, как Сереженька, — в полном восторге сказала Вера. — Вообще-то, Ким Ефимович запретил снимки делать, но он нас вдвоем оставлял, а я фотоаппарат принесла и на автоспуск поставила. Решила, один кадр не страшно. Только тебе сейчас секрет открываю.

— У тебя есть старые снимки сына? — спросила я.

— Были, — кивнула Савельева, — в альбомчике.

— А где они теперь? — насторожилась я.

— Ким Ефимович все забрал.

— Зачем?

— Для проведения обряда, — отрапортовала обезумевшая подруга. — Их требовалось сжечь, чтобы их энергия удержала тело Сережи на земле.

Ага, невольно вздохнула я, или чтобы одураченной женщине вдруг не пришло в голову сравнить внешность ребенка на старых карточках с появившимся мальчиком и заметить разницу...

— Запиши адрес Кима Ефимовича, — попросила подруга. — Бульвар Костиса, дом шесть, квартира восемнадцать.

— Зачем? — насторожилась я, вынимая блокнот.

— Никому нельзя было и слова сказать, — судорожно зашептала Верушка, — я все сама должна была сделать. Но раз я попала в больницу... Понимаешь, вчера свершился обмен. Я согласилась на обряд! Кто-то умер, а Сережа останется здесь навсегда. Он уже ждет меня на квартире у целителя. Пожалуйста, поезжай к нему, забери мальчика, привези его сюда! Я сама не смогу, мне плохо.

Я потеряла дар речи. Потом смогла выдавить из себя вопрос:

— Значит, денег он не брал?

— Ни копейки! — подтвердила Вера.

— А что просил?

— Ничего, — отрубила Савельева.

Я не успокоилась.

— Вообще?

— Абсолютно. Ким Ефимович святой человек! — с истовством первой христианки, готовой пострадать за веру, отчеканила подруга. А затем резко сменила тему: — Слушай, я мобилу посеяла. Не знаешь, куда она подевалалсь?

— Твой сотовый у меня, — пробормотала я.

Савельева обрадовалась.

— Давай его сюда скорей! Это подарок Андрюши, дорогая вещь.

— Извини, мобильник остался дома в Ложкине, — еле слышно пояснила я.

— Сделай одолжение, привези его, — засуетилась Вера. — А где Андрей? И я хочу сходить в палату к Ирочке! Или лучше подождать, пока ты Сереженьку доставишь? Мы тогда вместе Иру навестим.

Мне на голову словно опустили бетонный блок. Скорей бы прибыл Андрей, я не могу сообщить Верушке правду о дочери.

— Смотри не проболтайся Андрюшке, — погрозила мне пальцем Вера, — я сама хочу сообщить ему новость. Ладно, где-нибудь в коридоре определенно должно быть кресло на колесиках, прикати его в палату, отвезешь меня к юной пьянице, лучше я с ней наедине потолкую. Вот негодница! Наклюкалась до того, что в больницу попала... Ну, Дашута, не сиди!

Я поднялась со стула, и тут ожило местное радио. Громкий, отчетливо слышный в палате голос произнес:

— Медсестру из пятого блока просят забрать у патологоанатома результаты вскрытия тела Ирины Савельевой, умершей вчера в гостинице.

Я замерла, Вера ахнула, потом напряженно спросила:

— Что там такое сказали?

Я раскрыла рот, но гортань словно заполнилась пластилином, в палате внезапно пропал воздух.

— Повторяю, — равнодушно орал громкоговоритель, — медсестру из пятого блока просят забрать у патологоанатома результаты вскрытия тела Ирины Савельевой, умершей вчера в гостинице.

— Вскрытия тела Ирины Савельевой... — одними губами повторила Вера. — Она скончалась?

— Нет, нет, — малодушно закричала я. — Ошибка! Это другая Ирина Савельева, тезка!

Вера вытянула вперед руку.

— Можешь немедленно отвезти меня к дочери в палату? Отвечай!

— Ире плохо, она в реанимации, туда не пускают!

— Врешь! — просипела Вера. — Брешешь, иначе бы уже волокла меня к ней. Что нам реанимация? Ты везде пролезешь! Я тебя хорошо знаю. Обмен... О нет! Обмен! Случился обмен!

Я нажала на кнопку вызова врача. Подруга, вцепившись в одеяло, забормотала:

— Ким Ефимович сказал: чтобы Сереженька обрел тело, нужен обмен, мальчик останется со мной, а кто-то уйдет... Забрали Иру! Ей стало плохо в тот момент, когда целитель проводил обряд, он обещал начать его днем... Обмен произошел... Сереженька со мной, но Иришку...

Вера разорвала пододеяльник, я оторопела, и тут, на мое счастье, в палату вбежали доктор, две медсестры и Андрей.

Глава 9

Можете обвинять меня в черствости, трусости и эгоизме, но я, увидев растрепанного Савельева, бочком, бочком добралась до двери и сломя голову кинулась прочь. Липкий ужас отпустил меня лишь после того, как я влила в себя в ближайшей забегаловке три стакана отвратительного растворимого кофе. На улице бушевало лето, народ потел от жары, а меня колотило в ознобе. Огромным усилием воли я победила дрожь и сказала себе:

— Обо всем подумаю завтра. Сейчас необходимо отвлечься, в воспаленных мозгах не возникают конструктивные мысли.

И тут затрезвонил мобильный. От неожиданности я поперхнулась пойлом, закашлялась и пролила на себя содержимое чашки. Светло-бежевое платье покрыли темные пятна, а сотовый продолжал орать, тот, кто сейчас непременно хотел со мной поговорить, был на удивление настойчив. Я достала трубку и постаралась не демонстрировать раздражения.

— Слушаю.

— Почему утку не забрала? — заорали мне в ухо.

Пару секунд я пребывала в недоумении, потом вспомнила, как начался вчерашний день, и спросила:

— Кирилл, ты?

— Кто еще тебе домашнего пришлет? — запричитал Ласкин. — Выбрал самую жирную в сарае, красавицу, сам лично ей башку свернул... И чего? Анна Сергеевна тебя час на вокзале ждала!

Я стала оправдываться:

— Я приехала к поезду заранее, но в нем не оказалось семнадцатого вагона.

— Ваще! — перебил меня Кирилл. — Я сам утку бабке вручил! Состав Момылино — Москва!

— Стой, ты мне велел встретить поезд из Мотылина, — поправила я.

— Раз я на периферии живу, значит, идиот? — вскипел Ласкин. — Момылино!

— Мотылино, — не уступала.

— Момылино-о-о, — заорал Кирилл. — Повторяю: Мо-мы-ли-но! У нас только он притормаживает! Остальные мимо свистят.

— Хорошо, — вздохнула я, — извини. Давай считать, что утка дошла до получателя. Огромное спасибо за желание меня угостить. Позвони своей Анне Сергеевне, которая любезно согласилась помочь тебе в доставке птички, и вели ей съесть утю.

— Что? — взревел Кирилл. — Ни фига себе любезности! Бабка курьер, товар возит! Она бабла больше моего имеет, и еще ей самую жирную уточку? А харя не треснет?!

— Не нервничай, — попробовала я остудить пыл Ласкина.

Куда там. Кирилл, забыв о счете, который выставит ему телефонная компания, тараторил без умолку. А мне оставалось лишь удивляться предприимчивости российских граждан.

Нашего человека так просто не вышибить из

седла ни революциям, ни кризисам, ни природным катаклизмам. Анна Сергеевна придумала замечательный бизнес: она занимается перевозкой посылок, берется за деньги доставить в столицу что угодно: велосипед, детскую коляску, кошку в перевозке, книги, а один раз ухитрилась притащить даже комод. Живет бабулька в Москве и трудится больше, чем другая специализированная компания. Репутация у божьего одуванчика золотая, ее честность никем не оспаривается, телефон Анны Сергеевны отлично знают те, кто имеет родственников в разных городах России, с бойкой пенсионеркой находятся в контакте и проводники. Желая передать мне утку, Кирилл соединился с «курьершей», а та сообщила, что проедет мимо полустанка, где живет Ласкин, в среду и готова прихватить передачу.

— Не расстраивайся, — вклинилась я в горячую речь Ласкина, — давай координаты старушки. Съезжу к ней домой и заберу уточку.

Приятель продиктовал адрес и телефон, предупредив:

— Сначала позвони. И не вздумай ей хоть копейку дать! Нечего ее баловать, я уже заплатил бабке по полной.

Пообещав проявить благоразумие, я попрощалась с Кириллом, а затем соединилась с Анной Сергеевной. И услышала в ответ следующее:

— Васильева? Лежит ваш ящичек, заберите его поскорей.

— Уже лечу, — пообещала я и пошла в местный туалет, чтобы замыть пятна от кофе.

Из напитков я предпочитаю чай или латте, растворимый кофе пью только в крайних случаях.

Ну скажите, может ли кофейное зерно соединиться без осадка с водой? Если вы варите натуральную арабику, в джезве непременно останется гуща, значит, кофеек в порошке или в гранулах искусственно изменен, а это мне уже не нравится. И пахнет он непривлекательно, и вкус у него противный, и вид странный, и реклама слишком навязчивая. Вы встречали на улицах щиты с плакатами: «Покупайте цельные зерна из Кении, они самые лучшие»? Я нет. Натуральный продукт никто не нахваливает, зато его эрзац безостановочно подсовывают потребителю. А как говаривала моя бабушка: хорошая вещь молчит, дрянная же громко кричит.

Впрочем, это исключительно мое личное мнение. Еще мне не нравится порошковое молоко, но многие люди с удовольствием пьют и его, и всякие «кофейные растворы».

Размышляя, я безуспешно пыталась избавиться от пятен на одежде. Вскоре мне стало понятно, если надо покрасить вещь в цвет капуччино, смело опускай ее в тазик, наполненный растворимым кофе.

— Даже не пытайтесь отстирать, — посочувствовала мне девушка, которая красила губы у соседней раковины. — Пропала шмотка. Жаль, красивое платье. Небось дорогое?

— Купила в прошлом году на распродаже, — удрученно ответила я, — совсем неприлично смотрится?

— Отвратительно, — не соврала незнакомка.

— Вот беда... — расстроилась я. — Придется домой ехать, переодеваться. Живу в Подмосковье, полдня на разъезды потрачу. А ведь имела совсем другие планы!

Девушка спрятала тюбик с помадой в сумку.

— Могу дать совет: тут за углом есть магазин «Пятый полигон», там можно купить какую-нибудь шмотку. За две копейки. Уж лучше в дешевом, чем в заляпанном.

— Действительно, — кивнула я и двинулась в указанном направлении.

Пары минут хватило, чтобы понять: вещи, выставленные в торговом зале, никак нельзя назвать произведением мастеров высокой моды. Юбки, блузки, брюки выглядели малопривлекательно, а ткани, из которых их сшили, напоминали и по виду и на ощупь брезент. Но цены радовали глаз.

— Что желаете? — подошел ко мне продавец.

Я продемонстрировала ему испорченное платье.

— Пролила кофе, а домой возвращаться времени нет.

Менеджер внимательно оглядел потенциальную покупательницу, прикинул стоимость ее сумки, туфель, испорченной одежды и вежливо сказал:

— Наш магазин не вашей ценовой категории, мы продаем недорогую одежду от российского дизайнера Саши Пушкина[1].

— Знаменитая фамилия, — тактично поддержала я беседу.

Паренек хмыкнул.

— На самом деле он Крюкин. Взял себе такой

---

[1] Имя придумано автором, любые совпадения случайны.

псевдоним, потому что его папа-генерал поставляет сыночку материал для пошива коллекции. Пушкин от слова «пушка».

— Очень мило, — вздохнула я. — Наверное, ваш дизайнер использует в своем творчестве вышедшие из годности чехлы от танков.

— Вовсе нет! — раздался за моей спиной возмущенный возглас. — Лучше тебе, Леша, заняться своим делом на складе!

Продавец сник и шмыгнул в ряды с вешалками. Я обернулась и увидела женщину лет тридцати.

— Алексей глупостей наговорил, — сказала она, — Саша очень талантлив. Он делает вещи из экспериментальных материалов. Вот эта блузка, например, не промокает под дождем. Новая, космическая технология! А платья никогда не мнутся, тоже удивительная разработка. Да, отец Саши работает на оборону и помог сыну получить доступ к тканям нового поколения. Генерал подыскал площадь для магазина. Да, Пушкину еще надо поработать над концепцией моделей. Вероятно, он слишком традиционен. Но попробуйте примерить эти брючки!

Женщина сунула мне в руки самые обычные слаксы.

— Просто натяните их и оцените!

Я всегда испытываю смущение, когда продавщица проявляет ко мне усиленное внимание. Неудобно ответить «нет» человеку, который заботливо хлопочет вокруг тебя. Вот и сейчас я, не испытывая никакого восторга от штанов, послушно взяла их и направилась в кабинку. Менеджер ринулась за мной, приговаривая:

— На вешалке они вида не имеют, зато сядут великолепно. Поверьте, у нас осталась всего одна пара.

Не ожидая никакого чуда, я натянула ничем не примечательную вещь и повертелась у зеркала.

— Ну как? — с плохо скрытым интересом спросила из-за бархатной занавески продавщица.

Я попыталась изобразить восторг.

— Вполне хорошо. Только в талии брюки свободны, на попе складки, на бедрах морщит, и мне не нравится цвет — как у лягушки, больной желтухой.

Драпировка приоткрылась, появилась рука с вешалкой, на которой покачивалась футболка.

— Меряйте, супер комплект получится.

Я послушно взяла майку и натянула.

— Шикарно? — осведомилась менеджер. — Сейчас брюки лучше сидят?

Я перевела взор на нижнюю часть своего тела и удивилась:

— Теперь талия по размеру и сзади не морщит!

Продавщица бесцеремонно влезла в примерочную.

— Матрасы видели — вы ложитесь, а они повторяют форму тела? А это такие же брючата. Ткань двадцать третьего века! Она от тепла вашей кожи видоизменяется и идеально садится по фигуре. Согласна, цвет не слишком хорош, над окрашиванием надо поработать. Но посмотрите на себя!

— Поразительно, — согласилась я, — впервые встречаю слаксы, идеально подчеркнувшие фигуру.

— Берете? — деловито осведомилась тетка.

— Конечно, — кивнула я. — А еще что-нибудь Пушкин из суперматериала сошьет?

Продавщица протянула мне визитку.

— Звоните, буду сообщать о всех поступлениях.

Я покосилась на карточку.

— Спасибо, Лариса.

— Всегда готова доставить человеку радость, — улыбнулась менеджер.

До Анны Сергеевны я доехала через час и с некоторым трудом выбралась из машины — брюки слишком сильно обтянули ноги, я с усилием сгибала колени. А еще слаксы оказались чуть короче, чем надо, их край достигал верхней части щиколоток. Вроде в магазине штанины были длиннее...

Я пошла к подъезду, ощущение скованности прошло. Очевидно, хитрая материя постоянно приспосабливается к обстоятельствам, она видоизменяется то под сидящее, то под стоящее, то под движущееся тело. Представляю, как завопят Зайка и Маруся, когда я продемонстрирую им волшебные штанишки!

Анна Сергеевна без особых церемоний выдала мне похожую на обувную коробку, аккуратно обернутую коричневой бумагой.

— Это утка? — удивилась я. Вроде Кирилл говорил, что выбрал самую жирную птичку.

— Мое дело привезти посылку в целости и сохранности, внутрь нос я не засовываю, соблюдаю тайну корреспонденции, — с достоинством ответила пенсионерка. — Видишь, написано «Д. Васильева»? Значит, твое.

Я поблагодарила старушку и поехала на первый этаж. Интересно, сколько таких бабулек, как Анна Сергеевна, колесит по просторам России, зарабатывая рубли к копеечной пенсии? Трудолюбивые, честные женщины не желают стать обузой для детей, вот и ищут свой способ выживания. На пожилую тетеньку, ковыляющую по платформе с сумкой на колесах, ни один милиционер не обратит внимания. Патруль нацелен на отлов так называемых лиц кавказской национальности и гастарбайтеров. Но милая, воспитанная бабулечка, считающая грехом засунуть нос в чужую посылку, способна безо всякого злого умысла привезти в столицу пластиковую взрывчатку и передать ее получателю. Интересно, почему моя утка оказалась такой маленькой?

Я вышла на улицу и ощутила острую нехватку кислорода. В ушах зашумело, перед глазами замелькали серые мушки. Надо бы поторопиться к машине, быстро залезть в салон и на полную мощность включить кондиционер...

Я кое-как доплелась до «букашки», щелкнула брелком, открыла дверь и поняла, что не могу поднять ногу. Брюки слишком сильно сдавили ноги, они практически превратились во вторую кожу и еще больше укоротились. Теперь штанины заканчивались посередине голени, они медленно превращались в бриджи. Втянув живот до предела, я расстегнула пуговицу на поясе. Стало немного легче. Но хитрый материал продолжал сжиматься! Он настолько плотно обхватил мои бедра и ноги, что стало понятно: если сию секунду я не сорву с себя подштанники — упаду в обморок. Вот только как потом ехать по городу и выходить голой из автомобиля?

С огромным трудом я все же вползла в малолитражку, нашла визитку Ларисы и позвонила.

— Что случилось? — спросила менеджер.

— Новые брюки меня душат! — кратко сформулировала я проблему.

— Зачем вы их на шею намотали? — удивилась Лариса.

Я, почти раздавленная штанами, нашла в себе силы для ехидства:

— Ха, ха! Очень смешно! Они безостановочно уменьшаются в размере: скоро мне кости поломают!

— В животе нет никаких костей, — продемонстрировала знание анатомии Лариса, — только печень и желудок.

— Если их наружу выдавит, мне лучше не станет, — просипела я.

— Снимите скорей брючки, — занервничала Лариса.

— Не получается! — заныла я.

— Тогда приезжайте в магазин, — велела менеджер.

— Попытаюсь, — прошептала я.

Когда ваша покорная слуга походкой Железного дровосека, забывшего смазать суставы, вступила в магазин, бриджи превратились в велосипедки, поскольку подтянулись уже до коленей.

— Очень интересно... — протянула, глядя на меня, Лариса. И поволокла в кабинку, по пути объясняя: — Товар экспериментальный, всего три дня им торгуем. Не расстраивайтесь, брюки стянем, деньги вернем, никаких проблем.

— Уж постарайтесь, — взмолилась я. — А то я чувствую себя мумией, спеленутой бинтами.

— Нет причин для беспокойства, — заверила продавщица. — Сюда, за занавесочку... ну-ка, раз, два, три...

— Ай-ай! — взвизгнула я. — Больно!

— Прости, я не хотела, — перешла на «ты» Лариса. — Действительно, плотненько сидят... Еще дерну? Ап!

— Ой! — в голос взвыла я. — Штаны, кажется, приросли к коже.

Лариса запустила руку себе в волосы, нервно покрутила прядь, потом приняла решение.

— Нужен кто-то посильней. Это как тесные джинсы сдирать... Эдик, иди сюда!

Лариса убежала из кабинки, мы остались с парнем вдвоем.

— Вот блин, — покачал головой Эдуард. — Хренота, однако. Ложись на пол и задери ноги.

— Думаешь, поможет? — спросила я, готовая на все, лишь бы избавиться от брюк, державших меня крепче голодной акулы.

— Буду трясти и тянуть, пока не стащу, — пообещал Эдик.

— Валяй, — согласилась я и бухнулась на не особо чистый коврик, покрывавший пол примерочной. О брезгливости в тяжелый момент жизни можно и забыть!

Эдуард попытался подцепить манжеты брючин.

— Не царапайся, — попросила я.

— Лежи смирно, — приказал парень и с силой рванул штаны вверх.

— Мама! — пискнула я, поняв, что вишу над полом вниз головой. — Только не урони!

Эдик минуту тряс меня, затем опустил на ковер.

— Фу! — тяжело отдуваясь, почесал в затылке парень.

— Голова болит, и меня тошнит... — простонала я. — И очень хочется в туалет! Давай не останавливайся!

— Изменим тактику, — потер ладони молодой человек. — Раз тряска не помогла, попробую рвануть.

Я зажмурилась, Эдуард дернул штаны, мое тело двинулось за ними.

— Неправильно действуем, — оценил ситуацию юноша, — ты должна крепко держаться руками, иначе я тебя просто в торговый зал вытяну. Уцепись за стул.

— Глупое решение, — не согласилась я, — он тоже сдвинется.

— Нет, — засмеялся Эдик, — мебель к полу привинчена, чтобы покупатели не сперли.

— Находятся люди, желающие украсть из магазина табуретку? — поразилась я.

— А еще вешалки, зеркала, шмотки и бумагу из туалета, — засмеялся Эдуард. — Плюс к тому лампочки выкручивают и шариковые ручки на кассе тырят. Жесть! Давай хватайся...

Я взялась за ножки стула, парень набрал полную грудь воздуха, поддел края брючин, чуть присел и, шумно выдохнув, дернул. Сначала раздался звук рвущейся ткани, потом треск, чей-то крик, мое тело поднялось в воздух. Я из последних сил держалась за стул, но ощущала, что долго сопро-

тивляться влекущей вперед силе не смогу. Тут
Эдуард взвизгнул, стул оторвался от пола, и мы
живописной группой вылетели из примерочной
в торговый зал. Эдик не отпустил мои ноги, а я
бульдожьей хваткой сжимала ножки стула.

Глава 10

Слава богу, пол в магазине был частично по-
крыт паласом, и мне повезло — свалилась все же
не на плитку. Малочисленные покупатели принялись визжать. Я села и попыталась оценить ситуацию. Руки-ноги целы, шея поворачивается. Правда, стул развалился на части. Я отшвырнула в сторону две ножки, которые до сего момента держала
в руках, и ощутила гордость: Дашутка, ты крепче
дубового стула, и это не может не радовать. Эдик
тоже сел, потом попытался встать. Но не успел парень принять вертикальное положение, как с него
вдруг свалились джинсы.

— Вау! — взвизгнул юноша и попытался натянуть разваливающиеся штаны.

Я сообразила, что за звук рвущейся материи
недавно уловили мои уши: на Эдике лопнули
слишком узкие брюки, и быстро похвалила его
нижнее белье:

— Прикольные трусы! А что делают нарисо-
ванные на них кролики?

Эдуард кинулся в подсобное помещение, я же
попыталась встать. И, к своему изумлению, удо-
стоверилась, что одежка на мне уже трансформи-
ровалась в шорты, заодно поняв: никакие объятия
удава не идут в сравнение с тесными штанишка-
ми. Сознание медленно угасало, сначала отклю-

чился слух, затем верхние веки поползли вниз. Сквозь неотвратимо уменьшающуюся щель я увидела Ларису, какого-то парня с выкрашенными в голубой цвет волосами и серьгой в губе, двух охранников...

В нос проникла струя едкого запаха, я чихнула.

— Дарья, слышите нас? — спросил женский голос.

— М-м-м... — простонала я и открыла глаза. — Что это? Кто вы?

— Можете называть меня просто Тиной, — улыбнулась незнакомая дама. — А теперь сконцентрируйтесь. Мы не знаем, почему материал так себя повел, соприкоснувшись с вами. Есть пара вариантов избавления от беды: можем воспользоваться нитропушкой, кислотой или алмазным резаком. Что вам предпочтительнее?

Я вспотела.

— Кислота и резак не подходят. А что такое нитропушка?

Тина похлопала меня по плечу.

— Грубо говоря, томограф, излучение минимальное.

— А где я?

Женщина улыбнулась.

— Скажем так, в организации, которая изобрела ткань, из которой сшиты ваши брюки. Ну, поедем? Вот ваша сумка. Дело быстрое, пять минут всего.

Я не успела ойкнуть, как Тина убежала, а кровать, на которой я лежала, поехала внутрь большой трубы.

— Не волнуйтесь, — сказал непонятно откуда

мужской голос, — это не больно, не опасно, не страшно.

С последним заявлением хотелось поспорить, меня сковал ужас. Каталка остановилась, послышались гудение, щелчки, и я медленно выехала из трубы. Снова рядом появилась Тина.

— Попробуйте снять брюки, — попросила она.

Я схватилась за ткань, поняла, что та легко растягивается, быстро сдернула штаны и воскликнула:

— Думала, умру!

Тина успокаивающе погладила меня по плечу.

— Нет причин для кончины. А что вы наденете?

Я ткнула пальцем в свою объемистую сумку, лежавшую на каталке у меня в ногах.

— Грязное мятое платье. И ей-богу, мне все равно, какое впечатление я произведу на окружающих.

В сумке неожиданно закричал мобильный. Чертыхаясь про себя, я выудила сотовый и услышала бойкий голос Маши:

— Муся, скажи...

В ту же секунду связь прервалась. Я попыталась сама позвонить Марусе, но услышала вежливое сообщение на французском:

— Связи нет. Простите.

— В нашем здании сотовые плохо работают, — заметила Тина, — лучше перезвонить с улицы.

На секунду меня почему-то охватило беспокойство, но я быстро с ним справилась. Ничего особенного не произошло, в помещении много аппаратуры, ясно, что радиосигнал гаснет.

— Дайте мне ваш телефон, — вдруг попросила Тина.

Я автоматически продиктовала цифры, но потом спохватилась:

— Зачем вам мой номер?

— Может, согласитесь поработать у нас испытателем? — предложила Тина. — Материал брюк повел себя странно, соприкоснувшись только с вашим телом. Мы дадим вам одежду абсолютно бесплатно. Очень интересно, например, понаблюдать за пижамой.

— Спасибо за доверие, но вынуждена ответить: нет, — поспешила я отказаться от предложения. — В мои планы не входит гибель в объятиях ночного одеяния.

Тина подождала, пока я натяну свое безнадежно испорченное платье, и постаралась приободрить меня:

— Ничего страшного, вполне нормально выглядит. Пойдемте, я провожу вас до выхода.

Крепко прижимая к себе сумку, в которой, кроме кошелька и косметички, еще лежала и коробка с уткой, я вышла на улицу, увидела свою машину и поняла, что находилась в соседнем с магазином здании. Оставалось лишь догадываться, чем занимается отец модельера Саши Пушкина и какие цели он преследует, снабжая сыночка таинственными материалами. Вероятно, торговая точка не зря называется «Пятый полигон», в ней проводят эксперименты над покупателями.

Домой я прибыла в состоянии тряпки, хорошо пожеванной коровой. Швырнув коробку, присланную Ласкиным, на кухонный стол, я побежала в ванную, провалялась почти час в пене, слегка пришла в себя, нацепила халат и пошла пить чай. Первое, что бросилось на кухне в глаза, — завернутая в коричневую бумагу посылка от Кирилла.

Вероятно, самым верным решением было выкинуть ее в помойное ведро. Ну во что превратилась тушка утки, которая много часов тряслась в поезде, а затем почти сутки валялась у Анны Сергеевны? Но я подавила порыв и решила развернуть презент, вот увижу испорченную птичку, тогда со спокойной совестью и избавлюсь от нее.

Под бумагой и в самом деле оказалась обувная коробка. На всякий случай задержав дыхание, я приподняла крышку и вместо покрытых пупырчатой кожей утиных ножек увидела... живую белую мышь.

Я не боюсь грызунов, но изумление оказалось слишком велико, руки машинально опустили на место кусок картона. Я потерла кулаками глаза и повторила попытку. Мышь с огромным интересом посмотрела на меня, а потом запищала, несчастному созданию явно хотелось есть и пить.

Спустя полчаса я отыскала в кладовке удобный домик, в котором некогда жила наша ручная крыса, посадила в него нового жильца, налила в поилку минералки без газа, сунула в мисочку немного сыра и позвонила Кириллу.

— Мышь? — заорал Ласкин. — Ты гонишь!

— Нет, беленькая милашка, — ответила я.

— Я отправлял утку! — взвыл Кирилл.

— Ты ничего не перепутал?

— По-твоему, я дебил, — загремел приятель, — не способен утку от грызуна отличить?

— Может, ты собирал передачу после того, как

выпил пива? — осторожно предположила я. — Скажем, пару бутылочек.

— Я и от трех бочек не опьянею, — огрызнулся Кирилл. — Бабке отдал потрошеную утку!

— А приехала мышь, — резюмировала я. — Живая.

— Ща разберусь, — пообещал Ласкин и отсоединился.

Я в глубокой задумчивости стала наблюдать за мышкой, которой, похоже, очень понравился пластмассовый замок. Если Ласкин и в самом деле ничего не перепутал, то каким образом в коробке очутилось очаровательное создание? И куда исчезла уточка?

Нет, я вполне довольна рокировкой, но мне просто интересно. Получив от Анны Сергеевны передачу, я нигде не оставляла сумку, даже в момент моего въезда в трубу томографа поклажа находилась на каталке, в ногах у хозяйки.

Не успела последняя мысль влететь в голову, как на меня, в который уже раз за сегодняшний, слишком наполненный событиями день, напал ужас. Томограф что-то излучает. Извините, я ничего не понимаю в физике-химии-математике, но знаю, что всяческие рентгены пагубно влияют на организм. Утка превратилась в мышь! А что будет со мной?

Со скоростью пули я кинулась в ванную и стала, изгибаясь во все стороны, себя рассматривать. Уши не приобрели треугольную форму и не покрылись шерстью, пониже спины не отрос хвост, лицо не трансформировалось в морду гоблина. На душе стало спокойнее, и я пошла спать, не забыв набросить на мышиный домик темное покрывало.

Утром меня оторвал от кофе звонок Алины Хоменко.

— Смерть Ирины Савельевой ненасильственная, — сухо сказала эксперт. — Знаю, что девочка тебе не посторонняя, поэтому и сообщаю новость.

— Бедняжка скончалась сама? — уточнила я. — И по какой же причине?

— Если излагать суть дела простым, доступным тебе языком, то у Савельевой в мозгу лопнул сосуд. Собственно, как я и предполагала, — заявила Хоменко. — Девочке стало плохо от алкоголя, которого, кстати, она выпила немного, я бы сказала, пару коктейлей. Но ее организму и этого хватило.

— Иру погубила выпивка? — удивилась я.

— Ее тошнило, — терпеливо объяснила Алина, — сосуд и не выдержал. Про булимию слышала?

— Она-то тут при чем? — еще больше удивилась я.

— Больные наедаются до отвала, а потом у них открывается сильная рвота, при которой у булимиков случаются инсульты, — уточнила Хоменко. — А еще возможен разрыв пищевода.

— Ирина страдала булимией? — растерялась я.

— Нет, ее просто вывернуло наизнанку, организм так отреагировал на алкоголь, вот сосуд от напряжения и лопнул. Короче, никаких сюрпризов. Тело выдадут родителям, уголовного дела открывать не будут — причины нет. Жаль подростка, но все мы смертны, — без особых эмоций завершила беседу Алина.

Я обессиленно опустилась на диван, происходившее казалось сном. Нужно было ехать в больницу к Вере, а еще связаться с Андреем, ему понадобится моя помощь. Но сил даже шевелиться не нашлось, в голове вертелись мысли, от которых вчера я отмахнулась.

Кто звонил на телефон Веры? Тот человек знал про экстрасенса Кима Ефимовича, он произнес вслух его имя... Я попыталась вспомнить слова незнакомца: «Никогда не меняй одного ребенка на другого, бойся своих желаний, они могут исполниться. А скоро все узнают правду. Анна Родионова, Валентина Палкина и много других по ночам не снятся?» Помнится, я спросила, кто говорит, а голос ответил: «Ким Ефимович не помог. Обмен не свершился. Ты убила Иру и мальчика во второй раз. Никогда не забывай об этом. Не приезжай за Сережей, он умер. Молись за своих убиенных тобой детей».

Как у всех преподавателей иностранного языка, у меня отличная память, я до сих пор без запинки цитирую стихи классиков французской поэзии, прочитанные в институтские годы. Надеюсь, я почти дословно воспроизвела речь незнакомца.

В какую историю вляпалась Вера?

Она познакомилась во время съемок телепрограммы с неким Кимом Ефимовичем, который пообещал воскресить Сережу. Любой здравомыслящий человек сообразит: этот тип наглый обманщик. Но мать, потерявшая сына, могла поверить в возможность получить малыша назад. Вера утверждала, что воскреситель святой человек, не берущий денег. Но потом она обронила фразу: «Если бы ты знала, на что я решилась ради Сережи!» Следовательно, ей пришлось расплатиться с мерзавцем, но не купюрами. Чем же? Что потребовал мошенник от несчастной?

Еще подруга уверяла, что никто на свете не знает о появлении Сережи, даже от Андрюши она тщательно скрывала эту тайну. Почему? У Веры есть ответ на этот вопрос: нельзя преждевременно радоваться, мальчика может утянуть назад в царство мертвых. Полный идиотизм, но бедная женщина поверила и в это. Далее, мы с ней знакомы много лет, и до недавнего времени у нас не было друг от друга секретов. Да, мы стали реже встречаться, ограничивались телефонными разговорами, но Верочка сообщала мне о проблемах с Ириной, о планируемых покупках, о строительстве дома под Звенигородом, но вот о встрече с Кимом Ефимовичем умолчала. А уж если Вера скрыла информацию от меня, значит, ее никто не слышал. Савельеву обманули по полной программе.

Но звонивший-то знал о воскрешении, выходит, он связан с экстрасенсом.

Есть и другие странности. Откуда взялся пятилетний мальчик? Меня не смущает, что он бросился на шею к Вере со словами «мамочка, мамуля». Ребенка в таком возрасте обмануть совсем просто. Вероятно, малыш сирота, воспитывается без родителей, а перед встречей с Савельевой ему сказали, что он увидит маму.

Вполне возможно, что его взяли в детдоме или одолжили на время у опекуна (увы, встречаются люди, готовые за деньги на любую подлость).

Однако кто такие Анна Родионова и Валентина Палкина? Какое отношение они имеют к Верушке?

Промучившись в раздумьях, я с большим трудом заставила себя подняться и поехать в клинику. Ким Ефимович подлец, обязательно найду его и... Неожиданно пришедшая в голову мысль заставила меня вздрогнуть. Я притормозила, сзади раздались раздраженные гудки. Я припарковалась, позвонила Хоменко и без всяких предисловий спросила:

— Когда вскрывали тело Ирины?

— Сегодня. Начали в семь утра, у нас полно работы. А что? — удивилась Алина.

— Не вчера? — уточнила я.

— Нет. А что? — повторила Хоменко.

Не ответив на ее вопрос, я покатила дальше, ругая себя на все корки. Дашута, где был твой мозг? Ведь услышала дикое сообщение по радио в клинике и не предприняла никаких мер! Почему сразу не сообразила, что никто не станет на всю больницу сообщать о вскрытии трупа? Кроме того, тело Ирины находилось в судебном морге, а не в патологоанатомической службе платной клиники, куда отвезли Веру, и там вообще никто не мог интересоваться результатами вскрытия. Зачем тогда сделали это объявление? Получается — чтобы его услышала Вера. Некто очень хочет причинить Савельевой как можно больше боли. Почему? Кому она досадила? Кто так ненавидит мою подругу?

На парковке нашлось свободное местечко, и я удачно впихнула свою малолитражку в просвет, продолжая размышлять. Кто бы ни был этот человек, он уже совершил две ошибки: показал, что знаком с порядками в клинике и знает о недавно организованной трансляции, и обозлил меня до крайности. Я не могу оставить безнаказанным мерзавца, который, задумав причинить боль Вере, расправился с ни в чем не повинной Иришкой.

Вы считаете, что я усложняю ситуацию? А вот я так не думаю. Убийца мог лишить жизни старшую Савельеву, не трогая подростка? Мог. Но только нет более страшного горя для матери, чем узнать о кончине ребенка. А Вере пришлось пройти через этот кошмар дважды. Кто же так ненавидит Савельеву? По какой причине?

Хоменко отличный специалист, если она утверждает, что Иришка погибла от кровоизлияния в мозг, то так оно и есть. Но я сейчас уверена — девочку убили. Кто? Зачем? Как можно вызвать разрыв сосуда, не применив ни грубую физическую силу, ни мощную химию? На теле Иры нет следов насилия, токсикология практически чистая, в крови не обнаружено ничего, кроме умеренного количества алкоголя.

У меня нет ответов ни на один вопрос. Пока нет. Но я их непременно найду.

Глава 11

Веры в палате не оказалось.

— Она в реанимации, — с сочувствием сообщила медсестра. — Инфаркт, состояние тяжелое. На мужа смотреть страшно, черный весь. Хотели его спать уложить, но он поехал заниматься похоронами дочери.

Я отошла к окну и попыталась соединиться с Андреем. Трубку долго не брали, затем послышался шепот:

— Алло.

— Можно Андрея? — попросила я.

— Он не подойдет, — по-прежнему очень тихо ответила женщина. — Извините, если вы его клиент, господин Савельев временно не работает. У него горе — дочь умерла.

— Меня зовут Даша Васильева, — представилась я, — хочу помочь Андрюше.

Дама неожиданно повеселела:

— Дашута! Ты меня не узнала?

— Простите, нет, — вынуждена была сказать я.

— Ну да, целый год не общались, легко забыть. Я Лида Горелик.

Мне показалось невежливым удивляться. Я уже сообщала, что Вера растеряла почти всех старых друзей. Лида Горелик из их числа. Когда материальное положение Верочки стремительно изменилось в лучшую сторону, прежние подружки ушли в тень. Катя Суркина, Неля Хруч, Нина Косина, Рита Саркисян — все нашли повод надуть губу и прекратить отношения. Вера очень переживала. Она-то старалась дать понять приятельницам, что по-прежнему их любит. Но те ей не верили. Один раз я случайно услышала, как Неля Хруч, сплетничая с Ритой Саркисян, процедила сквозь слишком белые, чтобы быть настоящими, зубы:

— Верка нацепила платье с рынка, в уши воткнула пластиковые колечки, хочет подчеркнуть единение с нами, наглядно демонстрирует нам нашу нищету. А на то, чтобы туфли за миллион на говнодавы сменить, ума не хватило!

— Очень унизительно, — подхватила Саркисян. — Верка все пытается намекнуть: вы, девки, нищие, злобные суки, будете мне завидовать.

— Точно, — обрадовалась Неля, — старается за свою сойти, да только рядом с ее мелким жемчугом наш пустой суп позором кажется[1]. Знаешь, как новые русские выражаются: «Если ты такой умный, то почему такой бедный?»

— Дружить следует с ровней, — резюмировала Ритка.

— Именно так, — согласилась Неля.

И обе дамы постарались свести контакты с Верой к нулю. Процесс потери знакомых пошел бурно, новых подруг у Верочки не появлялось, круг ее общения становился все уже, и в конце концов около нее осталось лишь двое: я да Горелик. Но потом и дружба с Лидой лопнула. Верочка не стала мне открывать причину разрыва, она сделала вид, будто ничего особенного не произошло, ну перестала ей звонить давняя знакомая, дело житейское. И вот сейчас Лида находится в квартире Веры...

— Андрей поехал в морг, — не замечая моего красноречивого молчания, сообщила Горелик. — Он почти ума лишился, а Веру инфаркт стукнул. Между нами говоря, она в последние дни совсем странная была.

— Давно ты с ней беседовала? — еще больше удивилась я.

— Тебе точное число назвать? — схамила Лида. — Она мне долго не звонила, а тут вдруг объявилась, сумку попросила. Я жутко удивилась.

— Сумку? — пришла я в недоумение. — Зачем Вере обращаться к тебе с подобной просьбой? У нее в гардеробной полно аксессуаров. И Верочка не носит таких вещей, которые...

---

[1] Хруч намекает на пословицу «У каждого своя беда: у одного щи пустые, у другого жемчуг мелкий».

Слава богу, я успела вовремя прикусить язык и не договорила фразы, проглотив ее окончание: «покупаешь себе ты». В трубке повисла неприятная тишина. Ощущая себя трамвайной нахалкой, я решила хоть как-то смягчить щекотливую ситуацию и застрекотала:

— Я имею в виду, что Вера может поехать в магазин и приобрести там необходимый прибамбас. Навряд ли истинная причина ее обращения к тебе объясняется отсутствием сумки. Думаю, Верочка хотела возобновить отношения, но не знала, как это лучше сделать.

Горелик хмыкнула.

— А ты научилась врать. Раньше была более откровенна, по крайней мере с близкими подругами. Ты ведь явно хотела сказать, что Верка никогда бы не воспользовалась ни одной из моих дешевых старых сумок, потому что легко могла купить хоть десяток таких в любом из пафосных бутиков.

Как правило, я стараюсь не вступать с людьми в конфликт, но события вчерашнего дня выбили меня из колеи, поэтому я ответила Лиде резко:

— Лгать, как и все люди, я научилась в раннем возрасте. И мы с тобой никогда не являлись задушевными подружками, познакомились благодаря Вере и общались только в ее доме. Да, меня удивили твои слова про сумку. Изделиям от самых известных фирм в гардеробной Верушки едва места хватало. Либо врешь мне ты, либо Савельева имела другую причину для звонка тебе.

Горелик издала странный звук, напоминающий довольное хрюканье.

— А вот есть у меня сумочка, которую нельзя

купить! Она Верке и понадобилась! Боюсь, ты про подружку мало что знаешь.

— О чем идет речь? — насторожилась я.

— Не скажу! — заржала Горелик. — Сдохни теперь от любопытства.

Противный смех Лиды заставил меня вздрогнуть.

— Ира умерла, — тихо сказала я, — Вера в тяжелом состоянии, а мы ерундовый разговор ведем. Как-то стыдно!

— Ты первая начала, — агрессивно заявила Горелик.

— Может, я могу чем-то помочь Андрею? — Я решила не принимать во внимание хамство Лиды.

— Купи туфли, — неожиданно мирно сказала та, — размер сорок.

— Зачем? — удивилась я.

— Для Иры, — пояснила Горелик.

— У Савельевых много обуви, — сказала я, — и насколько я помню, у девочки тридцать восьмой размер.

— Ты покойников никогда не обряжала или денег жаль? — вновь полезла в бутылку Горелик, которая явно поставила перед собой цель поссориться со всем миром. — У мертвых ноги распухают, обычные ботинки не годятся.

— Хорошо, — сдавленным голосом ответила я, — скоро привезу.

— Отлично, — повеселела Лида. — Только не бери на шпильке или на платформе, босоножки тоже не подойдут. Нужны скромные лодочки без украшений или балетки, но не лаковые.

— Хорошо, — вздрогнула я. — До которого часа надо их доставить?

— К пяти сумеешь? — деловито спросила Лида.

Я, забыв, что собеседница меня не видит, кивнула.

— Ну и супер, — завершила беседу Горелик, приняв, очевидно, мое молчание за положительный ответ.

Я потерянно уставилась в окно. Знала ведь, что Ира умерла, но только сейчас, услышав от Лидии про туфли для покойницы, поняла: девочку уже не вернуть. Бедная Верочка! Ну что я могу для нее сделать?

С высоты третьего этажа мне были хорошо видны люди, спешившие по своим делам. Жаркая погода заставила всех надеть яркую одежду, даже мужчины отказались от темных костюмов и смело нацепили розовые рубашки и светлые брюки. Жизнь била ключом, смерть Ирочки ничего не изменила. Да и как кончина школьницы могла повлиять на горожан? Абсолютное большинство людей и не слышали о ней. Что за сумку просила Вера у Лиды? Видно, она была ей нужна позарез, раз Савельева пошла на контакт с Горелик.

— Могу на минуту провести вас к подруге, — вывела меня из ступора подошедшая медсестра. — Но вам придется надеть халат, шапочку и бахилы.

Не скрою, мне казалось, что я смогу поговорить с Верушкой, расспросить ее, но, едва ноги переступили порог палаты, стало ясно: моей подруги тут нет. На кровати лежало тело, от которого змеились провода и трубки, на лице больной была кислородная маска, глаза закрыты. В палате гудели какие-то приборы, изредка раздавалось мерное попискивание, потом вдруг послышалось шипение. Я дернулась.

— Аппарат для измерения давления, — пояснила медсестра, — включается автоматически. Пошли, вам больше нельзя тут оставаться.

— И что можно сделать? — вздохнула я, когда мы очутились в коридоре.

— Вам? — подняла брови девушка. — Молиться. Остальное зависит от врачей и организма Савельевой.

Я замедлила шаг. На бога надейся, а сам не плошай. Я не могу вернуть Верочке здоровье, но зато способна наказать людей, которые привели мою подругу в палату реанимации.

— Где у вас радиорубка? — спросила я у медсестры.

— Вот ведь дурацкая затея! — скривилась девушка, совсем как в прошлый раз доктор. — Новый наш главврач соригинальничал. Спускайтесь на первый этаж, сверните налево за лифты в сторону буфета. Там увидите дверь, она всегда открыта.

В студии никого не оказалось, около стола темнело пустое кресло. Я нажала на красную пупочку, торчавшую на пульте, и наклонилась к микрофону.

— Раз, два, три... эй, меня слышно? Раз, два, три...

— Хорош баловаться! — закричали из коридора. — Ща голову оторву!

Я повернулась на звук, услышала топот и спустя короткое время увидела злого парня, на котором болтался незастегнутый халат, некогда белый.

— Делать нечего?! — возмутился он. — На всю больницу звук идет!

— Уходя из помещения, следует закрывать его на ключ, — укорила я его. — Мало ли кому взбредет в голову пошутить в эфире...

— Вы первая додумались, — огрызнулся радист.

Я попыталась наладить с парнем контакт.

— Как тебя зовут?

— Юра, — по-прежнему хмуро ответил юноша.

— Наверное, скучно целый день одному сидеть?

— Нормально, — пожал плечами Юрий.

— Комната маленькая, неуютная.

— И что?

— Окон нет, свежий воздух отсутствует.

— И что?

— Торчишь в духоте с утра до вечера...

— И что?

— Причем за крохотную зарплату!

— И что? — на автопилоте повторил Юра и скорчил рожу. — Хотите спонсорскую помощь оказать?

Я открыла сумочку.

Юрий округлил глаза.

— Правда денег дадите?

— Дам. Только ответь на пару вопросов.

Радист сел в кресло.

— Спрашивайте.

— Кто приносит тебе тексты для озвучки?

Юра ткнул пальцем в телефонный аппарат на краю стола.

— Звонят просто.

— Фамилию назови...

— Чью?

— Того, кто объявления заказывает.

Юрий почесал переносицу.

— А любой может!

Я уточнила:

— Сотрудник набирает номер и просит тебя выйти в эфир?

— Ну! И больной, пожалуйста, — кивнул Юра. — Типа, потерялся ребенок.

— А как оформляют сообщения?

— Че?

Я заставила себя приветливо улыбнуться. Спокойно, Дашутка, радист не прикидывается дураком, он просто идиот!

— Ты произносишь текст, и все?

— А что еще?

— Может, есть тетрадь регистрации?

— Чего?

Я стала закипать.

— Объявлений! В одной графе указано имя заказчика, в другой — текст «выступления».

Юра со вкусом чихнул.

— Зачем?

Телефонный аппарат начал трезвонить, «ведущий» снял трубку, придвинул к себе растрепанный блокнот и важно произнес:

— Радиоцентр. Ага, ща, запишу.

Я молча наблюдала, как парень царапает ручкой по бумаге. Завершив общение, Юрий откашлялся, нажал красную кнопку на пульте и зачастил:

— Терапевта Игоря Федорова просят срочно зайти в аптеку. Повторяю: терапевт Игорь Федоров, срочно зайдите в аптеку.

Отключив микрофон, Юра покосился на меня.

— Ты все же записываешь фамилии тех, о ком идет речь, — констатировала я.

— Ну да. Иначе не запомню.

— Можно посмотреть заметки?

Парень сделал выразительный жест указательным и большим пальцами правой руки.

— Мани, мани... пока не у меня в кармане...

Я рассталась с парой купюр, завладела растрепанной книжечкой, начала разбирать каракули и не удержалась:

— Какая оценка была у тебя в школе по русскому?

— А че? — обиделся Юра. — Тройка, как у всех!

На мой взгляд, человек, пишущий «херургия» и «врачь», не заслуживает даже двойки, но тут я увидела фамилию «Савельева» и ткнула пальцем в строчку.

— Помнишь, кто вчера просил озвучить данный текст?

— Не-а. А что? — стандартно ответил потомок Митрофанушки.

Я помахала перед носом Юрия кошельком.

— Напряги извилины.

Юноша попытался собрать складками на зависть гладкий лоб.

— Ну... вчера... тихо... ща... О, точняк — из лаборатории! Она дальше по коридору, там анализы делают.

— Уверен?

— Чугунно, — кивнул Юра. — Мужчина звонил, сказал: «Лаборатория на проводе. Объяви срочно...» Я и выполнил.

— Осталось последнее уточнение: как того мужчину зовут?

— Фиг его знает, — невозмутимо отозвался Юра. — Ихних фамилий я не спрашиваю. Деньги платят за работу, а не за интерес.

Я метнулась в другое помещение, где приветливые лаборантки дружно ответили на мои расспросы:

— Здесь мужиков нет.

— Совсем? — разочарованно настаивала я.

— Даже самого завалященького не найти, — ухмыльнулась заведующая. — А ведь могли бы нам дядечку хотя бы для веселья посадить!

— Станут они со склянками возиться, как же, — горько вздохнула одна из сотрудниц. — Возни до неба, а денег капля.

Решив не сдаваться, я вернулась в рубку.

— Че еще? — не скрыл радость Юра. — Спрашивайте, хочу айпод купить!

— Откуда ты узнал, что мужчина звонил из лаборатории? — насела я на алчного парня.

— Он сам сказал, — ответил Юра. — Представился вежливо.

— Как?

— Ну... э... «Беспокоят из лаборатории» — вот что сказал.

— И все?

— Ну да.

— Твой телефон оснащен определителем?

— Зачем? — искренне удивился Юра. — Он местный, только для своих.

— Действительно... — протянула я. — Слушай, а родственник может откуда-нибудь поговорить по внутренней линии с врачом? Ну не хочет человек, допустим, подниматься в отделение.

— Как чихнуть, — ответил парень. — При входе на стене около лотка со всякой лабудой аппарат бесплатный висит. Здесь дорогая клиника, не помойка, для людей все удобства созданы.

Я прошла в холл и действительно обнаружила там телефон. Возле него был приклеен список номеров, одной из последних была указана комбинация цифр для вызова радиста. Мои пальцы быстро набрали номер.

— Радиоцентр, — торжественно объявил Юра.

— Беспокоит первая хирургия, — прочирикала я, — сделайте объявление. Текст такой: «Господина Франца Фердинанда ждет у отделения реанимации студент Гаврило Принцип»[1].

— Ща запишу, повторите фамилии, — попросил радист.

Я выполнила его просьбу, повесила трубку и подняла голову. С потолка донеслось покряхтывание, затем слегка искаженный голос Юрия разнесся по больничному холлу.

— Внимание. Господина Франца Фердинанда ждет у отделения реанимации студент Гаврило Принцип. Повторяю: господина Франца Фердинанда ждет у отделения реанимации студент Гаврило Принцип.

Мда, пещерная безграмотность и непроходимая тупость Юры поражали. Но радист обладал и

---

[1] Гаврило Принцип (1894—1918) — член организации «Молодая Босния», убил 28 июня 1914 года престолонаследника Франца Фердинанда. Это послужило толчком к развязыванию Первой мировой войны.

положительными качествами: он аккуратно записывал фамилии, а потом не перевирал их, парень попугаем повторял объявления, не задумываясь над их смыслом.

Глава 12

— Как вам только не стыдно! — с чувством произнесла седая женщина, стоявшая за прилавком в паре шагов от телефона. — Разве можно передавать такие глупости?

— Ничего плохого я не сделала, — улыбнулась я, — просто потеряла на этажах приятеля.

Пенсионерка укоризненно покачала головой.

— Франца Фердинанда? Престолонаследника? Ну-ну... Я бывшая учительница истории, а ваше поведение — чистой воды хулиганство. Здесь больница, а не место для развлечений!

— Глупо вышло, — согласилась я. — Понимаете, мне хотелось проверить, повторит ли радист откровенно дурацкую фразу. Он ведь закончил школу и обязан помнить, после какого события началась Первая мировая война.

— Они сейчас знают только про секс и компьютер, — насупилась пожилая женщина, — книг не читают, хорошую музыку не слушают. Вон, посмотрите, журналы лежат. Чему в них учат? «Как уложить мужчину в постель», «Сто необходимых мелочей для лета», «Купи лучшую машину». Мир катится в пропасть!

— Вы здесь каждый день работаете? — сочувственно спросила я.

— По двенадцать часов. Получаю процент от

продаж и только из-за бедности согласилась развратом торговать, — объяснила старушка.

Я сделала участливое лицо, а про себя подумала: принципиальность человека частенько рассыпается в прах при встрече с материальной составляющей жизни. Но если ты продаешь ради собственной выгоды «разврат», то не ругай его, он же твой кормилец.

— Наверное, вам мешают люди, которые постоянно пользуются телефоном? — спросила я.

Продавщица выровняла стопку газет «Желтуха».

— Сюда богатые приезжают, их сразу у порога врач встречает, мало кто за трубку хватается. Сегодня только вы. А вчера несколько абсолютно бесцеремонных людей заявились.

— Бесцеремонных? — переспросила я.

— Ну да, — поморщилась бабуля. — Один парень на весь холл орал: «Где взять направление на анализ мочи?» Фу! Мог бы и потише про такое спрашивать. Не успел он уйти, как девица подлетела, юбка до пупа, волосы в разные стороны, вместо кофты — лоскут с пяток, а духами так облилась, что я чуть не задохнулась, кашлять стала. И она мне замечание сделала: «Если туберкулезом болеете, умирайте дома. Наплюете палочками Коха на газеты — других отравите».

— Мило! — усмехнулась я.

— В нашу с вами юность молодежь уважала старших, — сказала бабушка.

Мне совсем не понравились ее слова про общую юность. Неужели я выгляжу на восемьдесят лет?

— А затем курьер приплелся, — продолжала возмущаться бабка. — Он на радио звякнул и попросил какой-то ужас объявить: тело, вскрытие... Вот уж кошмар! Намного хуже того, с анализом мочи. Я ему выговорила: «Как вам не стыдно! Больным в палатах про такое слушать противопоказано». А он в ответ: «Я курьер, просто передаю, что приказали».

Я вытащила кошелек.

— Куплю у вас журналов на тысячу рублей. Постарайтесь подробно описать курьера.

Пенсионерка посмотрела на деньги.

— Уж не молодой человек. Пьяница!

— От него пахло алкоголем?

— Нет, но для посыльного он возрастом не подходит. На побегушках либо совсем молодые, либо пылью времен припорошенные бегают. А ему лет сорок, самый расцвет. Значит, нормальную профессию не получил, ремеслом не овладел, следовательно, выпивоха. Внешность я не помню: кепка, очки, борода.

— Он вам не представился?

— Я со всякими не знакомлюсь и никому не советую, — гордо объявила бывшая учительница истории.

— Значит, курьер просто поговорил по телефону и ушел... А куда, не видели?

Пенсионерка снова покосилась на тысячную купюру.

— Не скажу, просто пошел. Какие журналы вы хотите?

— Оставьте их на прилавке, — отмахнулась я, — спокойно продавайте еще раз.

...Едва Лида открыла дверь, как я сунула ей коробку с обувью.

— Вот! Держи!

Горелик не постеснялась сразу поднять крышку.

— Красивые, — оценила она покупку. — Жаль, сгниют, в гроб обычно попроще берут. Хотя, у богатых свои причуды, у нас, у нищих, свои критерии. Чай будешь?

— Да, — кивнула я и пошла на кухню.

Там за большим круглым столом неожиданно обнаружились две девочки. Я хорошо знала и ту, и другую: Ася Павлова и Карина Гор, закадычные подружки Ирины.

— Здрассти, тетя Даша, — всхлипнула Ася.

— Хотим свои вещи взять, — сказала Карина, — а эта тетя не дает.

— Ты их видела? — спросила Лида.

— Неоднократно, — успокоила я Горелик, — это одноклассницы Ирины, можешь не волноваться. Вы что-то одалживали Ире?

Ася начала плакать, а Карина грустно объяснила:

— Диск надо взять. Иришка брала посмотреть, а он не мой.

— Ладно, — кивнула я, — пошли, поищем.

Горелик недовольно пробормотала что-то себе под нос, но я демонстративно не обратила на нее внимания и отвела девочек в Ирочкину спальню, спросив:

— Знаете, где лежит фильм?

Карина не ответила, а Ася вдруг прижала к глазам платок и осела на кровать, простонав:

— Воды...

— Ой, ей плохо! — как-то ненатурально испугалась Карина. — Тетя Даша, дайте минералки!

— Конечно, — засуетилась я и быстро вышла из спальни, не забыв прикрыть за собой дверь.

Но, очутившись в коридоре, осторожно приоткрыла створку и принялась наблюдать в щель за подружками.

Ася моментально бросилась к письменному столу, Карина кинулась к книжным полкам. Короткое время подростки рылись в чужих вещах, потом Ася прошептала:

— Нашла! Вот, в красной прозрачной коробочке.

— Покажи! — велела Кара.

Павлова продемонстрировала плоскую упаковку и живо запихнула ее под кофту. Я сбегала на кухню, вернулась назад с водой, напоила Асю и сказала:

— Жаль Иру!

— Ужасно, — простонала Ася.

— Как мы без нее будем... — менее реалистично изобразила горе Карина.

— Вы крепко дружили, — кивнула я.

Ася растопырила пальцы, потом стиснула их в кулак.

— Вот так держались!

— Странно, — вздохнула я.

— По-вашему, девочки не умеют дружить? — вспыхнула Карина.

— Я о другом. Ира вчера умерла, и вы, наверное, горюете?

— Очень, — закивали вруньи.

— И пришли забрать диск? Не вяжется такое поведение со страданием, — отметила я.

Ася завсхлипывала, Карина закричала:

— Тетя Даша, нам так плохо! Но фильм надо вернуть!

— Хорошо, — согласилась я, — берите. Где он?

Ася, забыв про рыдания, схватила с полки прозрачную коробочку.

— Вот!

Я протянула руку.

— Дай-ка взглянуть.... Хм, «Титаник». Вот уж новинка! Настоящий эксклюзив, за которым необходимо бежать накануне похорон любимой подруги! Наверное, в Москве не найдется магазина, в котором нет жалостливой кинушки с Лео ди Каприо.

— Все равно, раз одалживали, надо вернуть, — уже без прежнего нахрапа объявила Карина, — вещь стоит денег.

— Ася, достань то, что спрятала под кофтой, — приказала я.

Павлова посерела.

— Там ничего нет!

— Задери блузку, — не отставала я.

— Ну, тетя Даша, это неприлично, — укорила меня Карина.

Я без лишних слов подошла к Асе, сунула ей руку под одежду и вытащила диск.

— Наверное, он сам к Асе зашмыгнул, как полагаешь, Кара?

— Не знаю, Аська утянула, у нее и спрашивайте, — мигом открестилась она от подружки.

— Мымрица! — взвилась Павлова. — Кто меня с утра сюда гнал?

— А не ври-ка! — покраснела Карина.

Я поместила диск в DVD-проигрыватель.

— Не надо, — на удивление слаженно взвыли подростки.

Но экран уже замерцал голубым светом, по нему заскакали фигуры.

Я взрослела в те годы, когда слово «секс» никогда не звучало ни в телепередачах, ни в шумных компаниях. Нет, советские люди не размножались почкованием, но тема интимных отношений была табу. О специалисте-сексопатологе никто не слышал, эротических, а уж тем более порнографических сцен в кино нам не показывали. Если главные герои оказывались в одной постели, то на мужчине непременно была пижама, на даме ночная рубашка, а сверху их прикрывало натянутое почти до подбородков одеяло. В тринадцать лет я была на редкость наивна, обожала издали своего одноклассника Ваню Буромского и в самых смелых мечтах не думала о поцелуях. Даже сейчас, когда наша жизнь стала раскрепощенной, мне неудобно рассуждать вслух о некоторых вещах. Поймите меня правильно, я не ханжа, отлично понимаю роль секса в жизни человека, четыре раза выходила замуж, пользовалась успехом у мужчин, но спокойно подойти в аптеке к фармацевту и громко сказать: «Отпустите пачку презервативов» не могу. Поэтому не сумею описать того, что выделывали подростки во время записанной камерой оргии.

— Может, выключите? — попросила Ася.

Карина вырвала из моих оцепеневших рук пульт, нажала на красную кнопку и от растерянности начала хамить.

— Не видели, как люди трахаются?

— Вы еще маленькие, — отмерла я, — несовершеннолетние. А на групповой секс даже не все взрослые решаются.

Ася жалобно захныкала.

— Тетя Даша, вы родителям не расскажете?

— Ирка с нас бабки содрать хотела, — буркнула Карина. — Вот сука!

— Сама никогда не пьянела, — стонала Ася, — хоть ведро выжрать могла, а я от одного запаха чумею. Не понимала тогда, чего творю, пьяная была.

Из девчонок вдруг посыпалось:

— Мы просто хотели забрать диск!

— Его могли тетя Вера или дядя Андрей найти!

— Им бы не понравилось, что доченька придумала.

— Ирка хотела нас подставить!

Я постаралась обрести спокойствие и скомандовала:

— Ну-ка, рассказывайте все по порядку.

Ася умоляюще посмотрела на Карину, та скрестила руки на груди.

— Правда в обмен на диск и ваше молчание. О'кей?

Я кивнула и узнала шокирующие подробности.

Школа Иры была элитная, благосостояние родителей учеников зашкаливало за все пределы. В семьях есть няни, гувернантки, охрана, репетиторы, тренеры и прочая челядь, призванная следить за подростками. За одними школьниками, как, например, за Ирой, осуществляют тотальный контроль, другим разрешают самостоятельно идти из гимназии на дополнительные занятия, но дома ребенок обязан быть в двадцать ноль ноль и точка. Ну разве может тинейджер в таких условиях замыслить безобразие? У него же просто нет свободного времени! Но было бы желание, а время найдется...

Ира, Ася и Карина три раза в неделю вместе посещали занятия йогой. Инструктором у них был парень по имени Костя, красивый, загорелый, улыбчивый блондин. Ясное дело, подружкам понравился инструктор, они стали оказывать ему знаки внимания и дарить подарки, благо предки не ограничивали «лолит» в расходах. А Костя не растерялся, познакомил девиц со своими приятелями Никитой да Гришей, и очень скоро сложилась теплая компания.

В фитнес-центр охранников не пропускают, туда проходят лишь обладатели клубной карточки. Секьюрити Ирины сидел в машине и пялился на дверь спортклуба, Карина же с Асей пользовались относительной свободой и беззастенчиво обманывали взрослых. Они шли якобы в центр, там встречались с парнями, а потом бежали с ними в кино или в кафе. Главным для них было вовремя явиться домой. А вот бедной Ире приходилось потеть с железками в тренажерном зале. Представляете, как она злилась?

Некоторое время Ася и Карина поддерживали платонические отношения с возлюбленными, но потом Никита затащил девчонок к себе на квартиру, и те открыли радости секса. Представьте ощущения Иры, когда одноклассницы описывали ей свои приключения. У Савельевой-то не было шанса убежать с занятий незамеченной.

Некоторое время спустя Ира пригласила к себе подружек и продемонстрировала им «кино». Гор и Павлова онемели, увидев себя в разнообразных позах с Никитой и Гришей. Карина ухитрилась вырвать диск из проигрывателя и раздавить его каблуком.

— Можете не суетиться, — заржала Ира. — Я элементарно сделаю хренову тучу копий! Или в Инет запись выложу!

— Ты с нами так не поступишь, — захныкала Ася.

— И кто мне запретит? — гоготала Ира.

— Это Костя установил камеру! — осенило Карину. — Он к Никите часто заходит, Ирка ему денег на аппаратуру дала.

— Какая вам разница, откуда песня? — замурлыкала Ира. — Гоните бабло за мое молчание.

— Сколько? — хором спросили подружки.

— По сто тысяч баксов с каждой, — выдвинула требование Ира.

— Где нам такие деньги взять? — ахнула Ася.

— У родителей, — посоветовала Ира.

— С ума сошла? — взвилась Карина.

— Скажите Никите с Гришей, что вы несовершеннолетние, — спокойно продолжала Ира, — им за совращение малолетних грозит тюрьма. Сроку вам неделя, не найдете грины, изучайте Интернет!

Юные развратницы кинулись к кавалерам, но те внезапно сникли и признались: им не по двадцать, а по шестнадцать лет, они не студенты, не известные спортсмены, не обладают деньгами и могущественными связями. Одним словом, Никита и Гриша самые обычные школьники, клиенты Кости, который знакомит подростков с глупыми, готовыми на все девочками. За свои услуги Константин берет деньги. Особо лакомый кусочек, которым в данной ситуации является Ирина, инструктор приберегает для себя. Пока у него не получилось соблазнить Савельеву, но скоро Костя все устроит. Хотя Ася и Карина возненавидели Иру, они все же вернулись к ней и рассказали правду.

Савельева неожиданно разрыдалась и сказала подругам:

— Я хочу убежать из дома. Моя мать завела любовника, у нее есть тайный ребенок! Я ей совсем не нужна, она в последнее время на меня забила. Костя же мне сделал предложение, нам нужны деньги, чтобы уехать из Москвы. Он и придумал запись сделать. Девочки, простите меня! Я по-другому бабки достану, уже придумала, как поступлю, разыграю похищение. Вы ведь мне поможете?

Подростковый возраст — время ошибок и глупых поступков. Кара и Ася простили Иру и стали самозабвенно обсуждать план обмана ее родителей. Поломав голову, девчонки придумали, как им показалось, гениальный сценарий. Ирина пойдет вместе с мамой покупать платье для вечеринки, затем позвонит ее лучшей подруге Даше Васильевой и сделает так, что взбалмошная тетка прибежит в «Рай».

— Можете не продолжать, — остановила я поток сведений, — я осведомлена про идею с туалетом. А где Ира собиралась спрятаться?

— В сторожке на нашей старой даче, — заплакала Ася. — Там сейчас никого нет, предки новый дом построили, прежний продают. Ира уверяла: дело верное, тетя Даша станет свидетелем похищения, подтвердит, что она вошла в кабинку, а назад не вышла. А мы потом скажем, как за Иркой мужик следил, типа чечен.

— Весьма польщена отведенной мне ролью, — съехидничала я. — Вот только затея не удалась!

Ася закрыла лицо руками и глухо забормотала, мне оставалось лишь слушать да удивляться находчивости Иры.

Когда спектакль с похищением и выкупом провалился, младшая Савельева сначала испугалась, но потом встретилась с подругами и сказала:

— Два раза у меня обломалось, а вот в третий должно выгореть. Получу и деньги, и свободу! Мне мама квартиру купит и в покое оставит.

— Не надейся! — фыркнула Карина. — В зеркало посмотри, и поймешь: тебе родичи никогда не разрешат жить без них. Даже тридцатилетней с мамочкой за ручку ходить заставят.

Ириша довольно заулыбалась.

— А вот и нет! Скоро я узнаю о маме нечто такое... жуткое! Она все, что я потребую, сделает. Побоится возражать, когда пригрожу правду папе рассказать.

Глава 13

Ася вытерла щеки рукавом кофты, Карина молча ковыряла носком туфли светлый ворс дорогого ковра, покрывавшего пол детской.

— Девочки, — тихо сказала я, — неужели никто из вас не понял глупость ситуации? Получается, что Ира возненавидела мать за слишком большую опеку и одновременно за невнимание. Немного странное сочетание, вроде горького сахара. Либо одно, либо другое! Или мама излишне тревожится о дочери, или ей на нее наплевать. А история с любовником и рождением младенца вовсе полная чушь. Даже если предположить, что Вера умудрилась тайно произвести на свет ребенка и отдала его родному отцу на воспитание, то зачем она поддерживает с малышом отношения?

— Ой, да чего вы придираетесь! — заорала Карина. — Подумали — не подумали... Мы сейчас честно все рассказываем. Ирке какой-то мужик в аську постучал, типа надо встретиться, есть суперпредложение. Ну, они и договорились.

— Куда она ездила? К кому? — тут же отреагировала я. — Как смогла уйти от охраны незамеченной?

Карина кивнула.

— Сейчас изложу все по порядку, вы потерпите. Ирка с мужиком по аське трепались, и он ей написал: «Знаю один секрет твоей мамы, она его всю жизнь закапывает, расскажу за бесплатно. Ты ее потом пугнешь — и получишь, что пожелаешь!»

Павлова перестала тереть нос.

— Он ей велел на свадьбе постараться одной остаться. Лучше всего, мол, сделать так, чтобы в гостиничный номер попасть, а потом ему позвонить, и он придет.

— Значит, Ира прикинулась опьяневшей! — осенило меня. — И снова решила впутать в свои делишки Дашу Васильеву! Она понимала, что я не брошу ее в таком состоянии, не отпущу одну бродить по залу, где скопилось великое множество знакомых, которые станут сплетничать о юной пьянице. Ирина правильно просчитала мои действия: конечно же, я сниму номер и успокою Веру. Мне следовало заподозрить неладное, когда Ирина стала на моих глазах глотать коктейли. Я еще отругала официанта, предложившего ей выпивку!

Внезапно у меня в голове возникла некая мысль.

— Коктейли... — фыркнула Кара. — Да Ирку и бутылка водки не брала.

Я моментально забыла о всех посторонних мыслях.

— Что ты имеешь в виду?

Карина захихикала.

— Мои родители никогда выпивон не прячут. Говорят, если спиртное не убирать, дети к нему не потянутся. Но мы как-то остались у нас одни и решили попробовать. То-то скандал вышел, и Аська, и Ленка, и Наташка в хлам ужрались.

— Мы коктейли сделали, — пояснила Павлова, — по книжке составили: водка, ликер, минералка. Народ скосило с пары бокалов, нас потом наказали.

— Одна Ирочка белой маргариткой осталась, — с досадой заявила Карина, — а выдула больше всех. Ее нам в пример еще ставили: «Смотрите, уроды, единственная девочка, которая умеет себя вести!» Прикольно получилось, Ирка водку без закусона жрала, и ни фига с ней не было.

— Она потом нам объясняла, — добавила Ася, — что может дома кофе с ликером до ноздрей налиться, и ни в одном глазу.

— Ирка любого мужика перепьет, — деловито подвела итог Карина, — физиология ей досталась крутая.

— Значит, от двух коктейлей на основе легкого вина у нее не могла возникнуть рвота? — растерянно спросила я.

Девчонки дружно засмеялись.

— Смешно! — подала наконец голос Кара. — Ее и с литрухи виски не растащило бы, просто она притворялась ловко. Ирка вообще актриса и врунья. Когда нам диск возвращала, сказала, что сделала всего две копии, да только мы ей не поверили. И правильно сделали! Вот он, третий экземпляр, лежал у нее в тайнике. Тетя Даша, мы пойдем, а?

— Сначала назовите фамилию инструктора Кости и адрес фитнес-центра, — велела я.

Ася наморщила нос.

— Хотите с Иркиной любовью поговорить? Его нет.

Карина перебила подругу:

— Мы пошли с Костей объясняться, а он со съемной квартиры умотал, адреса не оставил. И из фитнеса уволился, исчез.

— Ну и хорошо, — вздохнула Ася.

— Чего вы тут сидите? — заглянула в спальню Лида.

— Ирку вспоминаем, — сделала печальное лицо Карина.

— Шли бы вы, девочки, домой, — сурово распорядилась Горелик. — Скоро Андрей вернется, ему не до гостей!

Школьницы не заставили себя долго упрашивать, подхватились и унеслись прочь. Я закрыла за ними дверь.

И Ася, и Карина растут в благополучных семьях, их родители не пьют, не гуляют, зарабатывают большие деньги и любят дочерей. Тем не менее Гор с Павловой ухитрились навалять глупостей втайне от заботливых мамы и папы. Девчонки не побежали к ним рассказывать о своих проблемах, а наивные предки считают, что отпрыски не имеют от них тайн. И как ни следила за дочкой Вера, все же не сумела удержать прыткую Иришку под каблуком.

— Будешь ждать Андрея? — спросила меня Лида.

— Не знаю, что ему и сказать, — призналась я. — Никакие слова не утешат человека, который потерял любимую дочь и почти лишился жены. Кстати, о какой сумке ты вела речь?

Лида задумчиво потерла висок.

— Знаешь... Странная штука получилась. Кстати, а ты, Дашутка, в курсе, почему от Верки все подружки убежали?

Я медленно пошла по коридору в сторону кухни, бросив через плечо:

— Тебе честно ответить или солгать?

Горелик воскликнула:

— Валяй откровенно!

Я села за большой круглый стол.

— Долгое время все мы были не очень обеспеченными. Конечно, нищими нас нельзя было назвать, но жили, постоянно считая деньги, и вдруг у Веры появился Андрей! Она стала испытывать неудобство. На мой взгляд, ей нечего было стесняться, Савельев добывает деньги тяжелым физическим трудом, он великолепный врач. То есть Андрюша не украл нефть у народа, не захапал деньги пенсионного фонда, не растратил госбюджет. Но Верочка стеснялась своего резко повысившегося материального положения и начала оказывать помощь подругам. Неле Хруч она предложила денег на «Жигули», Рите Саркисян помогла с ремонтом, пристроила твою маму в дорогую клинику. Наивная Веруська полагала, что вы за щедрость будете ее еще больше любить и ценить, но получилось наоборот. Увы, многие люди ненавидят своих благодетелей. Та же Хруч один раз прямо сказала: «Езжу на поганой «Ладе», а Верка на «мерине» рассекает. Могла бы подружке чего поприличнее предложить».

Вот и осталась с Верой лишь я, передо мной ей не было стыдно.

— Красиво... — скривила губы Лида. — Значит, все суки, а Верочка и Дашенька белые лебеди? Сошлись две светлых, благородных души на фоне вселенского дерьма. Но Верка, когда ей помощь понадобилась, понеслась не к тебе, а ко мне! Догадываешься почему?

Я растерялась.

— Нет.

Лида оперлась руками о стол.

— Ты, заинька, очень активная, без мыла везде пролезешь. И Верка побоялась, что захочешь ей помочь. Вот так! Плохо ты Савельеву знаешь, она совсем не простой человек. Есть в ней и второе, и третье дно, и подвал с ледником. Ты в курсе, чем я зарабатываю?

Я порылась в закоулках памяти.

— Служишь в турконторе, отправляешь людей на отдых.

— Сто лет как оттуда ушла, — отмахнулась Горелик, — теперь я менеджер компании «Фрим». Слышала о нас?

— Прости, не довелось, — призналась я.

Горелик полезла в свою необъятную торбу.

— Вот каталог осенних предложений.

— Торгуешь косметикой... — протянула я. —

Понятно: ты берешь на фирме губную помаду, тушь и прочее по одной цене, а толкаешь по другой. Сетевой маркетинг.

— Мы честные, — начала обработку Лида, — предлагаем товар отличного качества, экологически чистый, без искусственных красителей и консервантов. Если купишь на пробу крем, получишь в подарок лак для ногтей.

— При чем тут Вера? — я вернула Горелик к теме беседы.

Лида кивнула.

— Она мне позвонила и спросила: «Лидуська, дашь мне напрокат сумку с тестерами?»

Я превратилась в слух, понимая, что с Верой в последнее время творились странные вещи, о которых она предпочла мне не сообщать.

...Горелик ходит торговать по разным организациям, в основном по тем, где большинство сотрудников составляют женщины. Фирма выдает своим коробейникам саквояж приметного кислотно-оранжевого цвета с фиолетовыми надписями «Фрим» на боках. Косметический концерн не контролирует цену, которую просит за изделия дилер. В принципе, Лида легко может потребовать за помаду две тысячи целковых, но кто же разорится на нее? Горелик набрасывает сверх совсем чуть-чуть, берет количеством проданных единиц. «Фрим» поощряет тех, кому удается реализовать много товара, фирма награждает лучших сотрудниц автомобилями, путевками на отдых, солидными денежными премиями. Не забывают бизнесмены и о моральной поддержке, в офисе на всеобщее обозрение вывешивают портрет продавца номер один. Пустячок, а приятно! Чтобы получить премию, сотрудник должен представить листы продаж, грубо говоря, квитанции, в которых есть необходимая информация. Ну, допустим, «5 января, школа № 3000, 25 единиц губной помады, 12 упаковок пудры, 4 духов».

Вера попросила у Лиды ту самую оранжевую торбу.

— Зачем она тебе? — поразилась Горелик.

— Надо, — ответила Вера.

— Не дам! — коротко отказала Лида.

— Очень-очень прошу, — начала умолять Савельева.

— Вдруг ты ее потеряешь? — заколебалась некогда близкая подруга. — Товар немалых денег стоит.

— Хочешь, весь его у тебя куплю? — внезапно обрадовалась Верочка. — Вместе с сумкой?

— Саквояж не продается, — остудила ее пыл Горелик.

— Мне надо походить по одному офису, — внезапно призналась Вера, — а просто так шляться там невозможно, вот я и придумала прикинуться дилером «Фрим», бренд всем хорошо знаком, а сумка как бы доказательство того, что я являюсь продавцом. Лидуша, я приобрету весь твой ассортимент по любой назначенной тобой цене! Только дай торбочку напрокат!

Горелик не смогла скрыть изумление.

— Ну и глупость ты несешь...

Вера заплакала.

— Ей-богу, другого выхода у меня нет! Я должна сделать это, а потом произойдет обмен. Таковы условия. Я обязана увидеть тетку!

Лида растерялась, а Вера неслась без остановки:

— Умоляю! Мы же друзья, выручи!

В качестве последнего аргумента Савельева вынула из кошелька доллары и бросила их на стол.

— Забирай, это плата за товар.

Горелик очень нужны были деньги, и она собрала зеленые бумажки, отдала сумку, но попросила:

— Внеси в квитанцию название фирмы, куда ты пойдешь, мне для получения премии это надо.

— Конечно, — кивнула Вера и убежала, прижимая к груди добычу.

Вечером Савельева позвонила Лиде и еле слышно сказала:

— Сумка у меня, не беспокойся. Можно, я завтра утром ее верну, а то сейчас ноги не идут?

— Ага, умаялась! — не скрыла злорадства Лида. — Вот как некоторым из нас жалкие копейки достаются. Нет уж, вези сейчас.

Вера неожиданно заплакала.

— Если бы ты знала... понимала... о, господи! Никому не могу сказать!

— Васильевой пожалуйся, — язвительно перебила Лида, — она у тебя в главных советчицах ходит.

— Даше нельзя и намека сделать, — прошептала Верочка.

— Что так? — съехидничала Горелик. — Поругались? Или она на Андрея глаз положила? Строила ему глазки, как Катька Сурина?

— Дашка слишком активная, — тихо ответила Савельева, — кинется помогать, когда не просят.

И она мне не поверит. Вообще-то, никто за правду это не посчитает, пока его живым не увидит. Дашута меня высмеет. Помнишь, как к нам у Белорусского вокзала подошла цыганка? Я тогда испугалась, а Васильева потом веселилась целый год, дразнила меня...

Услышав последние слова, я вскочила, налила прямо из-под крана в чашку воды и, забыв о хлоре и прочих примесях, залпом выпила.

Странно, что Вера вдруг заговорила о той истории... Много лет назад мы с подругами договорились пойти вместе в парикмахерскую, которая находилась на Лесной улице. Место встречи назначили около церкви, расположенной неподалеку от станции метро «Белорусская». Я вынырнула из подземки, прошла темным тоннелем до автобусной остановки, пересекла улицу и увидела Веру, около которой стояла цыганка в разноцветных юбках. Сообразив, что к излишне мягкосердечной, приветливой Верушке привязалась наглая гадалка, я ускорила шаг и услышала последнюю фразу, которую та произнесла:

— Сама знаешь, я правду говорю. Все сбудется, как обещаю! И ты не своей жизнью живешь, чужую судьбу тащишь, верни все назад, иначе придет время, начнешь за несодеянное расплачиваться.

Я подскочила к застывшей изваянием Вере и сказала цыганке:

— Идите прочь. Мы не верим в предсказанья.

Женщина откинула назад волосы со словами:

— А неважно, кто во что верит, главное, где правда.

Вера навалилась мне на плечо, я потащила ее в сторону церкви.

— Что она тебе наболтала?

— Ерунду, — прошептала Верочка. — На мне порча, ее надо снимать.

— Вот глупость! — разозлилась я. — Хорошо, я вовремя подошла, ты не успела мошеннице денег дать!

Вера вздрогнула.

— У нее в руках нитка почернела. Это показатель сглаза.

— Девчонки, привет! — закричали, подходя к нам, Лида Горелик и Неля Хруч, которые постоянно опаздывали на все наши встречи.

— Вы чего такие кислые? — задорно выкрикнула Лида.

Я рассказала про цыганку.

— Они правду знают, — убежденно заявила Хруч, — умеют будущее предсказывать. Зря ты не дала с Верки сглаз снять.

— Прекратите дурь нести, — приказала я. — Гадалка полную ерунду болтала, мол, что Вера не своей жизнью живет. В это тоже надо поверить?

В конце концов мы поссорились. Нина, Лида и Вера пошли стричься, а я, обозлившись на девчонок за доверие к уличным предсказательницам, поехала домой. И я действительно некоторое время подшучивала над Верой, напоминала ей про порчу, вот только давным-давно позабыла о малозначительном происшествии. Но, оказывается, Вера о нем помнила. Интересно, почему пустяковое событие так ее потрясло?

Глава 14

— Ты тогда выступила в своем духе, — решила поругать меня за многолетней давности казус Горелик. — Наша пламенная комсомолка не верит в сверхъестественное! Накричала на нас и улетела, мы пошли в парикмахерскую, и Верка рассказала, что цыганка ей наговорила. Предсказание, в принципе, оказалось вначале хорошим. Родится дочь, будет верный муж, его имя на букву «А», но не Антон, не Александр и не Алексей. Счастье выльется на Веру водопадом, так судьба наградит ее за смерть Сережи и уход Юры. Понимаешь, гадалка все знала! Пообещала удачу, здоровье, но... счастья много не бывает, если к тебе прибыло, у другого убудет. И цыганка тогда сказала, что когда к Верке радость привалит, у ее подруг вся удача уйдет. Вот почему все от Веры после ее свадьбы с Савельевым отвернулись, слух пошел, что она чужим счастьем питается.

— Ну это просто тупость! — взорвалась я. — Голову на отсечение даю, что идиотскую сплетню распространила Хруч, которая так и не вернула Верушке деньги, взятые в долг на «Жигули».

Лида начала рыться в вазочке с конфетами.

— Сама посуди! У всех дерьмо случилось, лишь Верунчик осталась в шоколаде. От Ритки Саркисян муж ушел, Нинку Косину ограбили во дворе, чужие деньги отняли, она их потом несколько лет выплачивала, хорошо, что не посадили. Сурина...

У меня потемнело в глазах.

— Сурина активно пыталась кокетничать с Андреем, вот только он оказался верным мужем и никак не отреагировал на намеки подруженьки жены. Сурина обнаглела и один раз повисла у него на шее, а тут вошла Вера. Пришлось милой Катеньке спешно убегать из дома, где ее принимали, как родную, и больше туда не возвращаться. Что касается Ритки, то она отчаянная неряха, а сваренный ею суп не сможет проглотить даже пять дней не евший кабан, муж бросил Саркисян по причине ее совсем не армянской бесхозяйственности, а не от сглаза Верушки. Нинка работала кассиром, сидела в крохотном магазине без охраны и стала лакомой добычей для грабителей. И при чем здесь Вера?

Лида покраснела.

— С тобой невозможно разговаривать! Всегда хочешь быть правой!

Я поняла, что спорить с ней бесполезно, поэтому решила перевести глупый разговор на более интересную тему:

— Можешь сказать, в какую фирму ходила с твоей сумкой Вера?

— Компьютерный салон «Хоббит-Боббит» на Сиреневом бульваре. Вот уж кретинское название! — ляпнула Лида. И тут же опомнилась: — А тебе зачем?

— Очень странно тащиться с сумкой, набитой косметикой, в организацию, которая занимается техникой, небось там в основном мужчины работают, — пробормотала я. — Следовало направиться в школу, вуз, какой-нибудь НИИ или на кондитерскую фабрику. Слушай, а почему ты в квартире у Савельевых хозяйничаешь?

Горелик опустила глаза.

— У меня есть экстрасенсорные задатки. Вчера ночью я проснулась от голоса Веры. Она мне в уши шептала: «Лидуся, завтра с утра езжай к нам. Андрею тяжело, помоги ему». Вот я и примчалась сюда.

— Потрясающе, — кивнула я. — Тебе надо идти в телепроект, где колдуны людям судьбу предсказывают!

Горелик приосанилась, открыла было рот, но сказать очередную ложь или глупость не успела, в кухню вошел Андрей, одетый в мятый костюм и несвежую сорочку. Чуть не опрокинув стол, я ринулась к нему.

— Ты как?

Он не ответил на мой вопрос, но задал свой:

— Лида, Паскаль не объявлялся? Ты не пропустила звонок?

— Нет, — покачала головой Горелик, — я ношу телефон в кармане.

— Ладно, — мрачно кивнул Савельев. Подошел к холодильнику, вытащил пакет молока, быстро опустошил его и отрубил: — Похороны отменяются.

— То есть как? — обомлела Лида.

Андрей швырнул пустую картонку в помойное ведро.

— Вера не простит мне, если не попрощается с Ирочкой. Я все устроил. Тело забальзамируют и будут хранить до тех пор, пока Веруня не сможет присутствовать при погребении.

— Не делай этого, — заикнулась я.

Андрей сурово посмотрел на меня.

— Я не спрашиваю совета. Вопрос решен. Все, мне пора! Лида, понимаю, что обременяю тебя, но, сделай одолжение, побудь здесь еще часок, вдруг Паскаль позвонит. Как доберусь до аэропорта и встречу его, звякну и отпущу тебя.

— Не волнуйся, — воскликнула Горелик, — телефон под контролем.

Я решила проявить инициативу:

— Могу я чем-нибудь помочь? Готова дежурить в больнице.

— Не надо, — сухо процедил Савельев.

— Суп сварить, морс сделать? — не успокаивалась я.

— Нет, — отрезал Андрей. — Вера без сознания, она не принимает обычную пищу.

Но мне хотелось быть полезной.

— Хочешь, сяду около Верушки и буду читать ей книги? Говорят, люди быстрее приходят в сознание, если с ними беседовать.

Андрей, успевший дойти до двери, резко повернулся.

— Дарья, от тебя мне ничего не надо.

— Но почему? — изумилась я.

Савельев сложил руки на груди.

— Кто убил Иришку? А? Держись подальше от нашего дома.

Абсурдность чудовищного обвинения была очевидной, это поняла даже Горелик, которая испуганно воскликнула:

— Андрюш, Дашка ни при чем!

Савельев со всего размаха стукнул кулаком по косяку, светло-бежевое, сделанное в тон кухонной мебели дверное обрамление оторвалось от стены и упало на пол.

— Кто отвел девочку в номер, никому не сказав ни слова? Кто оставил ребенка одного? Дарья, не приходи к нам никогда. Вера поправится, она очень добрый человек, она... она... но я никогда тебя не прощу.

Пнув ногой останки косяка, Андрей быстро ушел. Через минуту в полной тишине раздался громкий хлопок входной двери.

— Не бери в голову, — ожила Лида, — в такой ситуации всякий обезумеет. Андрей ведь без памяти Иришку любил. Даже удивительно, как он трепетно к неродной дочери относился.

Я попыталась справиться с сердцебиением, но ничего произнести не смогла, лишь кивнула. На Горелик поведение Андрея, похоже, тоже произвело шокирующее впечатление, потому что она, никогда не испытывавшая ко мне особой любви, принялась меня утешать:

— Андрюхе совсем крышу снесло. Надо же такое придумать — похороны отложить до Веркиного выздоровления! Он решил жену во что бы то ни стало на ноги поставить. Знаешь, чего я тут сижу? Андрей велел ждать звонка от мировой знаменитости, доктора Паскаля, тот сейчас в Москву спешно летит. Савельев позвонил кому-то из своих высокопоставленных клиентов, те дали личный самолет. Паскаль умеет инфаркт лечить. Эй, ты чего молчишь? Кто бы мог подумать, что Андрей так Ирку полюбит, все-таки не свой ребенок! Повезло Верке!

Я с усилием проглотила ком в горле.

— Мне надо на улицу, очень голова кружится.

— Иди-иди, — засуетилась Лида. — Не нервничай, все будет хорошо. Верка поправится. Андрюха связями обладает, вон, даже из Парижа человека вызвал. Он тебе грубостей сгоряча наговорил, потом извиняться прибежит!

Мои уши словно заложило ватой, я видела, как шевелятся губы Горелик, но не слышала ни слова. Ноги сами собой направились к двери.

На улице было душно, я включила в машине кондиционер и медленно приходила в себя. В голову постепенно возвращались мысли. Значит, Ира во второй раз решила использовать подругу матери. Девочка не была пьяна до потери пульса, ей просто требовалось очутиться в номере одной, туда должен был прийти мужчина, пообещавший ей дать компромат на мать. Ира влюбилась в фитнес-инструктора Костю, похоже, законченного негодяя, и задумала получить свободу, чтобы беспрепятственно крутить роман с проходимцем. Ежу понятно, что Верочка никогда бы не разрешила девочке связаться с таким парнем, Иришка была слишком юной для романа с молодым человеком, которому за двадцать. Но девочка решила любой ценой добиться своего. Сначала хотела разыграть похищение, вытянуть из родителей выкуп и убежать с милым, а когда финт не удался, решила шантажировать мать...

Я вынула из подставки бутылку с минералкой и отхлебнула теплую воду.

Думаю, идея с выкупом принадлежала Косте. Ира была избалована, конфликтовала со сверхзаботливой мамой, но подлость не являлась доминирующим качеством девочки. Ею управлял человек, имевший над ней власть. А теперь вспомните свою первую любовь и совершенные под влиянием чувств глупости! Что вы делали? Врали родителям? Убегали из дома? Запускали без спроса руку в семейную кассу? Забрасывали учебу? Я не встречала людей, которые сумели бы сохранить холодную голову, переживая в подростковые годы роман. Все мы хороши, и Ирочка не исключение. Просто сейчас время такое, что дети считают деньги волшебным средством, способным разрешить любые проблемы.

Меня бы не слишком удивили неприглядные поступки Иры, если бы не история, параллельно развивавшаяся с Верой. Подруге вдруг встретился экстрасенс, пообещавший воскресить Сережу! Ким Ефимович, «святой», не желавший брать с несчастной матери деньги, мошенник, познакомивший ее с пятилетним малышом и сумевший по полной программе задурить ей голову! Ну-ка, вспомним, что он наобещал Савельевой?

Я закрыла глаза и попыталась полностью сконцентрироваться. Колдун привел Савельевой живого мальчика и рассказал нереальную историю: якобы дух умершего ребенка вернулся на землю, но телесная оболочка пока еще слаба и может исчезнуть. Чтобы Сережа был с мамой, Вере следовало произвести обмен: некто умрет, а мальчик навсегда останется на земле. И моя подруга, обезумев от желания вновь обрести сына, совершила какой-то поступок. Она не объяснила мне, что сделала, только воскликнула:

— Если бы ты только знала, на что я пошла!

Зачем Вера обратилась к Лиде Горелик? Ну, на этот вопрос я теперь знаю ответ: ей потребовалось прикинуться продавщицей косметики. Никогда ранее Вера не совершала авантюрных поступков, и я предполагаю, что визит в компьютерную фирму «Хоббит-Боббит» посоветовал ей нанести Ким Ефимович.

В день свадьбы Ники Пестовой Вера лучилась

от счастья, пребывая в уверенности: сегодня Сереженька окончательно с ней воссоединится. А Иришка вела свою игру, изобразила опьянение, очутилась одна в номере и ждала гостя, который собирался рассказать ей о тщательно оберегаемой матерью тайне. Таинственный мужчина пообещал Ирине:

— Твоя мать очень испугается, а ты получишь долгожданную свободу и деньги.

Вот только дальше события развивались совсем не так, как рассчитывали Вера с дочкой. Ира скончалась от кровоизлияния, в ее мозгу лопнул сосуд. Эксперт Алина, сталкивавшаяся ранее с подобным явлением, не усмотрела в нем ничего удивительного и даже вспомнила о больных булимией, у которых от сильной рвоты происходит та же беда.

Но я теперь знаю: опьянение было симулировано. Иришка обладала устойчивостью к алкоголю, ей просто требовалось остаться одной в номере, без присмотра. Так почему с ней приключился инсульт? Эксперт уверена — смерть Иры не насильственная, но я была в ванной и знаю, что девочку выворачивало наизнанку. Отчего ее так тошнило? Анализы не показали ничего подозрительного: ни яда, ни наркотиков, алкоголя самая малость.

На некоторое время вопрос, почему с Ириной случилась беда, оставим в стороне и восстановим цепь дальнейших событий. Девочка умерла, а Вера, придя в ужас, сказала мне:

— Обмен произошел неправильно.

Понимаете? Мать решила, что она, оживляя сына, убила дочь. Абсурд? Для нормального человека да. Но Верочка находилась на грани нервного срыва, ее психика была умело обработана Кимом Ефимовичем. И вспомним звонок на мобильный Савельевой. Я случайно прихватила телефон подруги с собой и услышала сообщение, предназначенное вовсе не для моих ушей. То самое, где упоминались некие Анна Родионова, Валентина Палкина и смерть Сережи.

Ну а теперь подведем итог. Некто решил превратить жизнь Веры в кромешный ад. Каково ей существовать, думая, что она погубила дочку, желая воскресить сына? Вера стала основной действующей фигурой в спектакле, который вдохновенно срежиссировал сам дьявол, а Ира была лишь средством, при помощи которого осуществилась поставленная задача. Да-да, не девочка была целью преступления, а ее мама. Почему тогда убили Иру, а не Веру? Старшую Савельеву и не хотели лишать жизни, ей предназначено жить и ежедневно мучиться, целью было не физически уничтожить женщину, а причинить ей максимальные мучения. Преступник легко вычислил самого главного человека, без которого существование Савельевой превратится в сплошное страдание, и хладнокровно исполнил задуманное.

И кому насолила Верочка? Я знаю ее много лет и могу с уверенностью утверждать: Савельева тихий, спокойный, интеллигентный человек. Она никогда не охотилась на чужих мужей, не подсиживала коллег, никого не оскорбляла намеренно. Вера нормальная, среднестатистическая женщина, которая ставит семью выше работы. У нее, воспитанной тетей, было не очень счастливое детство, но тем не менее у Веры сформировался на редкость оптимистичный характер. Маленький пример. Большинство людей, пролив на одежду чернила, расстроются из-за пятна, а Савельева с юмором скажет:

— Интересный узор получился, теперь у меня эксклюзивная блузка в стиле гранж.

И у кого такая женщина могла вызвать столь невероятную злобу?

Я завела мотор, включила поворотник и, не забыв пристегнуться ремнем, начала осторожно выруливать на шоссе, по инерции продолжая размышлять. Ладно, на каждого медведя найдется свой охотник. Преступник думает, что он хитрее хитрого, и сейчас, потирая руки, собирается насладиться горем Веры. Но он совершил несколько ошибок. У меня есть адрес квартиры, где Ким Ефимович встречался с Савельевой, и я, ее близкая подруга, из породы мелких, но крайне цепких и упорных терьеров — ухвачусь за кончик ниточки и не успокоюсь, пока не распущу все хитросплетение.

Но сейчас я поеду домой, лягу в кровать, высплюсь, а уж завтра с утра кинусь по следу...

Глава 15

Мой водительский стаж составляет не один год, но особой уверенности за рулем я не ощущаю, поэтому предпочитаю передвигаться во втором ряду справа с соблюдением всех правил. А поскольку впервые я села за руль в Париже, то ремень безопасности застегиваю автоматически. Вот только перестать пользоваться мобильным у меня не получается, и, если честно, телефонные звонки действительно отвлекают и могут спровоцировать аварию. Вот и сейчас, хватая зазвонившую трубку, я невольно резко крутанула рулем, услышала негодующий гудок сбоку и сумела вернуться на свою полосу, избежав столкновения.

— Дашута! Ты где? — заорал мне в ухо Кирилл Ласкин.

— На дороге, — ответила я, — пробираюсь на восток Москвы. Уже полдень, но, похоже, никто не работает, все куда-то едут.

— Улицу Топольскую знаешь? — в ажиотаже продолжал приятель.

— Нет, но могу найти по атласу! А что?

— Катись туда, да побыстрее, — приказал Ласкин.

Я попыталась ответеться от странного задания:

— Извини, у меня нет времени, я очень занята.

— Мышь принадлежит Дине Васильевой, она чуть с ума не сошла! — заголосил Кирилл.

— Грызун не может сойти с ума, — возразила я. — Мыши не решают логические задачи, и им никогда не овладеть математикой.

Приятель весело засмеялся.

— Не занудничай! Езжай к Дине Васильевой, она биолог, ей отправили особь с каким-то уникальным дефектом. Бабка перепутала посылки, хотя Анну Сергеевну винить трудно. На одной упаковке нацарапали «Д. Васильевой» и на второй то же самое. Андестенд?[1]

_____

[1] В данном случае: «Понимаешь?»

— Так, так... значит, утка попала к биологу, а мне досталась ее больная мышь, — обреченно констатировала я. — Скажи, у грызуна случайно не чума с туберкулезом и холерой в придачу?

·В ухе раздался лихой свист, затем снова возник голос Ласкина:

— Я эсэмэснул тебе координаты, действуй оперативно. Потом спасибо за уточку скажешь, тебе такая еще не попадалась!

— Угу, — пробормотала я.

Кирилл прав, до сих пор мне не приходилось гонять по городу в поисках невинно убиенной птички. А если учесть, что я не люблю утиное мясо, то беготня за тушкой и вовсе представляется мне бессмысленной. Если я в конце концов и найду многострадальную посылку, то ее протухшее содержимое прямиком отправится в помойку. Получается, я трачу зря время и бензин. Сейчас бы по-хорошему надо набрать номер незнакомой мне Дины Васильевой и попросить ее: «Пожалуйста, избавьтесь от испорченного продукта. Вышвырните «подарочек» сами».

Вот только биологу нужна ее мышь. Ну почему я вечно попадаю в идиотские ситуации? То Ласкин решает отблагодарить приятельницу, то с меня не слезают брюки, то путаются посылки!

— А насчет того, что мышь никогда не овладеет математикой и на основании этого не имеет ума, ты вспомни, как выиграла один раз в казино, — заявил, прервав мои горестные мысли, Кирилл и заржал. — Скажи-ка, сколько будет шестью семь? — Продолжая ехидно смеяться, отключился.

Однако у Ласкина цепкая память. Когда я училась на четвертом курсе, Кирилл и Дима Рулькин, два моих приятеля, курсанты военной академии, затащили меня в подпольное казино и предложили сделать ставку.

— Еще проиграю, — засомневалась я, — у меня с собой всего три рубля.

— Вполне достаточно, — подталкивал меня к рулетке Ласкин.

— Не дрейфь, — настаивал Рулькин, — новичкам везет. Сорвешь хороший куш.

И тут во мне появился азарт.

— А как делать ставки?

Димка принялся объяснять неофитке правила. После довольно бестолковых инструкций косноязычного Рулькина я усвоила, что наибольший выигрыш загребает тот, кто бросает фишки на одно конкретное число. Если, конечно, оно выигрывает. Я люблю две цифры — семерку и шестерку, но следовало остановиться на одной. Сомнения раздирали меня на части, и в конце концов в голову пришла гениальная идея: надо умножить семь на шесть, результат и будет выигрышной комбинацией. Мгновенно произведя в уме действия, я поставила столбик кругляшей на «48», и... о чудо!

Когда хитро улыбающийся кассир выдал мне немалую сумму, Ласкин с Рулькиным потребовали обмыть выигрыш. Я купила любительской колбасы, плавленых сырков, бутылку болгарского вина «Гамза», и мы устроили пикничок в тихом уголке Тимирязевского парка.

— Надо же так угадать! — восхитился Димка, делая глоток из горлышка (одноразовых стаканчиков тогда не было, а воровать граненый из автомата, торгующего газированной водой, мы не решились).

— У тебя в роду цыганок не было? — поинтересовался Ласкин, отнимая у приятеля оплетенную бело-синим пластиковым шнуром бутыль.

— Никакой интуиции, чистая математика. Просто перемножила любимые цифры семь и шесть, — пояснила я свой метод.

Рулькин замер с куском плавленого сырка в руке. Потом удивленно переспросил:

— Семь и шесть?

— Получится сорок два, — бойко сообщил Ласкин.

Я погрозила ему пальцем.

— Я что, похожа на дуру? Сорок восемь.

— Сорок два! — хором заявили будущие маршалы.

С пеной у рта мы спорили довольно долго. Потом я не выдержала, потащила упорных приятелей в канцелярский магазин, взяла тетрадь в клеточку, перевернула ее, ткнула пальцем в напечатанную на оборотной стороне таблицу умножения и приказала:

— Проверяйте!

— Сорок два, — радостно заорали курсанты, у которых, кстати, среди изучаемых в академии предметов была высшая математика.

Я им не поверила и сама изучила столбцы цифр. И поразилась.

— Действительно! Всегда считала, что получится сорок восемь.

— Везучий ты, Васильева, человек, — с завистью заметил Кирилл. — Даже тупость тебе на пользу идет. Я бы поставил на правильную сумму и остался с носом .

Сзади начали сигналить, прервав мои воспоминания. Я посмотрела в зеркальце, перестроилась в крайний правый ряд, аккуратно припарковалась и набрала номер Дины.

Телефон оказался рабочим.

— Васильева на обеде, — ответил противный гнусавый голос.

— Не подскажете номер ее мобильного? — попросила я.

— Нет, — донеслось в ответ.

— Сделайте одолжение, передайте...

— Нет!

— Простите? — осеклась я.

— Нет! — гаркнули из трубки. — Все нет. Мне за справки денег не платят. Обед! У всех! У меня тоже! Ясно?

— Да, — пролепетала я и отсоединилась.

Дом, в котором обитал Ким Ефимович, не являлся элитным жильем, но и не был трущобой — просто старое кирпичное здание, построенное в прошлом веке. Консьержки в подъезде не было, входная дверь не заперта на кодовый замок, но около лифта ничем противным не пахло, почтовые ящики оказались целыми, а пол тщательно вымытым.

Дверь бесстрашно открыла женщина лет семидесяти. Она спросила:

— Вы к кому?

Я сразу взяла быка за рога.

— Ким Ефимович здесь живет?

— Кто? — заморгала пожилая дама. — Впервые такое имя слышу.

Вспомнив, как недавно перепутала сто двенадцатую квартиру со сто двадцатой и приняла алкоголика за собаку неизвестной породы, а потом за обезьяну, я быстро назвала адрес экстрасенса.

— Ну да, все правильно, — подтвердила хозяйка, — только здесь прописана я, Лешукова Зинаида Семеновна. А вы кто?

— Представитель юридической конторы, адвокат Дарья Васильева, — быстро сориентировалась я в надежде, что Зинаида Семеновна любит смотреть телепрограмму «Час суда», обожает адвоката Павла Астахова и сейчас проникнется к его коллеге светлыми чувствами.

Старушка схватилась за сердце.

— Что случилось? Олег попал в аварию?

Я поспешила ее успокоить:

— У вас все замечательно. Я занимаюсь небольшим делом, мелкой кражей. Один из свидетелей произошедшего, Ким Ефимович, дал этот адрес.

— Час от часу не легче! — еще сильнее разволновалась хозяйка. — Кто мог прописаться на моей жилплощади?

— Баба Зина, мне скучно! — заканючила девочка лет восьми, появившись в глубине коридора. — Гулять хочу!

— С тетей поговорю, и пойдем, — пообещала старушка.

— Сейчас идем! — капризно топнула ножкой внучка.

— Лена, прекрати, — сурово приказала Зинаида Семеновна.

— Хочу! — повысила голос баловница.

— Ладно, — сдалась бабуля, — достань из шкафа красные сандалики и надень их.

— Нет, белые, — продолжала качать права внучка. — Зачем ты их далеко спрятала?

— Они на праздник.

— Хочу их! — привела привычный аргумент девочка. — Хочу!

— Бог с тобой, только не хнычь, — сдалась без боя Зинаида Семеновна. — Поищи обувь там, куда тебе лазить нельзя.

Очень довольная Лена открыла дверцу стенного шкафа и начала в нем рыться. Пенсионерка повернулась ко мне:

— Я живу здесь много лет, квартиру получал мой муж, он вступил в кооператив по месту работы. Тут были прописаны трое: Виктор Матвеевич, я и наш сын Олег. Муж скончался, Олежек женился на Люсе, невестка родом из Казани, поэтому я ее сюда прописала. Но вместе мы недолго прожили, Люсины родители дочери денег подкинули, ребятки купили собственную жилплощадь в нашем районе, неподалеку. Здесь только я осталась, вот и вся история квартиры. Ее никогда не продавали, не меняли, всегда проживала наша семья Лешуковых.

— Иногда люди оставляют ключи соседям, чтобы цветы полили в отсутствие хозяев... — я пыталась найти хоть какую-нибудь зацепку.

Зинаида Семеновна кивнула:

— У меня сестра на Украине живет, мы с Леночкой уезжали к Гале надолго, нас не было почти полгода, недавно вернулись. Но я не развожу растений, не имею домашних животных, и в мое отсутствие сюда заглядывает лишь невестка Люся.

— А вы не сдаете площадь? — выдвинула я следующее предположение.

— Конечно, нет, — удивилась хозяйка, — сама тут живу.

— Кое-кто пускает постороннего человека на короткий срок или разрешает пользоваться квартирой в свое отсутствие родственникам или, скажем, подруге, — не успокаивалась я. — Ну попробуйте вспомнить — Ким Ефимович!

— Сын и невестка живут в хорошей трешке, других родичей нет, — с достоинством ответила бабушка. — Из подруг у меня одна Олимпиада Борисовна осталась, она в девятнадцатой квартире живет, мы в гости друг к другу в тапочках ходим. Ошибка вышла, или ваш Ким Ефимович лгун.

— Все может быть, — пробормотала я. — Значит, вы отсутствовали несколько месяцев?

— Да, — кивнула пенсионерка.

— Заперли квартиру и уехали?

— Правильно.

— А сын с невесткой наблюдали за порядком?

— Нет, — неожиданно заявила Зинаида Семеновна.

— Минуточку! — насторожилась я. — Вы только что говорили о Люсе, которой доверяли проверять во время своего отъезда краны, газ и свет!

— Да, обычно сюда заглядывает жена Олежека, но они отправились на длительные гастроли по миру. Мой сын пианист, а его жена скрипачка, — с гордостью сообщила пожилая женщина. И добавила: — Поэтому мы с Леночкой надолго на Украину и уехали. Там все-таки климат получше, теплее, да и фрукты...

— Следовательно, квартира осталась брошенной?

— Нет, конечно! — возмутилась Зинаида Семеновна. — Я человек ответственный, понимаю: может труба лопнуть, соседей залить. На этот раз ключи я отнесла...

— Ба, чего я нашла! — закричала вдруг маленькая Лена и сунула старушке пакет. — Там чужая игрушка!

Пенсионерка заглянула внутрь мешка и удивилась:

— Внученька, где ты это взяла?

— В шкафу, — ткнула пальцем в сторону зеркальной панели Леночка. — На полке лежал. Там машинка, но я же не мальчик.

— Вот уж загадка! — пробормотала Зинаида Семеновна, извлекая на свет содержимое кулька. — Хм, автомобиль и шапочка. Где такую древность отыскали? Нынче их уж не делают. Когда-то у Олежека подобная была.

Я тоже стала рассматривать предметы, словно перенесенные в двадцать первый век на машине времени. Игрушка представляла собой жестяной грузовичок без одного колеса. Кабина покрашена в черный цвет, открытый кузов — в зеленый. Зинаида Семеновна права, сейчас мальчики предпочитают инерционные и радиоуправляемые модели. Предложения производителей намного опережают спрос, конструкторы соревнуются в выдумке. Автомобильчики рычат, гудят, мигают фарами, издают мелодии, у них открываются двери, окна, опускаются борта, в комплекте прилагается фигурка шофера и набор инструментов. Давно никто не производит для детей изделия из жести, сейчас в ходу пластик, он менее травмоопасен. Машинку, которую вертела в руках Зинаида Семеновна, явно сделали не позднее конца восьмидесятых годов прошлого столетия.

Изумление вызывала и шапочка из темно-синего трикотажа с белым рисунком спереди в виде буквы «М», на ней виднелось темное пятнышко грязи. Серединная часть изделия должна низко опускаться на лоб, а «ножки» по бокам обхватывать уши ребенка. Советская легкая промышленность не баловала потребителей ежегодной сменой коллекций и выпускала данный образец головного убора с послевоенных времен без изменения. Где-то в нашем семейном альбоме есть фото моей бабушки, сделанное в 1954 году. Афанасия стоит в мешковатом спортивном костюме, в валенках, которые при помощи примитивного крепления держат лыжи, и в подобной шапочке. А перелистнув страницы, можно найти снимок меня семилетней в таком же треухе. Даже Аркашка с Машей успели поносить этот стон моды, а в девяностых годах, когда челноки стали ввозить в Россию товары из Турции и Китая, сей шедевр канул в Лету.

— Надо немедленно это выбросить. Что за гадость! — занервничала Зинаида Семеновна. — Лена, признайся, ты ее вчера притащила с прогулки, а теперь меня дурачишь.

Я тут же предложила свои услуги:

— Давайте отнесу пакет на помойку.

— Если не побрезгуете, буду вам очень благодарна, — обрадовалась старушка.

Я взяла кулек.

— Уверены, что вещи не ваши?

— Конечно! — кивнула Зинаида Семеновна.

— И откуда они здесь взялись? — вздохнула я. Хозяйка нахмурилась.

— Буду разбираться. Пока объяснения нет. Первое, что приходит в голову: Лена пакет во дворе прихватила.

— Ну, ба, — заныла тут же девочка, — зачем мне машинка?

— Действительно, — осеклась старушка.

Я решила повторить вопрос, на который так и не получила ответа:

— Кому вы перед поездкой на Украину оставили ключи?

— Олимпиаде, — процедила Зинаида Семеновна, — подруге из девятнадцатой квартиры. Похоже, мне надо с ней потолковать.

Я обрадовалась.

— Хотите, пойду вместе с вами и, как юрист, объясню Олимпиаде Борисовне неправомерность ее поведения? Наверное, она использовала вашу жилплощадь для собственного обогащения, пустила сюда Кима Ефимовича с мальчиком.

Глава 16

— Вроде я уже человек пожилой, — покачала головой Зинаида Семеновна, — ничему удивляться не должна. Но это ни в какие ворота не лезет! Не могла Олимпиада заниматься шахер-махером. Она порядочная женщина, верующая, работает в церкви, очень надежная, честная.

— Вот и давайте обратимся к ней, — упорно вела я свою партию. — Вероятно, Олимпиаду Борисовну кто-то подтолкнул на нечестный поступок.

Зинаида Семеновна нахмурилась еще больше.

— Право, я в глубочайшем изумлении! Знакома с Олимпиадой не один год. Она в наш дом въехала... дай бог памяти... год не назову, но очень давно. Раньше ее квартира принадлежала Котомкиным, у них двойня родилась, пришлось расширяться, вот они с Липой и поменялись, та одинокая. Муж у нее давно умер. Была дочь, но с ней случилась трагедия, восьмилетнюю девочку...

Зинаида Семеновна осеклась, посмотрела на внучку, с любопытством слушавшую бабушку, и сказала:

— Солнышко, хочешь мороженого?

— Да! — подпрыгнула Лена, обрадованная предложением.

— Тогда иди на кухню, возьми из холодильника «Лакомку», аккуратно разверни трубочку, положи на тарелочку и съешь маленькими кусочками, — проинструктировала старушка девочку.

— Ура! — заорала малышка и с топотом ринулась по коридору.

Зинаида Семеновна, погасив улыбку, снова повернулась ко мне.

— Дочку Олимпиады звали Валечка, ее убили.

— Ужасно, — вздохнула я.

— Да уж, — кивнула старушка. — Врагу такого не пожелаешь! Ребенок пропал на школьном дворе, когда после уроков группу продленного дня вывели погулять. Учительница на пару минут отошла в раздевалку за какой-то мелочью, а вернувшись, не пересчитала малышей. Спохватилась только через полтора часа, привела подопечных в класс, а Вали нет. Представляете? Я бы с ума сошла! Девочку нашли через неделю, тело обнаружили случайно в парке.

Зинаида Семеновна примолкла, затем, понизив голос, зашептала:

— Над несчастной надругался сексуальный маньяк. Хоронили Валечку в закрытом гробу. В советское время об извращенцах в прессе не писали, по телевизору не говорили, людей об опасности не предупреждали. Липа рассказывала, что педофил еще нескольких девочек жизни лишил, пока его поймали. Мерзавца судили втихаря, на закрытом процессе, никаких зрителей и прессы не было. Очень уж не любили коммунисты шум поднимать.

Я молча слушала Зинаиду Семеновну. Сейчас многие люди с горечью говорят:

— В демократической России на редкость высокий уровень преступности, вот в прежние времена, при Сталине — Хрущеве — Брежневе, царил порядок.

Простите, но это неправда. Оставим в стороне годы царствования Иосифа Виссарионовича, когда одна половина населения сидела в лагерях, вторая ее стерегла, а потом они менялись местами. Но в правление Никиты Сергеевича и Леонида Ильича ни СИЗО, ни тюрьмы, ни колонии не пустовали. Криминальный мир существовал всегда, грабежи, убийства и преступления на сексуальной почве совершались регулярно, просто о них не оповещали население. Подобная тактика замалчивания имела как положительную, так и отрицательную сторону. Люди искренне считали, что в СССР практически искоренены преступления, встречаются лишь отдельные выродки, способные спереть чужой кошелек или ограбить квартиру. Жители как малых, так и больших городов чувствовали себя в безопасности. В Москве, например, во времена моего детства никто не запирал двери подъездов. Да что там подъезды! Очень часто и двери в квартиры стояли чуть ли не нараспашку. Собственно, кого было опасаться? Соседей? Так они свои люди, которых все знали как облупленных. Но, с другой стороны, никто из наших родителей и не подозревал о том, что вернувшийся с Севера Ваня, сын тети Мани, вовсе не шахтер, работавший по найму в суровых условиях, а недавно освобожденный педофил. Тетя Маня крепко держала язык за зубами, а Ваня через какое-то время вновь совершал преступление.

— Давайте сходим к вашей подруге и поговорим с ней! — в очередной раз предложила я.

Зинаида Семеновна покачала головой.

— Это невозможно.

— Почему? — удивилась я.

Старушка нахмурилась:

— Она умерла, тело пока находится в НИИ Склифосовского. Понимаете, как вышло... Галина Львовна из восемнадцатой квартиры пошла к Липе сахару одолжить, долго звонила в дверь, потом испугалась, позвала участкового... нашли ее в постели... Липа в последнее время сильно сдала, она моложе меня, физически крепкая, легко по лестнице пешком бегала, но вот с памятью плохо стало...

Олимпиада Борисовна пошла к врачу, а тот огорошил ее заявлением о начинающейся болезни Альцгеймера. Несчастная прибежала к соседке и заплакала:

— Зина, что мне делать?

— Сходи к другому врачу, — посоветовала Зинаида Семеновна. — Твой медик неправильный! Разве можно человека подобным диагнозом пугать?

— Нет, он замечательный специалист, — рыдала Липа, — очень деликатный. Прописал мне лекарство, сказал, что оно замедлит процесс моего превращения в безмозглую курицу, но насовсем течение болезни не остановить. Зина, я же одинокая, что со мной будет, если я лишусь разума? Окажусь в психушке, в бесплатном отделении, голодная... Нет, лучше умереть!

Зинаида Семеновна не нашла слов, чтобы утешить соседку. Как назло, ей вспомнилась старая пословица: «Семейная баба живет, как собака, а умирает, как человек, одинокая баба живет, как человек, а умирает, как собака».

Олимпиада Борисовна пала духом, практически заперлась дома, выходила на улицу только за продуктами, перестала следить за собой, не меняла одежду, не мылась. Зинаида Семеновна тревожилась за соседку, пыталась расшевелить ее, но успеха не достигла. Той требовалась не дружеская поддержка, а помощь грамотного врача. А потом вдруг случилось удивительное: старушка взяла себя в руки, сходила в парикмахерскую, даже начала красить губы. Зинаида Семеновна встретила соседку во дворе и радостно воскликнула:

— Ты чудесно выглядишь!

Приятельница махнула рукой:

— Все решено! Как только успокою Валечку, уйду к ней. Теперь мне не страшно.

— Валечку? — растерянно переспросила Зинаида Семеновна.

— Мою доченьку, — пояснила Олимпиада Борисовна. — Она на том свете мается, видит, что ее убийца счастливо живет, и покоя себе не находит. Вот отомщу и уйду к девочке.

Очевидно, все чувства, испытанные в тот момент Зинаидой Семеновной, разом отразились на ее лице, потому что соседка усмехнулась.

— Думаешь, я уже окончательно спятила? Нет, разум пока еще при мне. Просто я встретила человека, который помог поговорить с Валечкой.

Зинаида Семеновна чуть не разрыдалась от жалости к приятельнице и напомнила:

— Твоя дочь давно погибла.

— Телом она умерла, — согласилась та, — а дух ее жив. Валечка со мной долгие годы пообщаться пыталась, да только я не понимала знаков. Спасибо, появился знающий человек. Он мне помог! Очень добрый! Обещал...

Липа прикрыла рот ладонью, но Зинаида Семеновна начала трясти подругу и требовать от нее откровенного рассказа. В конце концов Олимпиада Борисовна выложила абсолютно фантастическую историю.

Ей позвонил незнакомый мужчина, представился экстрасенсом и заявил:

— Хочу вас сразу предупредить: я оказываю услуги совершенно бесплатно. Не беру ни денег, ни подарков, бескорыстно выполняю возложенную на меня Господом миссию. Я должен передать вам послание от невинно убиенной Валечки.

Чем дольше Липа рассказывала о колдуне, тем яснее Зинаида Семеновна понимала: соседка стала жертвой мошенника. Экстрасенс сплел складную историю о мятущейся душе девочки и сказал, что поможет матери наказать убийцу. А еще он пообещал ей, что после того, как душа виновника смерти Валечки очутится в аду, Олимпиада спокойно, без мучений и страданий, покинет этот мир, встретит на том свете дочку и будет проводить вместе с ней счастливые минуты вечности.

Зинаида Семеновна попыталась внушить подруге, что ее волшебник просто обманщик, но та не захотела слушать ее аргументы. Спустя пару недель Липа пришла к Зинаиде и зачастила:

— Я наболтала тебе чепухи, не бери в голову, сама не знаю, что на меня нашло.

— Главное, ты поняла: тебе попался аферист, — обрадовалась Зинаида Семеновна. — Жуликов на свете много, они заманивают в свои сети одиноких женщин, а потом квартиры у них отнимают.

— Не было никого, — отмахнулась Олимпиада, — я выдумала всю историю от начала до конца. Сама не знаю, что на меня накатило. Сделай одолжение, не рассказывай никому о моей глупости, а то я со стыда сгорю. Наверное, слабоумие прогрессирует, отсюда и болезненные фантазии.

Больше соседки о погибшей Валечке не говорили. Олимпиада Борисовна выглядела нормально, и Зинаида Семеновна, собравшись на Украину к сестре, оставила ей ключи. Ничто не предвещало беды, но вчера приятельница скончалась.

— Самоубийство? — спросила я.

— Нет, нет! — замахала руками Зинаида Семеновна. — Врач сказал, инсульт случился, естественная кончина. Мне жаль Липу, но, с другой стороны, Господь ее вовремя убрал. Кому нужна одинокая старуха, потерявшая рассудок? Кто за ней ухаживать станет, государство? Упаси боже очутиться в социальном интернате!

Зинаида Семеновна умолкла, потом ткнула пальцем в пакет, который я держала в руке.

— Откуда в моей квартире взялись чужие вещи, а? Ключ был только у Липы!

— Думаю, вы уже знаете ответ, — вздохнула я.

— Да, — согласилась старушка, — и он мне не нравится. Неужели Олимпиада Борисовна впустила в мою квартиру посторонних? Похоже, я ее совсем не знала. И зачем она так поступила?

Я опустила глаза. Ну, положим, я знаю ответ на последний вопрос. Экстрасенсу требовалась уютная жилплощадь, чтобы выдать ее за свою и пригласить туда Веру. Думаю, Ким Ефимович, «воскресивший» Сережу, и таинственный мужчина, пообещавший наивной Олимпиаде Борисовне свидание с погибшей дочерью, одно и то же лицо.

— Ваша приятельница не называла имени мага? — спросила я у Зинаиды Семеновны.

— Нет, — помотала та головой. — Да я, собственно, и не спрашивала, мне эта информация ни к чему, я не верю тем, кто размахивает руками и читает заговоры.

— Скажите...

— Нам пора идти с внучкой на прогулку, — остановила меня пожилая женщина.

— Последний вопрос! — взмолилась я. — Раньше вы упоминали, что убийцу Вали поймали?

— Так рассказывала Липа, — подтвердила собеседница. — Суд был закрытым, но родственники убитых детей присутствовали, они являлись свидетелями, давали показания, а потом остались в зале до вынесения приговора. Олимпиада не могла оторвать глаз от убийцы. Потом говорила мне, что выглядел он совершенно обычно, мимо такого пройдешь на улице и не обернешься. Больше всего подругу поразило, что у монстра была семья. Супруга преступника клялась, что ничего не знала, даже не подозревала, чем занимался ее муженек, кричала, что арестовали невиновного. Дескать, он идеальный муж и отец. Уж не представляю, как Липа это пережила.

— Значит, убийцу осудили?

— Уж не отпустили, — фыркнула Зинаида Семеновна. — В те годы закон сурово относился к извращенцам. Это сейчас им пальцем погрозят и лечить отправляют, а того гада расстреляли. Липе документ пришел, в котором официально сообщили о приведении приговора в исполнение.

— Так какого убийцу собиралась покарать ваша соседка, если маньяк уже казнен? — подпрыгнула я.

Зинаида Семеновна растерялась.

— Не знаю! Она же после объяснила, что выдумала ту историю.

— Как полностью звали вашу соседку? — не отставала я.

— Палкина Олимпиада Борисовна.

Мне фамилия показалась знакомой, где-то я ее уже слышала.

— Бабушка, — заныла Лена, выходя в коридор, — я очень медленно ела мороженое, по крошечке, но оно все равно закончилось!

— Все, уходим, — решительно заявила пенсионерка.

Я поблагодарила Зинаиду Семеновну, спустилась во двор, достала сигареты и села покурить на покосившуюся лавочку, расположенную на пустой детской площадке. Успокоив нервы, я тщательно затушила окурок, выбросила его в мусорный контейнер, села в машину и доехала до небольшого кафе. Мне требовалась чашка капуччино и возможность спокойно поговорить по телефону с разными людьми.

Глава 17

Сначала я попыталась соединиться с Диной Васильевой и услышала все тот же недовольный гнусавый голос, заявивший:

— Обед!

— Я звонила вам прежде, и тогда сотрудники были в столовой, — удивилась я.

— Обед, — повторил мужчина. — Русским языком сказано!

Я попыталась поспорить:

— Наверное, вы ошибаетесь. Разве можно столько времени обедать?

— Обед! У всех! У меня тоже! — донеслось в ответ, потом полетели частые гудки.

Желание получить протухшую утку давно свелось к нулю, но меня беспокоила судьба лабораторной мыши. Сделав глубокий вдох, я снова набрала номер и в ответ на протяжное «Алло» заорала изо всех сил:

— Васильеву!! Дину!! Срочно!!!

— Обед, — привычно возразил мне мужской голос.

— Да хоть полдник с английской королевой! —

завизжала я. — Нам наплевать! Давай сюда Васильеву, или на хрен все вышвырнем!

Хамоватый дядька неожиданно стал вежливым.

— Пожалуйста, тише.

Меня понесло дальше:

— Фиг вам! Васильеву! Пусть забирает свою мышь! А то мы ее отдадим котам!

— Дина Михайловна временно отсутствует. Не оставите свой телефон? — вкрадчиво запел недавний хам. — Она вам непременно позвонит.

Я пролаяла цифры и закрепила произведенный эффект заявлением:

— Если через час Васильева не обнаружится, я весь ваш офис в щепки разнесу!

— Да, да, непременно, конечно, — залебезил мужик.

Я вытерла вспотевший лоб и неожиданно ощутила жуткую усталость. Капуччино в забегаловке оказался на редкость противным, кусок пирога, который я выбрала, напоминал по вкусу намокший ком ваты (правда, я никогда не пробовала на зуб сей продукт из хлопка, но что-то подсказывает, что я не ошибаюсь). К тому же у меня начинается мигрень, надо ехать домой, принять душ и съесть сладкую булочку. И еще тщательно обдумать свои дальнейшие действия.

На московских дорогах редко случаются чудеса — попав во все возможные пробки, я докатила до Ложкина за два часа, вошла в прихожую и крикнула:

— Эй, Хучик, Снап, Банди, Черри, Жюли! Почему никто меня не встречает?

Но в ответ не раздалось ни звука, никто не повизгивал, не цокал когтями по паркету, не стучал хвостом по полу... В доме стояла удивительная тишина, и я наконец с большим опозданием вспомнила: животные находятся в нашем особняке в Париже, в большом ложкинском коттедже остались лишь две живых души: я и белая мышь.

Решив проведать временную гостью, я зашла в гостиную и наклонилась над пластиковым дворцом. В ту же секунду из окошка высунулась умильная мордочка с крохотными черными глазками.

Я просунула в клетку руку и взяла мышку, та бесстрашно уселась мне на ладонь и принялась чистить усы. Похоже, гостья не боялась людей и была полностью довольна своей участью.

— И как тебя зовут? — спросила я.

Мышка тихо пискнула.

— Будем считать, что знакомство состоялось, — усмехнулась я. — Надеюсь, моя однофамилица тебя скоро заберет. Ну, а пока будешь откликаться на Лялю. Что-то подсказывает мне — ты девочка.

Ляля снова издала короткий звук. Я поместила грызуна в банку, тщательно почистила клетку, налила свежей воды в поилку, насыпала в мисочку корм, переложила Лялю назад в замок, полюбовалась, как она лакомится семечками, и отправилась приводить себя в порядок. По опыту знаю: иногда головная боль отступает, если нырнуть в ванну.

Сегодня удача взяла меня под свое крыло. Обычно телефон начинает безостановочно орать, когда я, тщательно намылив голову, становлюсь под душ, но сегодня я успела спокойно помыться и даже попить чаю до того, как ожила трубка.

— Мне Васильеву, — попросила чуть запыхавшаяся женщина.

— Слушаю, — ответила я.

— Вас беспокоит Васильева, — представилась собеседница, — Дина.

— Мышь у меня! — обрадовалась я.

— Отлично, — выдохнула женщина, — было ужасной глупостью отправить ее вот так, на поезде. Давайте ваш адрес, мы выезжаем.

— Я живу за городом, за пределами МКАД. Могу завтра пересечься с вами в Москве, сейчас на дорогах сплошные пробки, устанете добираться...

— Нет, нет, уже лечу, — нервно перебила Дина. — Я его убью!

— Мышь? — испугалась я.

— Лаборанта, — пояснила однофамилица. — Вот уж точно говорят: заставь дурака богу молиться, он лоб расшибет! Велели мышь срочно отправить, а идиот начудил. Видите ли, самолет может упасть и экземпляр погибнет. Родятся же такие кретины!

— Похоже, мышь очень ценная, — удивленно заметила я.

Дина поспешила внести ясность:

— Только для науки. Слава богу, она не потерялась и, очень надеюсь, осталась жива.

Я решила успокоить ученую даму:

— Вот по поводу мышиного здоровья можете ни секунды не сомневаться. У Ляли, простите, я так назвала временную подопечную, отличный аппетит!

В трубке воцарилась тишина. Потом Дина слегка изменившимся голосом осведомилась:

— А вы откуда знаете? Экземпляр грызет контейнер?

— Нет, я вытащила Лялю из него и поместила ее в замок, — бойко отрапортовала я.

— В замок? — повторила однофамилица.

— У нас некогда жила крыса, — довольно засмеялась я, — от нее остался домик, он очень понравился Ляле. Кстати, мышка совсем не агрессивная, приветливая, спокойно идет в руки.

Дина издала стон.

— Кто с вами живет?

Бесцеремонность и неожиданность вопроса меня слегка удивили, но я покорно перечислила домашних.

— Аркадий, Зайка, Маша, Александр Михайлович, Ира, Иван, а также Снап, Банди, Черри, Хуч, Жюли — это собаки.

— Все? — занервничала Дина.

— Нет, еще кошки, — уточнила я. — А что?

— Проследите, чтобы никто до нашего приезда не покидал дом.

— Почему? — изумилась я. — Вообще-то семьи нет в Москве, все разъехались, я сейчас одна.

Дина мгновенно повеселела.

— Замечательно. Покиньте комнату, в которой находится мышь.

— Но зачем? — занервничала я.

— Это приказ, — отрезала моя однофамилица. — Не рассуждать! Выполнять!

Я моментально разъединилась. Похоже, люди со странностями слетаются ко мне, как мухи на варенье. Кому взбредет в голову беседовать в подобном тоне с женщиной, которая позаботилась о чужой живности? Когда Дина сюда заявится, не стану вести с грубиянкой пространные разговоры, не предложу ей чашку чая, живо упакую мышь — и прощайте!

Поудивлявшись поведению однофамилицы, я стала звонить по своим делам. Сначала соединилась с Наташей, секретарем главного начальника Дегтярева, и спросила:

— Тусик, никто из твоих парней не хочет заработать?

— Как всегда? — деловито осведомилась Натка, не раз оказывавшая мне подобные услуги.

— Ничего нового, — заверила я, — кое-какие справки. Кстати, сегодня я разговаривала с Машей, она уже купила тебе в подарок ярко-красную сумочку, которую ты облизывала взглядом на странице модного журнала.

— О-о-о! — закричала Наташка. — О-о-о! Та самая? Стеганая? На ручке-цепочке? Хочу!!!

— Скоро получишь, — пообещала я. — Кстати, к ней в подарок дали кошелечек и пробник новых духов.

— Умираю!!! — снова заорала Натка.

Я рассмеялась.

— Сначала назови фамилию того, кто решит мои проблемы.

Ната зашуршала страницами блокнота.

— Сейчас тебе позвонит Валерий Овсянкин. Хороший парень, ему бабки позарез нужны, жена тройню родила. Жуть, да?

— Мощное потрясение, — согласилась я.

Наташка рассмеялась.

— Анекдот знаешь? Стоит папаша в холле роддома, медсестра выносит ему четырех младенцев и спрашивает: «Вы сильный человек? Выдержите?» — «Конечно», — блеет растерявшийся отец. «Тогда возьмите этих, а я пока за оставшимися пятью сбегаю», — говорит девушка.

— Думаю, Валерию Овсянкину байка не покажется веселой, — остановила я разошедшуюся Наташку. — Жду от него звонка.

Трубка ожила спустя очень короткое время.

— Овсянкин, — коротко представился бодрый тенор. — Наталья Николаевна сказала, что вам нужна помощь. Здрасти, Даша.

— Мы знакомы? — удивилась я.

Овсянкин осторожно кашлянул.

— Лично нет, просто я наслышан о вас, работаю у Константина Львовича Кочкина.

Я обрадовалась:

— Мы с Костей дружим!

— Ага, — хмыкнул Овсянкин. — У него даже поговорка имеется. Если кто из ребят наглупит, Константин Львович кулаком по столу хрясь, глаза навыкат и грохочет: «Что за дрянь происходит? Прямо Дарья Васильева, а не приличный сотрудник!»

Я чуть не подавилась чаем, который в процессе разговора прихлебывала из кружки, но быстро пришла в себя и пробормотала:

— Польщена своей славой. Валера, вы запишете мои вопросы?

— А когда надо исполнить? — поинтересовался через несколько минут Овсянкин, уразумев задание.

— Вчера, — вздохнула я.

— Ясно. Разрешите приступить?

— Начинайте. Кстати, если хотите, могу вручить вам аванс. И... давай сразу перейдем на «ты»? Мы же заочно знакомы!

— Ладно, согласен, но расплатиться лучше потом, — деловито отрапортовал Валерий, — не люблю деньги вперед брать.

Договорить нам не дал звонок в дверь, я бросила трубку на диван и поспешила в прихожую, ожидая увидеть на пороге Дину. Но там обнаружился тощий мужчина, одетый в белый комбинезон. Лицо незнакомца прикрывал щиток из прозрачного пластика, прикрепленный к круглой шапочке, в руках он держал чемоданчик, с которым обычно ходят стилисты.

— Я прибыл за экземпляром, — доложил дядька.

— Вы имеете в виду мышь? — уточнила я.

Посыльный кивнул.

— Лабораторное животное, номер ЭФ семь.

— Отдам посылку только Дине Васильевой! — строго предупредила я.

От большого куста сирени отделилась тень.

— Я здесь. Давайте поговорим!

Я оценила внешний вид дамы, тоже облаченной в белый комбинезон, и с тревогой спросила:

— Что происходит?

Дина указала на садовую скамейку:

— Можно присесть?

— Пожалуйста, — разрешила я.

Мы устроились на жестком сиденье.

— Только не волнуйтесь, — произнесла женщина.

Когда человек начинает разговор с такой фразы, я сразу пугаюсь.

— Что случилось?

— Где мышь?

— В гостиной, сейчас покажу, — вскочила я.

— Нет, — остановила меня Дина, — пусть лучше Александр один отправится. Извините, нам придется в целях безопасности унести и вашу клетку.

Только тогда я правильно оценила внешний вид людей, явившихся за грызуном, стальной контейнер-чемодан с цифровым замком и севшим голосом осведомилась:

— Милая мышка заражена?

— Вирус Аш энд Ап, — загадочно ответила Дина.

— Это опасно? — затряслась я.

Дина наклонила голову набок.

— Честно? Не знаю. И никто не знает. Пока возбудитель существует лишь в лаборатории и передается от одного животного к другому. Случаев заражения среди людей не было. Правда, кое-какие болезни иногда не трогали людей, пока не попадалась личность с сильно ослабленным иммунитетом, вирус внедрялся в организм, мутировал, и начиналась эпидемия.

— А что за болезнь провоцирует ваш Аш энд Ап? — затряслась я.

— Лихорадку реки Нга, — спокойно пояснила Дина. — До недавнего времени она вызывала повальную смерть среди аллигаторов.

Мне стало легче дышать. Конечно, характер у меня не сахар, но на крокодила я мало похожа.

— Потом неожиданно стали погибать зебры, — продолжала Дина, — долгое время считалось, что вирус... ой, вам вряд ли интересны подробности.

— Напротив, — заверила я, — продолжайте.

Моя однофамилица замялась:

— Мы не государственное учреждение, работаем на крупный частный зоопарк. Вам это тоже неинтересно...

— Что с мышью? — попыталась я вытрясти из нее правду.

— Мы не уверены, что ее удалось заразить, — затрещала Дина. — Лаборант в Новосибирске редкий идиот! Он не послушался приказа, побоялся послать животное как положено, передоверил доставку какой-то бабке. Ой, это вам тоже неинтересно. Главное, мы нашли экземпляр, дурак уволен, все тип-топ.

— А я не заболею?

— Ну что вы! — напряженно засмеялась Дина.

— Каковы симптомы лихорадки? — не успокаивалась я.

— Ну, самые обычные, она начинается с респираторных явлений, кашля, насморка, потом возможны аллергические высыпания в виде красных полос или пятен, зуд, почесывание, жар...

— В общем, ерунда, — обрадовалась я.

— Температура поднимается выше сорока, и организм погибает, — договорила Дина.

— В-в-всегда? — прозаикалась я.

— Среди аллигаторов стопроцентная смертность, — не оставила мне шанса на надежду однофамилица. — У зебр выживает одна из сотни.

— А люди? — пискнула я. — У них каков прогноз?

— Лихорадка не передается человеку. Во всяком случае, считается, что нет ни малейшей опасности. Но если вы волнуетесь... вот визитка, звоните, в случае чего мы сразу примчимся, — пообещала гостья.

— Экземпляр выловлен, — отрапортовал мужчина, выходя из дома.

Дина поднялась.

— Жаль уезжать, воздух у вас тут волшебный. Да, кстати, ваша посылка!

У меня в руках очутился довольно большой пакет.

— Уж извините, — не останавливаясь, на ходу говорила Дина, направляясь к здоровенному черному джипу с затонированными стеклами, — я открыла сверток, думала, там носитель вируса. Очень милая утка, вся такая... бело-голубая.

Я не успела ответить. Со скоростью зайца, которого преследует волк, Дина юркнула в салон автомобиля, мотор тут же взревел, и «танк» унесся прочь.

В дом я побрела, ощущая, как в горле начинает першить.

На всякий случай я еще раз вымылась в душе, изведя почти целую бутылку геля. Потом выпила таблетку аспирина, подумала и слопала пилюлю мощного антибиотика. Профилактика не повредит, лучше предупредить болезнь, чем потом от нее умереть!

Трясясь от озноба, я заползла под одеяло, попыталась заснуть, но ничего не получилось. Решив включить DVD и посмотреть какой-нибудь детектив, я зажгла свет, почесала живот, встала, снова почесала живот, подошла к телевизору, почесала живот, нашла коробочку с диском, почесала живот, опять почесала живот, в общем чесала живот минут пять... и лишь потом догадалась задрать пижамную куртку и посмотреть на свое тело.

Было от чего испугаться! Вся поверхность кожи имела бордово-красный цвет, я походила на свежесваренного рака. Я мгновенно бросилась к телефону, трясущимися пальцами набрала номер, напечатанный на визитке Дины.

— Абонент находится вне зоны действия сети, — сообщил автомат, — перезвоните позднее.

Отличный совет! Но позднее меня уже может не быть. От лихорадки реки Нга погибают все аллигаторы и выживает лишь одна зебра из сотни. Предположим, по менталитету и воспитанию я ближе к полосатым лошадкам, чем к крокодилам, но где гарантия, что я окажусь той самой сотой счастливицей?

Желудок начал противно сжиматься. Я попыталась успокоиться. Все будет хорошо, для начала измерим температуру, а потом звякнем Дине по рабочему номеру. На дворе вечер, но мышь-то повезли в лабораторию, значит, там находятся люди...

Столбик термометра показал 36,9. Я воспряла духом, пару минут чихала как заведенная, затем попыталась дозвониться до офиса.

— Оставьте свое сообщение. Завтра, придя на службу, мы с вами непременно свяжемся, — пообещал дискант.

Делать нечего, пришлось набирать «03».

— Двадцать восьмая, «Скорая». Что случилось? — осведомился усталый женский голос.

— Я умираю!

— Кто болен?

— Я!

— Имя, фамилия?

— Дарья Васильева.

— Возраст?

— Двадцать пять, — невесть зачем соврала я.

Никогда не скрываю своих лет, а вот поди же ты, взяла и солгала.

— Где проживаете?

— Поселок Ложкино.

— Вы замкадыш? — спросила оператор.

— Кто? — не поняла я.

— Замкадыш, — повторила диспетчер. — Живете за МКАД? Поселок находится за чертой Москвы?

— Да, — подтвердила я. — То есть нет! Вернее, вы правы, я — замкадыш.

— Вас обслуживает область. Какой город ближайший? Подскажу телефон, — вежливо предложила девушка.

Глава 18

Областные медики не спешили отвечать. В конце концов я вспомнила, что имею оплаченную страховку в клинике «Помощь без предела», отыскала полис и дозвонилась по одному из напечатанных там телефонов.

— Неотложка, — пробасил мужчина.

— Я умираю.

— У вас есть наш полис?

Интересно, что будет, если диспетчер услышит «нет»? Он бросит трубку?

— Да!

— Хорошо. Фамилия, имя, возраст.

— Дарья Васильева, тридцать лет, — брякнула я.

Похоже, сообщать сильно адаптированный вариант собственного возраста становится моим хобби...

— Что с вами случилось? — продолжал расспросы диспетчер.

— Умираю, — прошептала я, отчаянно почесывая живот.

— Температура?

— Нормальная.

— Отлично! — ободрил меня доктор. — Где-нибудь болит?

— Это может быть лихорадка реки Нга, — решила признаться я, — от нее погибают все аллигаторы в округе и девяносто девять зебр из ста.

Врач помолчал, потом продолжил опрос:

— Вы или ваши родственники недавно вернулись из поездки? Кения? Индонезия? Вьетнам?

Поняв, куда потекли мысли терапевта, явно никогда ничего не слышавшего об экзотической заразе, я поспешила уточнить:

— Нет, я общалась с белой мышью.

— Так... — протянул врач.

— Ее мне отдали вместо утки, но я решила, что в пакете птица, и развернула бумагу. Мышку временно поселила в замке, а затем выяснилось, что она больна лихорадкой реки Нга, от которой, как я уже говорила, погибают крокодилы и зебры. У меня есть телефон ученой, которая работает с вирусом лихорадки, но дама не берет трубку, а мне с каждой минутой делается все хуже. Невыносимо чешется живот!

Из аппарата донеслось покашливание, потом дежурный коротко бросил:

— Минуту...

Мой слух уловил шуршание и его вопрос, адресованный кому-то из коллег:

— Андрей, звонит тетка с нашим полисом. У нее была утка, которую она выменяла на мышь. Грызун болен лихорадкой реки то ли Мга, то ли Дга, от инфекции умерли все крокодилы и зебры. Что делать?

· — Посоветуй ей в ближайшие десять дней не пользоваться общественным транспортом, чтобы не вызвать падежа среди популяции московских аллигаторов, — послышался в ответ глухой баритон.

Я обозлилась. Ну почему, когда говоришь правду, тебя моментально начинают считать психически больной? Если бы сейчас моя лучшая подруга, хирург Оксана, находилась в Москве! Но Ксюта улетела на Крайний Север, там, в областной больнице, она будет три месяца обучать местных докторов.

— Можете позвать кого-нибудь из родственников? — сладко запел врач мне в ухо.

— Я нахожусь дома одна, — сердито отрезала я, — остальные отсутствуют.

— Андрей, — снова окликнул коллегу мой собеседник, — там никого.

— Дай стандартный ответ, — заявил все тот же баритон.

— Не следует беспокоиться, — оптимистично завел диспетчер, — примите сорок капель валокордина с небольшим количеством воды.

— У нас его нет! — впав в отчаянье, призналась я.

— Тогда возьмите одну таблетку но-шпы.

— Простите, но этого лекарства мы не держим, в семье его никто не пьет, не потому что оно плохое, а потому что мы ничем не болеем, — чуть не заплакала я.

— Отлично, — похвалил меня врач. — Анальгин — вот истинная панацея.

— Отсутствует!

— Аспирин? — не сдавался мужчина. — Золотое средство прямо-таки от всего! Идите к аптечке и посмотрите.

Я бросилась к комоду в холле и стала искать на полках жестяную коробку из-под печенья, где хранятся таблетки, пилюли и капли, которыми пользуется иногда наша семья. Увы, спустя короткое время пришлось признать:

— Ацетилсалициловой кислоты нет ни в каком виде.

— Великолепно, — на всякий случай похвалил меня дежурный. — А что есть?

— Тут полно пузырьков, упаковок и мазей!

— Прекрасно, непременно подберем необходимое. Читайте название!

— Вы так долго со мной возитесь, — благодарно всхлипнула я.

— Светя другим, сгораю сам, — торжественно процитировал великого врача прошлого диспетчер, — не волнуйтесь и начинайте.

— Мазь для собак от отита, — озвучила я.

— Не подойдет, — решительно отверг собеседник.

— Капли в глаза для мопсов, профилактический раствор от кожных паразитов животных, паста для чистки зубов со вкусом говядины, спрей в уши для кошек, витамины для йоркширских терьеров.

— Вам нужно что-нибудь для людей! — терпеливо напомнил диспетчер.

Я еще раз перебрала содержимое коробки и обрадовалась:

— О, нашла! Имодолакс. В каплях.

— Точно для человека? — благоразумно уточнил диспетчер.

— Абсолютно, — заверила я. — Сбоку написано: «Не давать детям до двенадцати лет».

— Роскошно, — возликовал врач, — примите сорок капель, запейте стаканом чистой воды и ложитесь в постель.

— Вы приедете? — с надеждой спросила я.

— Конечно, — успокоил меня диспетчер. — Ждите!

Безостановочно почесывая многострадальный живот, бока и ноги, я пошла в прихожую и отперла входную дверь. Неизвестно, в каком состоянии я буду, когда в Ложкино примчится машина «Скорой помощи». Может, у меня не хватит сил спуститься на первый этаж, а так медики сами откроют дверь и войдут.

Подготовившись к визиту эскулапов, я поспешила на кухню, проглотила предписанную дозу лекарства, запила минералкой, собралась подняться в свою спальню и тут вдруг заметила пакет с уткой, сиротливо лежавший на столе.

В первую секунду я испытала желание вышвырнуть посылку в помойку. Птичка несколько дней путешествовала без холодильника, она уже продукт не второй, а двадцать пятой свежести. Да если вспомнить, что Дина Васильева, вручая посылку, сказала: «Извините, я раскрыла упаковку, там внутри очень симпатичная бело-синяя утка», — то станет окончательно понятно: жаркое с яблоками из тушки не сделать.

Схватив посылку, я понесла ее к ведру, но потом все же решила убедиться, что собралась избавиться от негодного продукта.

Под коричнево-бежевой бумагой обнаружился пакет, потом еще один, затем пупырчатая пленка, серый мешок...

Удивляясь заботливости Кирилла, я выпутывала и выпутывала тушку из упаковок. Ситуация напоминала глупый розыгрыш, который мы в школьные годы устраивали приятелям: приносишь однокласснику подарок, он начинает его разворачивать, возится около часа, развязывая бечевки и шурша газетами, и в конце концов на полу остается гора упаковки, а в руках у соседа по парте оказывается крохотная конфетка.

И когда последняя обертка была удалена, я замерла с приоткрытым ртом. На кухонном столе лежала утка. Она была совершено целой, нигде не поврежденной, и не побоюсь этого определения: сверкающе-новой. Вот только отправить ее в духовку было нельзя. Передо мной находилась эмалированная утка, та самая, которую для известных целей приносят в больницах лежачим больным мужчинам. Уже одного этого хватило бы, чтобы потерять от удивления дар речи. Но утка поразила меня не только самим фактом своего существования, но и внешним видом: она была старательно расписана бело-голубыми красками под гжель.

Минут пять я в глубочайшем изумлении рассматривала «красотищу», потом приподняла ее и увидела открытку. Меня с самого детства учили не читать чужую корреспонденцию, но сейчас я забыла о хорошем воспитании и изучила короткое послание.

«Дорогие Аллочка и Иван. Поздравляю вас с первой годовщиной семейной жизни, желаю счастья и удачи. Хотел купить вам полезную в хозяйстве вещь, но из-за кризиса цены сильно выросли, даже обычные чашки стоят недешево, а у меня ограничены средства, так как я вынужден платить алименты на несовершеннолетних детей, сестер Ивана. Но я люблю своего единственного сына, поэтому пошел на расход и приобрел штуку, без которой не обойтись. Когда ты, Иван, заболеешь или после автоаварии окажешься в больнице, Аллочке не придется шнырять по аптекам в поисках «утки». Храните отцовский подарок, он дорогой, полезный и просто красивый. Его надо поставить в ванной комнате на видное место. Очень надеюсь, что мое подношение вам в ближайшее время понадобится. Еще раз с годовщиной бракосочетания. Папа Миша».

Я вернула открытку на место и посмотрела на часы. На дворе почти ночь, в такое время большая часть людей спит глубоким сном, Анне Сергеевне лучше позвонить после восьми утра. Милая старушка вновь напутала — моя однофамилица получила от нее не тот пакет. Может, постараться забыть глупую историю с птичкой? Но где-то живут Аллочка и Иван, которым предназначен сувенирчик от папы Миши! Ох, не в добрый час в голову Ласкина забрела идея отблагодарить гостеприимных москвичей заготовкой для жаркого... Вполне хватило бы сказать простое слово «спасибо». Я решила завтра утром захватить «утку» под гжель с собой и при случае вернуть ее Анне Сергеевне.

Внезапно мне захотелось в туалет. Я пошла вверх по лестнице и поняла: до ванной не добегу, лучше заскочить в сортир, который находится в библиотеке. Зачем в книгохранилище санузел? О, это вопрос к прорабу, который строил особняк в Ложкине. Я уже не раз рассказывала о нашем доме: его возводила бригада неадекватных горе-мастеров по проекту безумного архитектора. Особняк мы купили уже построенным и участвовали только в его отделке. В моей спальне, например, не было окон, их прорубали после того, как я, очутившись в «бункере», спросила:

— Куда здесь вешать занавески?

Стиральные машины и сушилка у нас расположены... на втором этаже в гардеробной, в мансарде ванная находится в таком месте, где крыша практически сходит на нет, и принимать душ человек должен сидя на четвереньках, а кладовка для продуктов чрезвычайно узкая. Но самое невероятное произошло с туалетной комнатой на той половине, где живет Дегтярев. Изначально это помещение предназначалось для Аркадия, и мы, въехав в дом, не заметили ничего странного.

Однако часа через два после того, как грузчики растащили узлы и коробки по этажам, ко мне заглянул Кеша и спросил:

— Мать, где мой унитаз?

Я удивилась вопросу.

— В ванной!

— Его там нет, — спокойно ответил наш адвокат.

— Сейчас не время для шуток, лучше начинай распихивать шмотки по шкафам, — предложила я.

— У меня и в мыслях не было стебаться, — пожал плечами Аркадий. — Не веришь — погляди сама.

Я побежала на половину сына, распахнула дверь в ванную и изумилась. Раковина, джакузи, шкаф для мелочей есть, а унитаз отсутствует.

Спешно вызванный прораб не смутился.

— Вот же он! — радостно объявил строитель и повел нас к крайнему шкафу... в библиотеке.

Когда дядечка распахнул дверь, я ойкнула. То, что по наивности я приняла за стеллаж, оказалось туалетом.

— Значит, мне нужно выйти из комнаты, зайти в книгохранилище и зарулить в шкаф, чтобы, пардон, пописать?! — возмутился Аркадий.

— Замечательное, оригинальное ноу-хау! — попытался изобразить хорошую мину при плохой погоде прораб. — Сейчас не модно иметь совмещенку. И для здоровья полезно много ходить пешком.

— Плевать на моду! — разозлился Кеша. — Я переезжаю в гостевую спальню!

Прорабу пришлось переделывать ванную. В конце концов там таки установили унитаз, и переехавший на ту половину полковник не испытывает ни малейших неудобств, но и в библиотеке остался «уголок философа». О нем осведомлены только близкие, всем остальным мы об этом не рассказываем. Впрочем, иногда, крайне редко, закамуфлированным туалетом кто-то пользуется.

Я влетела в крошечное помещение и удивилась: ну с какой стати у меня заболел желудок?

Может, это реакция организма на отвратительный капуччино, неосторожно выпитый в кафе? Или лихорадка реки Нга начала свою работу? И где медики? Куда подевалась неторопливая «Скорая помощь»?

Глава 19

Меня разбудил оглушительный звон. Было полное ощущение, что я сплю на рельсах и ко мне подкатил трамвай, упорно требуя освободить путь. Я резко села и тут же сообразила, что лежу на диване в библиотеке, а под спиной у меня находится длинная палка со специальным креплением. С помощью этого нехитрого приспособления можно добыть с верхней полки нужную книгу, это очень удобно, ведь не нужно тащить лестницу. Трамвая, конечно, никакого нет, а на подушке, от которой секунду назад я оторвала голову, разрывается телефон.

Я провела ночь не в своей постели, у меня до сих пор болит живот и почему-то кружится голова. Трубка продолжала верещать. Я окончательно проснулась, взяла ее и прохрипела:

— Слушаю.

— Доброе утро, Даша, Овсянкин на проводе, — бодро сообщил мой временный помощник.

Я зевнула.

— Здравствуйте.

— Разбудил? — насторожился Валерий. — Вы, наверное, встаете к полудню! Извините, я хотел пораньше доложить.

— Правильная идея, — одобрила я Овсянкина,

украдкой поглядывая на часы, показывавшие ровно восемь.

— По существу сделанного вами запроса я имею пока не совсем полную информацию.

— Буду рада тому, что узнаю, — дипломатично заверила я Овсянкина.

И Валерий затрещал сорокой. История, рассказанная им, с одной стороны, была трагедией, с другой, увы, достаточно обычным следственным материалом.

Много лет назад в Москве орудовал некий Алексей Трофимович Фурыкин. То, что в столице появился серийный педофил, милиция поняла не сразу, маньяк вел себя хитро, совершал преступление в разных районах города и менял способы убийства. Как правило, маньяка выдает почерк. Допустим, выродок лишает людей жизни при помощи веревки, но грамотный эксперт всегда заметит нюансы, скажем, как завязан узел на шее, и сделает вывод: районы совершения преступлений разные, жертвы ничем друг на друга не похожи, но рука, совершившая преступление, одна. Очень часто преступник выбирает объектом насилия похожих людей, зацикливается, к примеру, на толстеньких брюнетках или на девушках в красном пальто. Главное, вычислить закономерность, это станет первым шагом к поимке негодяя.

Но Фурыкин действовал нестандартно, и сначала никто не понял, что речь идет о серии. Возраст убитых детей разнился от семи до четырнадцати лет. Внешне между девочками не было никакого сходства, преступления совершались в парках, промзонах, среди гаражей, на стройках. Кого-то убили камнем, кого-то сбросили в пруд, одного ребенка скинули с девятого этажа незаселенного здания. Наверное, никто бы и не стал объединять разные дела в одно, но тут на городском совещании следователь Филиппов рассказал своему коллеге Рыкову из другого районного отделения о странном убийстве, которым в данный момент он занимался. Труп несчастной десятилетней девочки был тщательно обработан: отстригли ногти на руках, тело тщательно протерли уксусом, одежду жертвы унесли, а еще преступник использовал презерватив, что в эпоху, когда еще не делали анализ на ДНК и народ не боялся СПИДа, казалось весьма странным.

— Боюсь даже думать об этом, — вздыхал Филиппов, — но, кажется, действовал кто-то из наших.

Рыков вздрогнул.

— Слушай, и у нас прошлым летом было похожее дело. Убийцу тогда не поймали.

Филиппов и Рыков были настоящими профессионалами, они тщательно изучили имеющиеся в их распоряжении материалы и пошли к начальству.

Преступника в конце концов удалось вычислить, им оказался, как и предполагал Филиппов, один из сотрудников МВД, Фурыкин, весьма высокопоставленный чин с безупречной служебной репутацией. Фурыкин имел жену, Светлану Михайловну, и дочь Алену (девочке, когда отца арестовали, только-только исполнилось десять).

Представляете, как милицейское начальство не хотело поднимать шума? Желтой прессы в СССР не существовало, поэтому в газеты не просочилось ни капли информации, судебное заседание сделали закрытым, в нем принимала участие лишь малая часть родственников погибших, несчастных людей обманули. Алексея Фурыкина называли военным. О том, что сексуальный маньяк — мент, знала лишь следственная бригада, а ее члены умели держать язык за зубами.

Дочь Олимпиады Борисовны Палкиной, восьмилетняя Валечка, была одной из жертв. После смерти ребенка Олимпиада переехала в другую квартиру, очевидно, желая избавиться от тяжелых воспоминаний.

Алексея Фурыкина расстреляли, об исполнении высшей меры наказания есть соответствующая запись в его деле. Его жена, Светлана Михайловна, тоже получила немалый срок (она, как выяснилось, помогала мужу).

— Следователи понимали, что дочь преступников, несмотря на юный возраст, о чем-то догадывалась. Но ее не допрашивали, — пояснил Овсянкин.

— Почему? — удивилась я.

Валерий замялся.

— Не знаю, о девочке вообще нет упоминаний, кроме того, что она была. Знаешь, обычно в анкете указывают жену, ФИО, место работы, школу, где учится ребенок... Здесь же никаких следов ребенка, просто: Фурыкина Алена. Думаю, начальству очень уж хотелось скрыть правду о своем сотруднике, вот и закрыли всю инфу. Кстати, мне даже теперь, спустя много лет, пришлось исхитриться, чтобы получить материалы дела.

— Ты молодец, — похвалила я Овсянкина. — Но меня Фурыкин не интересует, главное, что у Олимпиады Борисовны действительно была дочь

Валя, погибшая от руки маньяка. Мне следовало самой вспомнить, от кого я слышала фамилию Палкина.

— Теперь об экстрасенсе, — продолжал Валерий, — сейчас они обязаны регистрироваться, получать лицензию на свои услуги. Так вот, никакой Ким Ефимович права работать колдуном не имеет. Более того, в столице есть лишь один человек с таким именем и отчеством — Ким Ефимович Бусыгин. Других не зарегистрировано.

— Дай мне его адрес! — потребовала я.

— Записывай, — ответил Овсянкин. — Только... ему уже девяносто четыре года этой весной исполнилось.

— Вообще-то человек может проживать в городе без прописки, — задумчиво произнесла я. — И назваться чужим именем.

— Правильно мыслишь, — одобрил меня Овсянкин. — Но помнишь, ты говорила, что тот целитель принимал участие в телешоу? Я навел справки. Ким Ефимович Бусыгин никогда не был героем передачи, но ему выписывали пропуск на вход в телецентр всего на один день.

Я почувствовала азарт охотничьей собаки.

— Кто выписывал?

— Редактор по гостям Медведева...

— Кира! — перебила я Овсянкина.

— Ты с ней знакома? — уточнил Валерий.

— Да, и очень хорошо, — подтвердила я. — Кира всегда озабочена количеством гостей в студии, она работает на телевидении сто лет, переходит из программы в программу и всегда на одну должность. Понимаешь, режиссеры не любят, когда в публике сидят одни пенсионеры, хотят, что-

бы на экране мелькали молодые, свежие лица.
И где их взять? Теперешнее Кирино шоу снимают
в будний день, начинают работу в час дня, заканчивают в три, а как правило, в это время люди помоложе находятся на службе, им не до съемок.
Киру же ругают, если в зале сплошь бабушки с дедушками. Да еще некоторые статисты кочуют по
программам — утром отснимутся в одном шоу,
днем несутся к Кире, вечером бегут еще к кому-нибудь. Вот она иногда и обзванивает знакомых,
просит: «Девочки, помогите, посидите у меня в
студии или позовите кого-нибудь из приличных
людей! Совсем затык!» Вера ее пару раз выручала.
Скажи, Медведева выписала пропуск Бусыгину
всего один раз?

— Да, — подтвердил Овсянкин.

— Можно перезвонить тебе через пятнадцать
минут? — спросила я.

— Лучше звони около полудня, я уйду по делам, — протянул Валерий. — Кстати, еще...

Но я не стала его слушать, меня уже толкало
кулаком в спину нетерпение:

— Давай позднее договорим!

— Кто платит, тот и заказывает музыку, —
объявил Валера, в голосе которого прозвучала
обида.

Я спохватилась и решила похвалить информатора:

— Огромное тебе спасибо! Деньги привезу вечером, только скажи куда. Ты так оперативно сработал, нарыл кучу сведений за считаные часы.

Овсянкин смутился.

— Ерунда. Я не успел еще все изложить. Олимпиада Борисовна Палкина умерла от инсульта.

Все как обычно, никаких травм, только маленький синячок на руке, но он не в счет.

— А еще говорят, что наши правоохранительные органы медлительны, — не успокаивалась я, — запрягают месяц, чтобы проехать жалкий километр.

Валера засмеялся.

— Деньги — двигатель прогресса и лучшая инъекция для повышения скорости исполнения задания. У меня куча нерешенных проблем. Например, кроватка. Двухэтажную можно достать, а трех? Это уже спецзаказ и стоимость ого-го!

— Я думала, что семья, в которой появилась тройня, имеет право на льготы, — удивилась я. — Вроде раньше при одновременном рождении нескольких малышей сразу давали многокомнатную квартиру.

— Сейчас фигу покажут, — вздохнул Валера. — На одних памперсах разоришься и начнешь за бабло инфу со скоростью бешеной белки рыть.

— Все будет хорошо, — подбодрила я молодого папашу.

— Ну, надеюсь, — без особого энтузиазма сказал Овсянкин. — Галка ревет, эсэмэски мне из роддома шлет, типа «с голоду умрем». А еще злится, типа я виноват.

— Какие претензии она тебе предъявляет? — удивилась я.

Валера протяжно вздохнул:

— Я спортом занимался, до мастера дошел. Ну ел кое-какую химию. Так ее все употребляют. Но Галка теперь уверена: тройня — результат тех таблеток.

— Думаю, она не права, — попыталась я утешить многодетного родителя, — я слышала, что многоплодность передается по линии матери.

— Да и фиг бы с этим, они уже на свет выползли! — простонал Овсянкин. — Только каждому бутылку подай, соску, одежку... Лады, я побежал!

— Удачи тебе, и встретимся вечером, — я завершила беседу на оптимистичной ноте.

Не успел Валера отсоединиться, как я, наплевав на раннее время, набрала телефон Киры Медведевой.

— Кто там? — хрипло спросила подруга.

— Даша Васильева, — чуть не лопнув от нетерпения, ответила я.

— Господи, сколько времени? — испугалась подруга.

— Скоро девять, — отрапортовала я.

— Утра?

— Ага, — подтвердила я.

— Фу, — выдохнула в облегчением Кира. — Какой месяц сегодня?

— Июнь, — терпеливо ответила я. — Год назвать?

— Это я сама помню. Ох, моя спина! — закряхтела подруга.

— Радикулит? Хочешь, привезу пояс, связанный из шерсти пуделихи Черри? — предложила я. — Потрясающая штука!

— Каблуки виноваты, — сипела Кира. — Побегай-ка двенадцать часов на ходулях...

— Надень балетки! — я тут же нашла решение проблемы.

— Нельзя, редактор по гостям лицо программы, — чуть бодрее сказала Медведева. — Осталь-

ные могут в грязных джинсах и кроссовках росо-
махами по коридорам рассекать, а я в костюме с
узкой юбкой и на шпильках. Чего тебе надо?

— Расскажи мне о Бусыгине, — попросила я.

Кира помолчала, затем переспросила:

— О ком?

— Бусыгине Киме Ефимовиче.

Из трубки послышалось бульканье, треск,
хруст и веселое чавканье. Кира в процессе беседы
со мной не только полностью проснулась, но и
дошла до кухни, где сейчас наливает себе чай и,
похоже, лакомится своими любимыми ореховыми
вафлями.

— Слышь, Васильева, — с набитым ртом произнесла подруга, — я девушка молодая, одинокая,
пользуюсь сногсшибательным успехом у мужчин
и не люблю длительные связи. Если жить с мужиком больше трех месяцев, забудешь про роматни-
ку, начнется бытовуха. Уж извини, я фамилии не
всех своих бойфрендов помню. Про Бусыгина ничего не скажу, может, мы и встречались когда-то.
Мне не первый год тридцать, иногда склероз про-
шибает. Но вот имечко Ким Ефимович я точно бы
запомнила. Не знаю такого.

— Это не твой бывший любовник. Вообще-то
ему по паспорту больше девяноста лет.

— Ой, это точно не мой, — еще пуще зачавка-
ла Кира. — Дедуськами я не увлекаюсь, люблю
кадры помоложе. Вот, например...

— Ты пригласила Кима Ефимовича на передачу, — пресекла я ее желание пооткровенничать.

— И что? — хмыкнула Медведева.

— Бусыгину выписали пропуск.

— Ну?

— Ты его знаешь, раз оформила человеку документ на вход в студию!

Кира вздохнула:

— Васильева! Мы гоним по три программы в день, режиссер змею родит, если на зрительских скамейках останется хоть одно пустое место! Прикинь, сколько разрешений на вход я подмахиваю!

— С Бусыгиным была странность, — не успокаивалась я.

— И какая?

— Ему больше девяноста лет! — напомнила я.

— Ну... бывает, — элегически ответила Кира. — Если у нас затык, я черту буду рада.

— Думаю, Ким Ефимович и знать не знал, что приглашен на съемку, его паспорт использовал другой человек.

— За фигом ему паспорт? — искренне удивилась Медведева.

Терпение меня покинуло.

— Пора бы тебе проснуться! Бусыгин прошел в телецентр.

— И чего?

— На съемку! Как он туда без документа попал?

— Не вижу проблемы. Паспорт на входе не нужен, зрителям раздают приглашения, они его ментам показывают и добро пожаловать.

— Но мне сказали, что на Кима Ефимовича выписывали пропуск в бюро! — удивилась я.

— Случается, — равнодушно откликнулась Кира. — Скажем, гостей не хватило, или кто-то из своих просит приятеля посадить. Тысяча причин найдется!

— Заявку ты составляла, — не успокаивалась я.

— Слушай, я порой не помню, какой на дворе день недели и месяц, — заржала Кирка, — а ты хочешь, чтобы я какую-то ерунду вспомнила. Подмахнула бумажонку и не посмотрела.

Глава 20

— То есть как не посмотрела? — растерялась я.

— Очень просто, — зевнула Медведева. — Я работаю в дурдоме, на мне не только стадо в студии, но и випы, кручусь бешеным тараканом, простой народ надо усадить, звезд ублажить. Первых много, но они идиоты, вторых мало, зато с капризами. Кто-то не пришел, или, наоборот, три толпы приперлись. И кто-нибудь цидульку сует со словами: «Кира, подпиши заяву на пропуск, мой дядя приехал из деревни Гадюкино, ему охота посмотреть изнутри, как шоу делают, и в зрителях посидеть». И что я, по-твоему, буду разбираться, какой дядя, чей дядя, зачем дядя?

— Вот уж не предполагала, что у вас в Останкино такой бардак, — поразилась я. — Ладно, ты взмыленная поставила на бумаге закорючку. Но служащая бюро пропусков? Она не заметила, что по документу гостю больше девяноста лет, а по виду он еще крепкий мужчина среднего возраста?

— Про бюро пропусков ничего не знаю, — отрезала Медведева. — Но к нам постоянно психи проходят, и никто объяснить не может, как они в телецентр пробрались. Извини, если тебе не помогла.

— Ерунда, — вздохнула я. — Думаю, бесполезно тебя спрашивать, принимала ли когда-нибудь участие в съемках шоу некая Олимпиада Борисовна Палкина?

— Если она VIP, могу исключительно для тебя порыться в своем компе, — смилостивилась надо мной Кира.

— Нет, Олимпиада самая обычная, ничем не примечательная тетка, отнюдь не звезда, — с досадой уточнила я.

— Ну тогда извини!

Завершив беседу с Медведевой, я налила себе очередную чашку кофе и попыталась систематизировать полученную информацию.

Есть некий мошенник, который зарабатывает деньги, обещая безутешным женщинам, потерявшим в свое время детей, оживить их малышей. И Верочка, и Олимпиада Борисовна общались с этим жуликом. У первой погиб в результате несчастного случая сын Сережа, у второй дочь стала жертвой маньяка Алексея Фурыкина. Денег за свои услуги Ким Ефимович не берет, подарки он тоже не принимает. Савельеву экстрасенс попросил о каком-то одолжении. Моя подруга взяла у Лиды Горелик оранжевую сумку с косметикой «Фрим» и, прикинувшись дилером, отправилась в фирму «Хоббит-Боббит». А Олимпиада Борисовна дала Киму Ефимовичу ключи от квартиры уехавшей Зинаиды Семеновны, чтобы жулик мог выдать чужую жилплощадь за место своего проживания. Следовательно, контакт с Олимпиадой Палкиной Киму Ефимовичу был нужен для того, чтобы обмануть Веру, а ее он отправил в фирму «Хоббит-Боббит».

Олимпиада Борисовна умерла своей смертью, у нее случился инсульт, вскрытие не дало никаких шокирующих открытий, не было следов борьбы или странных травм, небольшой синяк не в счет. Ирочка скончалась от разрыва сосуда в мозгу, и эксперт не забила тревогу, она уже встречала подобные последствия у молодых женщин и подростков, больных булимией. Ира напилась, у нее началась сильная рвота. Но я знаю, что она обладала устойчивостью к алкоголю, в ее смерти есть некая странность, однако опытный медик с обезоруживающей уверенностью заявила:

— Смерть не насильственная, на теле нет никаких подозрительных следов, только крохотный кровоподтек около локтя, но он абсолютно точно не мог быть причиной кончины.

Ожил телефон, прервав мои размышления. Я схватила трубку.

— Получила подарок? Ну, как тебе утка? — заорал Кирилл.

— Получить-то утку я получила, вот только съесть ее нельзя, — не подумав, брякнула я.

— Почему? — спросил Кирилл.

— Она эмалированная, — уточнила я и тут увидела на столе пустую упаковку из-под выпитого вечером лекарства. Только сейчас я машинально прочитала небольшое примечание, напечатанное мелким шрифтом: «Слабительное средство, тщательно соблюдайте дозировку». Мне стало смешно: вот по какой причине я провела почти всю ночь в туалете, потом веселье сменила обида. Ну и платная медицина! Я отдала за полис немалые деньги, а что получила взамен, когда позвонила с жалобой на лихорадку реки Нга? Мне посоветовали принять огромную дозу слабительного и... не прислали докторов.

— Что значит эмалированная? — гудел тем временем Ласкин. — Эй, ответь сию секунду!

Я постаралась сосредоточиться на беседе с Кириллом.

— Покрытая белой эмалью и разрисованная синими цветами.

— С ума сошла? — ахнул Ласкин. — Ничего подобного я не отправлял! Ты должна найти мою утку! Немедленно займись делом, вылезь из кровати, выбрось дурацкие книжонки, за которыми бесцельно коротаешь время, и шлепай на поиски того, что тебе отправили от щедрого сердца.

И тут мое терпение лопнуло, и я заорала:

— Я не просила подарков, и у меня нет времени на гонку по Москве за убитой птицей!

Высказавшись, я моментально пожалела о совершенном, прижала уши и хвост и приготовилась к бурной реакции Кирилла. Но он неожиданно крякнул и вполне мирно сказал:

— Ладно, я сам решу проблему, — и тут же бросил трубку.

Радость заполнила душу. Слава богу, эпопея с вещественным выражением благодарности завершена, можно забыть о Ласкине и попытаться соединиться с Кимом Ефимовичем. И у меня самым странным образом исчезли все красные пятна на теле. Надо же было так вчера перепугаться! Конечно, никакой лихорадки реки Нга у меня нет, просто случилась аллергическая реакция. На что? Да на все! На Кирилла Ласкина с его уткой, на приспосабливающиеся под хозяйку штаны из неведомого материала, на беду, приключившуюся с Верой. Надо перестать впадать в панику, увидав кожную реакцию, вчера следовало выпить какое-нибудь антигистаминное лекарство, а не глотать большую дозу слабительного. Я порой превращаюсь в полную дуру!

Отругав себя за глупое поведение, я набрала номер Бусыгина.

Он не снимал трубку. Наверное, он плохо слышал, ведь маловероятно, что столетний старец самостоятельно пошел в магазин. Решив не бежать сразу в двух направлениях, я села в машину и поспешила в офис «Хоббит-Боббит» — Ким Ефимович никуда не денется.

Компьютерная фирма явно переживала не лучшие свои времена. Судя по обшарпанному помещению, которое она занимала, денег у ее владельцев практически не было, да и сотрудников тут оказалось немного. В крохотный квадратный холл, где стоял облезлый письменный стол с телефонным аппаратом, выходило четыре двери.

Я толкнула одну и увидела трех взъерошенных парней, молча смотревших в мониторы. Ни один из компьютерщиков не повернул голову на звук шагов, и никто не ответил на мое вежливое «здравствуйте». Я подождала минутку и повторила попытку обратить на себя внимание, но на этот раз заорала, как командующий парадом:

— Привет!!!

— Угу, — донеслось слева. — Чего хотите? Ремонт гарантийный?

— Некоторое время назад, точно дату не назову, сюда приходил дилер от фирмы «Фрим», — стала я излагать суть дела, — мне очень надо поговорить с тем, кто оформил у него заказ.

Парни никак не отреагировали на мою просьбу, я решила возбудить у них интерес и добавила:

— Продавец ошибся, взял с покупателя много денег, я принесла излишек назад. Кому его отдать?

— Какая контора облажалась? — поинтересовался кудрявый блондин.

— «Фрим», — повторила я.

— Что они продают? — продемонстрировал свой интерес шатен.

— Косметику.

Блондин соизволил посмотреть на посетительницу.

— Салфетки для протирки мониторов и средство, чтобы чистить «клаву»?

— Нет, — засмеялась я, — губную помаду, тени, пудру.

Теперь от работы оторвался и брюнет.

— Помаду? — переспросил он. — То есть пасту для антистатической обработки поверхности принтера?

Парни выглядели полоумными и требовали соответствующего обращения. Я открыла сумочку, вынула золотой футляр, выкрутила ярко-розовый столбик и сообщила:

— Вот.

— Вить, — спросил блондин, — ты такое видел?

— Не-а, — буркнул брюнет. — Зачем она нужна, Жень?

Евгений и Виктор с неподдельным интересом рассматривали тубу, а я на секунду растерялась. Неужели в наше время еще можно встретить индивидуумов, которые ничего не знают о декоративной косметике?

— Спокойно, ребята, — протянул шатен, бойко щелкавший мышкой за крайним столом, — вроде у моей матери такая есть, не помню, как она ею используется, но это точно не для компов.

— А-а-а, — парни потеряли ко мне интерес и снова уткнулись в мониторы.

Сообразив, что эти ботаны не являются целевой аудиторией фирмы «Фрим», я пошла в соседней отдел. Обнаружила там полнейшую пустоту и открыла следующую дверь. О, радость, за столами сидели две девушки, которые, назвавшись Катей и Олей, принялись без умолку болтать. Очень скоро я узнала кучу ненужных мне сведений.

Фирма «Хоббит-Боббит» барахло, платят здесь мало, работать заставляют много, а хуже всего клиенты, которые приносят неисправные ноутбуки.

— Я думала, раз компьютеры, то тут парней много, — призналась Катя.

— Замуж хочется, — откровенно сказала Оля. — Но мы ошиблись, мужиков здесь нет.

— В соседнем помещении целых три сидят, — напомнила я, — на любой вкус: блондин, брюнет и шатен.

— Они дебилы, — вздохнула Катя.

— Уроды дремучие, — подхватила Оля. — Хоть голая на работу приди, не заметят.

— Им надо на компах жениться, — сердито добавила Катерина.

— И родятся у них мониторы с системными блоками, то-то счастье! — ехидно заметила Ольга.

— Идиоты и мышкам обрадуются, — фыркнула Катя. — На всю голову стукнутые, никак выучить не могут, как нас зовут.

— Ага, — обиженно протянула Оля, — Витька

недавно на меня в коридоре налетел и дальше пошел. Я ему крикнула: «Мог бы извиниться». А он обернулся и говорит: «Прошу прощения, Людмила Николаевна, не заметил вас».

— Круто! — захохотала Катя. — Он тебя с Филипповой перепутал. Жесть!

— Мы с ней похожи, как бабочка с жабой, — рассердилась Оля.

— Умора, — покатывалась Катерина, — ничего смешнее не слышала!

— Кто такая Филиппова? — спросила я.

— Старуха, — отрезала Оля, — ей сто лет. Небось при Иване Грозном родилась.

— Сидела вроде секретарем — чай, кофе, потанцуем, — не переставала резвиться Катя. — Только клиентов вечно пугала! Всегда всем замечания делала, жизни учила. Такую хрень несла! Мне заявила: «Ношение мини-юбки провоцирует заболевание женских органов и, как следствие, бесплодие. Надень нормальное платье, за колено, а вниз непременно теплое белье, иначе никогда не станешь матерью». А я и не собираюсь размножаться! На фига мне младенец? Какой от него прок? Одна головная боль. Жить надо для себя. Я так Людмиле и сказала, а она давай лапами размахивать и возмущаться: «Безобразие, сплошной эгоизм у нынешней молодежи! Надо о государстве заботиться, производить рабочие руки!»

— Совсем бабка умом тронулась, — подхватила Оля. — Кстати, вашу косметику она покупала.

— Если честно, вы говном торгуете, — заявила Катя, — тушь сразу осыпается, тон скатывается.

— А ты чего от барахла хочешь? — фыркнула подружка. — Его для таких, как Людка, производят.

— Ой, как ее та торгашка напугала! — чуть не захлопала в ладоши от радости Катерина. — Я думала, Людка ща грохнется, но она удержалась.

— Филиппова что-то не поделила с дилером? — уточнила я.

Катя и Оля обменялись многозначительными взглядами.

— У Людки полно побрякушек, — сказала первая. — Обвешивалась ими, как елка...

— В уши серьги, на шею ожерелье, на пальцы кольца, — перебила коллегу Ольга. — Фуфло дешевое, но блестит отчаянно!

— Людка тут уже сидела, — откровенничала Катя, — когда мы с Ольгой вместе на работу нанялись. Только устроились, Филиппова давай пальцы гнуть. Делать ей было не фига да и лень. Телефон орет, трубку бабка не снимает, у нас усядется и ну врать!

— Авторитет напускала, — деловито подхватила Оля, — жужжала, что раньше была женой ну очень большого человека, от его решения зависели судьбы людей.

— Брехалово, — махнула рукой Катя.

— И про украшения врала, — заявила Оля, — пыталась нам их историю втюхать, дескать, это уникальные брюлики. Уверяла, что ей их за ум и красоту дарили.

— Видели бы вы старушенцию! — развеселилась Катя. — Ростом с тумбочку, размер сто на сто. Квадрат!

— И это только одно лицо, — отвесила «комплимент» пожилой коллеге Ольга. — Ноги — бутылки, руки — бочонки. Вау! Такой что угодно подаришь, лишь бы близко не подходила.

— Так что произошло у Филипповой с дилером? — терпеливо переспросила я.

Катя положила ногу на ногу.

— Пришлепала баба, тоже пылью времен покрытая. Мы с Ольгой ей сразу сказали: «Забери коробки, мы подобным не пользуемся». А Людка заинтересовалась.

— Начали они пробники вымазывать, — скривилась Оля, — духами мерзотными в кабинете пшикать. Воняло — жуть!

— Точно, аромат помойки, волшебный запах дерьма! — резюмировала Катя. — Я уже хотела им замечание сделать, все же не дома находятся, в офисе, а тут торговка и говорит: «Какое у вас кольцо необычное! Это бриллиант?»

Я замерла на стуле, боясь пропустить хоть звук из рассказа девушки.

Глава 21

Людмила Николаевна протянула руку с перстнем.

— Да, бриллиант на редкость чистой воды.

— А вокруг сапфиры? — не успокаивалась тетка.

— Нет, солнышко, — улыбнулась Филиппова, — изумруды.

— Синие? — уточнила дилер.

— Это огромная редкость, — пояснила секретарша. — Кольцо невероятно ценное, старинное.

И тут Оля не выдержала:

— Дорогая Людмила Николаевна, если вы владеете несметными богатствами, то почему сидите в нашей конторе на грошовом окладе? Продайте колечко и живите припеваючи много лет!

— Что ты, деточка, — вздрогнула Филиппова, — это невозможно!

— Почему? — не успокаивалась Ольга. — Неужели хуже кайфовать дома у телика, чем здесь дурью маяться. Имей я золото, брильянты, уж нашла бы им достойное применение. Обратила бы их в бабло и отправилась по свету путешествовать.

— Украшения мне дарил муж, — гордо ответила Людмила Николаевна, — это память о любимом, с подобным не расстаются. Я не могу лишиться колец или серег, они мне как дети.

Молчавшая до тех пор дилерша воскликнула:

— Я вспомнила, у кого видела точь-в-точь такую красоту! Очень давно у моей мамы была приятельница, соседка по дому. У нее было кольцо, похожее на ваше, прямо копия, и тоже с такими изумрудами, которые синели при свете люстры. Ну совсем как ваше! Она потом съехала, потому что...

Тут торговка замолчала, а Катя и Оля с огромным изумлением увидели, как с лица секретарши стекает улыбка и вместо нее появляется ужас.

— Не знаю никого, — с огромным трудом произнесла Филиппова.

— Зря неправду говорите, — отрезала дилер, — я все отлично помню. Моя мама с той соседкой дружила, они друг от друга тайн не имели и...

Продавщица наклонилась и что-то прошептала Филипповой на ухо. Людмила Николаевна вскочила и кинулась в холл, коробейница подхватила сумку и ринулась за ней.

Катя с Олей, чуть не скончавшись от любопытства, поспешили за тетками. Филиппова выбежала на улицу и, не обращая внимания на красный сигнал светофора, понеслась через проспект, а затем скрылась за воротами расположенного невдалеке парка. Но бабенка из фирмы «Фрим» оказалась не промах — помчалась следом и тоже исчезла на территории зеленой зоны.

На службу Людмила Николаевна вернулась под конец рабочего дня. Волосы ее были растрепаны и кое-как приглажены, на платье не хватало пары пуговиц, под глазом наливался синяк, а главное, на пальце не было того самого кольца, якобы с бриллиантом.

— Вас ограбили! — ахнула Оля, тут же сообразив, что секретарша попала в передрягу.

— Нет, — еле слышно стала отрицать очевидное Филиппова, — я просто упала.

— А ваш перстень? — не успокаивалась Ольга. — Он где?

Старуха на мгновение растерялась, но быстро нашлась:

— В карман спрятала. Он стоит огромных денег, не следует драгоценность открыто носить. Все в полном порядке, но мне лучше уйти домой пораньше.

Когда Филиппова, забрав свою сумку, удалилась, Катя сделала вывод:

— Может, то кольцо у нее всамделишное.

— Ты чего? — возразила Оля. — Оно, если Людке верить, со здоровенным брюликом. Зачем дорогое украшение на работу таскать?

— Дома тоже оставить страшно, вдруг сопрут? — не согласилась Катя.

— Одежда у Филипповой дрянь, сумка дешевая, голову она сама красит, а цацки эксклюзивные? Не верю! — стояла на своем Оля.

Видно, тема ювелирного запаса пожилой дамы была до сих пор животрепещущей, потому что Оля и Катя вновь завели спор, забыв о моем присутствии.

— У Людки на шее висел жемчуг из пластика, — презрительно скривилась Ольга, — и браслеты она носила не золотые.

— А кольцо могло быть настоящим, — уперлась Катерина. — Чего она тогда так той дилерши испугалась? Стопудово Людка перстень украла! А торговка ее разоблачила, в парке поймала, по морде настучала и свое назад забрала!

Я решила прекратить бессмысленное препирательство:

— Где сейчас Филиппова? Стол в холле пустой.

— Она уволилась, — ответила Оля. — Никак на ее место человека не найдут — зарплата маленькая, а сидеть целый день надо.

— Тупая работа, — подтвердила подружка. — Фирма кретинская, мы сами скоро отсюда свалим.

— Можете дать мне телефон Филипповой? — спросила я.

— Где-то был, — озабоченно отозвалась Катя, — сейчас в тетрадке погляжу.

— Она на подоконнике лежит, — подсказала ей коллега.

Девицы засуетились и довольно быстро нашли нужный блокнот. Я записала всю информацию о месте проживания и телефонах Филипповой, а потом мы распрощались друзьями. Ни Катя, ни Оля ни на секунду не засомневались: стоит ли от-

кровенничать с приятной, но абсолютно не знакомой дамой и уж тем более отправлять ее домой
к своей бывшей сослуживице. Девочки, похоже,
оценивали человека исключительно по внешности, моя дорогая сумка и хорошая обувь внушили
им доверие. Если человек может позволить себе
приобрести недешевые аксессуары, значит, он
обеспечен и не принадлежит к разряду воров или
грабителей — это абсолютно неверное заключение
было написано на лбах у наивных охотниц за вы-
годными женихами. Надеюсь, судьба не будет жестока к Кате с Олей, не заставит их поумнеть, применив злые методы воспитания. Но мне прими-
тивность и болтливость девушек пошли на пользу.

Я села в машину и набрала номер Людмилы
Николаевны.

— Да, — ответил глухой голос.

Мне удалось придать своему голосу равнодуш-
ную официальность.

— Квартира пятьдесят восемь?

— Верно. А вы кто? — занервничала собеседница.

— Ответственный съемщик Людмила Николаевна Филиппова? — гнула я свою линию.

— Да, — еще больше напряглась та.

— Мосэнерго на проводе!

— Я плачу по счетам аккуратно, — зачастила
пожилая женщина, — задолженностей не имею.

— У вас стоит новый счетчик?

— Нет, старый, — удивилась Филиппова.

— Ждите, примерно через час я приеду снимать показания, в доме будут устанавливать трех-
фазные счетчики. Надеюсь, вы никуда не убежи-
те, — протянула я, — а то второй раз я не попрусь.

Если будете платить, как всегда, по одному тарифу, в деньгах сильно прогадаете.

— Возраст у меня уж не тот, чтобы бегать, — не упустила момента пожаловаться Людмила Николаевна. — И какие у нас, у пенсионеров, дела? Так, за хлебом разве сходить... Дома я, дома, можете хоть ночью явиться, я бессонницей маюсь.

Заверив ее, что приеду быстро, я отложила было трубку, но она сразу затрезвонила.

— Даша? — спросил тихий баритон. — Это Андрей Савельев.

Несмотря на близкую дружбу с Верой, я нечасто общалась по телефону с ее мужем, поэтому сначала удивилась, а потом испугалась:

— Вера? Что с ней?

— Вроде ничего, — еле слышно ответил Андрей, — врачи обещают выздоровление. Я тоже стараюсь, делаю жене массаж.

— Поосторожней с нагрузкой, — предостерегла я. — Помню, как ты мне радикулит убирал, вроде лежишь носом в подушку, ничего не делаешь, а устаешь, словно мешки таскала.

Андрей не разозлился на мое желание поучить его, мастера.

— Массаж способен творить чудеса, активизирует или успокаивает сердечно-сосудистую систему. Надеюсь вернуть Веру к нормальной деятельности. Вот только как ей потом жить, зная о смерти дочери?

— Не знаю, — растерялась я. — Судьба слишком жестока к Вере, сначала погиб Сережа, а теперь несчастье с Ирой. А ты как?

— Конечно, Ирина мне не родная дочь, но я успел полюбить девочку. У нее был сложный подростковый период, но ведь все дети в это время не сахар. А в Ире был правильный стержень. Спустя пару лет пубертатная шелуха с нее облетела бы и получилась бы отличная девушка. Ее гибель — настоящая трагедия. Хотя я, как врач, знаю, что инсульт случается в любом возрасте. У меня к тебе вопрос...

— Задавай, — согласилась я.

— Кто отец Иры?

Я замялась.

— Понятия не имею.

— Как же так? — изумился Андрей. — Вы всю жизнь с моей женой лучшие подруги, я думал, ты в курсе.

— На самом деле мы с Верой знакомы не с детства, — уточнила я. — Она в свое время вышла замуж за Юру Астахова, вот с ним мы дружили с пеленок. Я считала его замечательным человеком, но он внезапно решил, что Вера ему изменила, и бросил ее. Бедняжка осталась одна с Сережей, я начала ей помогать. Мне Вера ничего не говорила о человеке, от которого забеременела Ирой, я просто заметила, что у нее растет живот.

— Неужели ты не задавала вопросов? — усомнился Андрей.

— Попыталась, — призналась я. — Но Верочка не захотела откровенничать, обронила лишь: «Он не собирался становиться отцом, дал денег на аборт. Но я решила оставить ребенка, мне его Господь вместо Сережи послал».

— Мгм, — буркнул Андрей.

Я стала объяснять Савельеву, как обстояло дело.

— Когда родилась Ира, Вере было очень трудно. Подруги старались поддержать ее, но ведь у них у самих семьи. Один раз я заехала к ней, увидела, что она буквально шатается от усталости, и предложила: «Позвони отцу Ирочки, пусть он тебе поможет». Но Вера резко ответила: «Родить ребенка было моим единоличным решением. Можно считать, что отца у младенца нет, есть биологический донор. Он не должен знать, кто появился на свет в результате использования его спермы. И вообще, мне эта тема неприятна!»

— И вы ее закрыли? — с недоверием спросил Андрей.

— Да, — подтвердила я. — При всей своей приветливости и мягкости Вера очень волевой человек. И она не болтлива. Я, например, ничего не знаю о ее детстве и жизни до свадьбы с Юрой. Вернее, слышала минимум информации: про рано погибших родителей и тетку, которая Веру воспитывала. А зачем тебе координаты отца?

— Ириша умерла, — горько напомнил Андрей. — Мне Вера тоже ничего об отце дочери не сообщила, сказала только: «Алименты на ребенка я не получаю и более обсуждать эту проблему не хочу». Сейчас же я подумал... наверное, ему надо сообщить о кончине дочери... может, он захочет проститься с ребенком. Я бы очень переживал, все же родная кровь...

Я стала отговаривать Савельева от этой затеи.

— Тот мужчина и не слышал об Ирине. Вера активно не хотела встречи с ним. Зачем доставлять ей еще большие страдания? И, прости, разреши дать тебе совет. Похорони девочку сейчас.

— Веруша не сможет принять участия в погребении, — возразил Андрей, — она в реанимации.

— Именно поэтому и следует упокоить Иру! —

воскликнула я. — Твоей жене не стоит видеть разверстую могилу, пусть запомнит дочь живой.

— Все равно она придет на кладбище, — уперся Андрей.

— Да, конечно, — грустно согласилась я. — Но одно дело принести букет на могилу, и совсем другое — наблюдать, как гроб опускают в землю. Избавь Верушку от стресса.

— Нет, — твердо произнес Андрей, — Вера мне не простит, если не скажет Ире последнее «прощай».

Я прикусила язык. Савельев очень любит супругу, он днюет и ночует в больнице, привез к Вере врача из-за границы, делает все возможное, чтобы реабилитировать жену после инфаркта. И он искренне считает: Верочка хочет стоять у гроба дочери, поэтому и решил хранить забальзамированное тело Ириши до момента, когда ее мама сможет принять участие в погребальной церемонии. Мне не отговорить Андрея от этой затеи. Может, он послушает Лиду? Похоже, Савельев с ней в дружбе, раз попросил посидеть в квартире не меня, а Горелик...

— Только не надо натравливать на меня Лидку, — вдруг сказал Андрей.

Я поразилась.

— Ты умеешь читать чужие мысли?

— Я понимаю, что творится сейчас в твоей голове, — неожиданно весело отозвался Савельев.

Я вздрогнула и решила предпринять еще одну попытку его образумить.

— Извини за настойчивость, но если я кажусь тебе дурой, то поговори с Лидой. Вот она действительно дружит с Верой с детства, и Горелик...

— Отвязная стерва, — перебил меня Андрей. — Знаешь, по какой причине Вера порвала отношения с Лидкой?

— Всегда считала, что Горелик позавидовала Верочке, которой в конце концов улыбнулось личное счастье, — честно ответила я. — До встречи с тобой жизнь Веры была цепью больших и малых несчастий. Детство и отрочество без родителей, разрыв с первым мужем, смерть Сережи, безденежье, упорная учеба, напряженная работа, воспитание Иры... Вера сумела дать девочке относительный материальный достаток, но до вашего знакомства она была похожа на загнанную лошадь. И тут появился ты, этакий принц на белом коне...

— Да ладно тебе, — смутился Савельев, — нашла королевича. Я простой мужик.

— Ты ни разу не был женат, не обременен ни бывшими родственниками, ни алиментами, симпатичен внешне, здоров, обеспечен, — начала я перечислять достоинства Андрея, — от пациентов отбоя нет, у тебя волшебные руки, и ты полюбил не только Веру, но и Иру. Горелик не смогла пережить чужое счастье. Она всегда так рьяно утешала Веру, а та возьми да и превратись из Золушки в королеву.

— Мне Лидка никогда не нравилась, — вдруг разоткровенничался Савельев. — Я видел, что она завистлива, но не гнать же из дома подругу жены? А потом она стала ко мне приставать!

Я подумала, что ослышалась.

— Ты о чем? Лида слишком часто приезжала в гости и просиживала у вас вечерами?

— Васильева, ты у нас святая простота! — засмеялся Савельев. — Не знаешь, как бабы мужей у подруг отбивают?

— Я этим не занимаюсь! — в растерянности заявила я.

— А многие с удовольствием руки в чужую семью запускают. Лидка сначала мне глазки строила, нахваливала, комплименты отвешивала, потом несколько раз заявилась в гости, когда Вера отсутствовала. Дальше — круче. Помнишь, Ира с Верой на два дня в пансионат ездили, на лыжах кататься?

Отправились они в пятницу днем, а вечером около одиннадцати Горелик притащилась... Снимает шубу в прихожей и говорит:

— Я забыла у вас свой ежедневник, а без него как без рук. Можно я в гостиной посмотрю?

Что оставалось делать Савельеву? Он взял у Лиды манто и повесил в шкаф, а она направилась в комнату. Когда Андрей вошел в гостиную, Лида, практически обнаженная, лежала на диване.

— Милый, — прокурлыкала она, принимая соблазнительную позу, — иди сюда!

Андрей лишился дара речи. Лида сочла его молчание за восторг и кинулась Савельеву на шею со словами:

— Мы созданы друг для друга!

Андрею пришлось отдирать от себя наглую бабу, а потом откровенно выгонять ее вон.

После того случая Горелик больше не показывалась в их доме. Вера, ничего не знавшая о происшествии, позвонила подруге, та сказала ей какую-то мерзость, и отношения прервались окончательно.

Мне стало грустно.

Я знаю, что Горелик не очень приятный человек, и тем не менее она имела на Веру огромное влияние. Я понимаю, что Лида завидовала Савельевой и иногда подталкивала ее на опрометчивые поступки. Когда у Веры разгорелся роман с Андреем, Неля Хруч, и Катя Сурина, и Рита Саркисян, короче, все, кто потом перестал поддерживать с ней отношения, начали твердить одно и то же: «Не упусти своего счастья, такой мужик встречается лишь раз в жизни». И только Лида бухтела: «Не торопись с походом в загс, поживите пару лет так, узнайте друг друга. Куда спешить? Ох, обманет он тебя! Как думаешь, почему Андрей в его возрасте никогда женат не был? Наверное, он дефект имеет, вот бабы от него и убегают. Алкоголик, наркоман, гей, импотент. Что-то с ним не так!»

Вера всегда слушалась Лиду, но в случае с Савельевым поступила по-своему и выиграла. Похоже, Горелик не понравилось удачное замужество подруги и то, что Иришка обрела заботливого отца.

— Зачем же ты попросил Лиду о помощи? — удивилась я. — Почему обратился к ней с просьбой подождать звонка Паскаля?

— Это она тебе сказала? — возмутился Андрей. — Горелик не так давно явилась ко мне на прием и стала ныть, что у нее спина болит. А я не имею права никому отказать, ведь давал клятву Гиппократа. В общем, вправил ей позвонки, и Лида ко мне с тех пор как приклеилась. В то утро она сама приперлась! Без приглашения!

Глава 22

Людмила Николаевна впустила «контролера» без малейшего сомнения. Я успела лишь сказать: «Мосэнерго, вам звонили...» — как дверь моментально распахнулась и передо мной возникла пожилая дама с выкрашенными в рыжий цвет волосами.

— Туфли снимать не надо, — зачастила она, — терпеть не могу, когда в чулках ходят! Вот вам мокрая тряпка, тщательно оботрите подошвы, затем постойте минуточку на сухом половичке и можете идти в маленький коридорчик — счетчик расположен между ванной и туалетом.

Я покорно выполнила указания хозяйки и медленно пошла в глубь квартиры мимо открытых дверей комнат.

— Большая у вас площадь, — начала я, притормаживая на пороге просторной гостиной с окном-эркером.

— Сто двадцать квадратных метров, — гордо ответила Людмила Николаевна. — Кооператив, муж покойный купил. Он находился на ответственной работе, занимал очень серьезный пост, пользовался почетом и уважением.

— Апартаменты записаны на вас, — напомнила я, — не на супруга.

— Раньше так часто делали, — сказала Людмила Николаевна. — Мужчины были другими, не альфонсы, как сегодняшние. Работали безостановочно, обеспечивали женам достойный уровень жизни, а если приобретали жилье, дарили его супруге, чтобы та после смерти благоверного не тратила деньги на переоформление бумаг.

Я сделала вид, что с огромным интересом разглядываю снимки хозяйки, в изобилии развешанные на стенах и стоящие почти на каждом предмете мебели. Интересное, однако, у Людмилы Николаевны понятие о браке. Сильный пол обязан, по ее мнению, пахать как раб на плантации, думая лишь о материальном благополучии и моральных удовольствиях женушки. А еще мужик должен понимать: тяжелый труд не способствует долголетию, надо заранее побеспокоиться о безбедной жизни своей вдовы, передать ей в руки квартиру, дачу, машину, чтобы она не бегала к нотариусу, не платила пошлину, не нервничала.

— Нынешние мужики измельчали, — продолжала философствовать Людмила Николаевна, — только под себя гребут, тратят зарплату на сигареты да на пиво, читают журналы о моде. Нонсенс! Это вы, современные женщины, виноваты, распустили своих мужей. У нас было четко: зарплату принес? Давай сюда, вот тебе шестьдесят восемь копеек в день, ну, кроме выходного, когда деньги тратить не на что. Летом с женой в Крым, двадцать четыре дня по путевке отдыхать на море. В субботу вместе в магазин, в воскресенье оба заняты уборкой квартиры. Мы нацеливали спутников жизни на семью, не оставляли им свободного времени на глупости, и сами работали с девяти до шести, а затем обеды-ужины готовили, гладили-стирали. Мой муж всегда имел борщ и чистую рубашку!

— Почему именно шестьдесят восемь копеек в день? — не сдержала я изумления.

Людмила Николаевна снисходительно улыбнулась:

— Вадим Петрович ездил на службу в подземке, пять копеек туда, пять обратно, итого гривенник. Полтинник стоил комплексный обед в столовой для сотрудников, еще пятачок на чай с сахаром. Все было просчитано.

— Остаются три копейки, — усмехнулась я.

— Ну должны же у мужчины быть свободные средства, — абсолютно серьезно заявила Людмила Николаевна. — Мы были рачительными, поэтому имели к пенсии и квартиры, и дачи, а вы, современная молодежь, все профукиваете.

Мне надоело слушать Филиппову, и я не сдержалась:

— Масса советских людей, работая, как тягловые лошади, и экономя буквально на всем, елееле сводили концы с концами. Кооперативные квартиры могли купить очень немногие, в основном представители творческой интеллигенции и чиновники. Или взяточники.

Глаза Людмилы превратились в щелки:

— Дорогуша, вы на что намекаете?

Я бесцеремонно прошла в гостиную, села в кресло и сказала:

— Ваш муж, Вадим Петрович Филиппов, служил следователем. Он был талантливым человеком, ему поручали сложные дела. Но умение вычислить преступника и порядочность — совсем не одно и то же.

— Откуда вам известно про службу Вадима Петровича? — изумилась Людмила Николаевна. — Это секретная информация.

Я чуть было не ляпнула в ответ: от счастливого отца трех близнецов Валерия Овсянкина, которому я позвонила по дороге сюда. Но подобная откровенность абсолютно ни к чему, поэтому я холодно сказала:

— Вопросы буду задавать я.

Филиппова вздрогнула:

— Вы не из Мосэнерго! Я сейчас же позвоню в милицию!

— Пожалуйста, — кивнула я. — Но имейте в виду, очень скоро сегодняшний коллега вашего мужа спросит у вдовы Филиппова, откуда у нее роскошные украшения и каким образом следователь, имевший на руках жену-бухгалтера, сумел обзавестись недешевой жилплощадью и антиквариатом. Лучше вам мирно со мной побеседовать.

Людмила Николаевна забилась в угол дивана.

— Зачем вы пришли? Вадим Петрович давно умер!

— Вы до недавнего времени работали секретарем в фирме «Хоббит-Боббит»? — задала я свой вопрос.

Женщина вздрогнула.

— Да, пришлось в пожилом возрасте в прислуги наниматься. Вадим, умирая, полагал, что я буду обеспечена, имелись сберкнижки, кое-какие ценности. Кто ж знал про безобразие, которое в стране сделают? Я не хочу продавать ничего из накопленного. Это моя жизнь, невозможно лишиться воспоминаний, мне все дорого: книги, фото, мебель, статуэтки, украшения, хрусталь. Я экономная, много не ем, копеечной зарплаты мне вполне хватало.

— Чего хотела от вас Вера Савельева? — остановила я разболтавшуюся хозяйку.

Филиппова фальшиво удивилась:

— Кто? Я не знакома с женщиной по имени Варя.

— Вера, — спокойно поправила я. — Она пришла в компьютерную фирму как дилер фирмы «Фрим» и отняла у вас кольцо. Катя и Оля, девушки, присутствовавшие при начале вашей беседы, рассказали мне, как вы, Людмила Николаевна, убежали из офиса, а торговка кинулась за вами.

Филиппова схватилась за щеки, я тем временем продолжала:

— Вы вернулись в офис сильно помятая и без украшения.

— Она сумасшедшая! — воскликнула Людмила Николевна. — Утверждала, что это кольцо может оживить ее сына! Кто же в такое поверит? Как мне вас называть и что вы хотите от немощной нищей старухи? Жаждете моей смерти? Сначала нападает психопатка, грабит, избивает, теперь вот вы явились...

Людмила Николаевна попыталась зарыдать, но слез не выдавила, поэтому прикрыла ладонями лицо и принялась демонстративно всхлипывать.

— Вам следовало обратиться в милицию. Почему вы этого сделали? — допрашивала я вдову.

— А смысл? — прогундосила она. — Разве захотят искать обидчицу простого человека, нищего и бесправного? Ох, как страшно сейчас жить! Жутко!

— Хотите получить кольцо назад? — спросила я. — Думаю, оно очень ценное.

— Да, да! — жадно вскрикнула хозяйка. — Антиквариат, бриллиант большой каратности и уникальные изумруды. Жена Фурыкина...

Спохватившись, вдова следователя не договорила и умолкла.

Я чуть не упала с дивана.

— Сексуального маньяка? Алексея Фурыкина? Драгоценность принадлежала его супруге Светлане Михайловне?

— Вы знаете? — пролепетала Людмила Николаевна. — О боже!

В моей голове моментально выстроилась цепочка, и я, вспомнив выражение своей бабушки Афанасии: «В покер выигрывает тот, кто лучше блефует», ответила:

— Естественно. Вадим Петрович вел дело Фурыкина, он принес вам кольцо его жены. Дальше продолжать?

— Раз вы в курсе, зачем пришли? — чуть слышно прошелестела Филиппова. — Я ничего не знала, Вадим... он... никогда ничего мне не сообщал и...

— Дорогая Людмила Николаевна, — торжественно объявила я, — мне неинтересен тот факт, что ваш муж брал взятки и таким образом копил на счастливую старость. Я занимаюсь совсем другим делом, но его корни прорастают в прошлое, к преступлениям Алексея Фурыкина. Если я в ходе расследования обнаружу кольцо, то верну его вам. Чтобы получить его назад, вам следует честно ответить на мои вопросы. Не следует убеждать меня, что вы ничего не знали. Муж, безропотно отдающий жене зарплату и получающий взамен шестьдесят восемь копеек в день на личные расходы, явно делился с супругой своими проблемами! Да, сотрудники правоохранительных органов обязуются строго хранить служебную тайну, но большинство из них обсуждает рабочие дела дома. Ведь так?

Филиппова опустила руки.

— Вы правда отдадите мне перстень?

— Зачем он мне? — улыбнулась я. — Чужое золото счастья не приносит!

Внезапно Филиппова заплакала по-настоящему.

— Верно, наши неприятности начались после того, как Светлана отдала свои украшения. Я отлично разбираюсь в ювелирке, это мое хобби, прочитала много книг и враз правильно оцениваю чужие цацки. Вот на вас серьги от известной фирмы, дорогая безделица, хоть и смотрится просто. Несведущий человек примет «шарики» за серебряные, но они из платины, покрыты алмазной крошкой, а крупные двухкаратные бриллианты спрятаны, их можно увидеть, лишь посмотрев на подвески снизу. Эта коллекция была специально разработана для тех, кто не хочет демонстрировать свое богатство. Есть категория женщин, которые под офисным костюмом носят бешено дорогое белье, а другие украшают себя эксклюзивом.

— Сногсшибательно, — сказала я, — стопроцентное попадание.

Людмила Николаевна кивнула.

— Я знаю о драгоценностях почти все, и когда увидела перстень Светланы, поняла — такая вещица... мда!

— Лучше, если вы начнете от печки, — попросила я.

— История длинная, — предупредила Филиппова.

— Я никуда не тороплюсь, — заверила я хозяйку, откидываясь на спинку кресла.

...Вадим Петрович считал свою супругу умной женщиной, ничего от нее не утаивал и, конечно же, рассказал о деле Фурыкина. Опытный следователь Филиппов был шокирован, когда выяснилось, что маньяк, убивший многих детей и подростков, его коллега.

— Как он ухитрялся прикидываться? — кипел Вадим Петрович. — Женат, имеет дочь, безупречные характеристики, в личном деле одни благодарности!

— Ужасно, — соглашалась его жена, — вероятно, Фурыкин психически ненормален.

— Начальство тоже хочет, чтобы преступника признали больным, — вздохнул Филиппов, — тогда с него взятки гладки, умалишенный не отвечает за свои действия. Лучше шизофреник, чем сотрудник милиции и серийный убийца. Ситуация взята на контроль нашим главным, на меня постоянно давят. Но я очень хочу довести дело до суда, общаюсь с родственниками жертв, вижу фотографии покалеченных детей и испытываю огромное желание лично пристрелить мерзавца.

Людмила Николаевна испугалась:

— Вадик, я буду тебе заваривать в термосе успокаивающий чай!

Муж обнял ее.

— Я справлюсь. И постараюсь подвести гадину под расстрел.

В пятницу Вадим Петрович неожиданно вернулся домой рано, на часах еще не было пяти, когда он вошел в квартиру.

— Вадюша, почему ты не позвонил, что быстро освободишься? — воскликнула Людмила. — Котлеты еще не готовы. Сделать тебе бутерброды?

— Я теперь неделю жрать не смогу, — мрачно заявил супруг. — Лучше водки налей!

В голосе мужа звучало нечто такое, от чего Людмила, ярая противница выпивки, быстро достала из холодильника початую бутылку водки, стоявшую там аж с Нового года, и поднесла мужу стопку. Филиппов опрокинул рюмку и рассказал шокирующие новости.

Алексей Фурыкин великолепно понимал, что начальство не захочет поднимать шума, и первое время вел себя на допросах нагло. Но мало-помалу до него дошло: прикинуться сумасшедшим не удастся, ему светит расстрел, — и маньяк начал сотрудничать со следствием. Фурыкин предложил Вадиму Петровичу сделку: он расскажет обо всех убийствах, покажет, где спрятаны тела жертв, тогда родственники смогут наконец похоронить несчастных как положено, ведь страшно потерять близкого человека, но еще хуже оказаться в неведении, что случилось с ребенком, где лежат его останки. Взамен Фурыкин просил сохранить ему жизнь, он был готов отсидеть самый длительный срок, только бы не отправиться на тот свет.

Филиппов, скрипнув зубами, пообещал походатайствовать за мерзавца. Вадим Петрович понимал, каково приходится отцам и матерям детей, пропавших без вести, хотел облегчить их страдания, а не участь арестованного, но следователю нужны были показания Фурыкина.

Преступник начал сыпать признаниями, и первым оказалось самое шокирующее. Выяснилось, что Фурыкин сам являлся жертвой, он подчинялся человеку, который сначала заманивал ребенка, а затем заставлял Фурыкина его убить.

Маньяк действовал с фантазией, высматривал очередной объект и собирал о нем сведения, ему нравился не только момент истязания, но и охота за жертвой. Когда мерзавец убеждался, что ему нужна именно эта жертва, он под благовидным предлогом уводил несчастную малышку в укромное место, где издевался над ней. Фурыкин потом прятал тело.

— Но почему дети шли с незнакомцем? — поразилась Людмила. — Неужели они не боялись? И как негодяю удавалось оставаться незамеченным? Ты же мне рассказывал, что некоторые девочки пропали во время прогулки на школьном дворе, другие со спортивной площадки. Любой мужчина, общавшийся с детьми, должен был привлечь внимание учителей, тренеров, воспитателей!

Вадим посмотрел на жену.

— А кто сказал, что маньяк мужчина? Это девочка десяти лет. Алена, дочь Фурыкина.

Глава 23

Людмила схватилась за сердце.

— Ребенок?

— Угу, — кивнул следователь.

— Дочь руководила отцом? — не успокаивалась Людмила.

— Так он говорит, — подтвердил Вадим. — Никому в голову не приходило насторожиться, когда в школьном дворе или в песочнице появлялась милая девочка с косичками. Среди толпы школьников, одетых в одинаковые коричневые платья с черными фартуками, было трудно вычислить чужую, и среди множества детей, игравших в волейбол или лазавших по всяким спортивным сооружениям, она не выделялась. Не смущала Алена ни сверстников, ни тех, кто постарше. Взрослых детей она просила о помощи, рассказывала о своей бабушке, которая за углом сломала ногу, младшим обещала показать новорожденных котят.

— Фурыкин — чудовище! — закричала Людмила. — Он все врет!

Вадим снова потянулся к бутылке.

— Он утверждает, что говорит правду: Алена участвовала во всех преступлениях.

— Глупости! — безапелляционно заявила жена. — Он запугал девочку, заставляет ее взять вину на себя.

— Не знаю, — протянул муж, — у меня пока нет ясности.

— Что ждет Алену? — насела Людмила на супруга.

— Ничего, — развел руками следователь. — По закону ее обязаны отпустить. Но я должен понять, разобраться, а пока у меня в голове каша. С таким случаем я сталкиваюсь в первый раз.

— Надеюсь, что в последний, — прошептала Людмила. — Есть вещи, которые настолько ужасны, что кровь стынет в жилах. И неужели девочку оставят безнаказанной, если выяснится, что она соучастница?

— Ей только-только исполнилось десять лет, — напомнил Вадим. — Алене можно лишь пальцем погрозить! Кстати, если суд сочтет, что Фурыкин говорит правду, тогда он избежит расстрела. Сейчас подследственный излагает стройную историю: Алена родилась чудовищем, с раннего детства мучила животных, нападала на мать с ножом. А потом убила одну девочку и прибежала к отцу с требованием: «Надо спрятать труп!» Несчастный отец, конечно, бросился на место преступления. Будучи профессионалом, он знал, как скрыть улики, и старательно замел следы. Теперь Фурыкин кается: «Да, я помогал ей совершать преступления. Но она моя дочь! Единственная, любимая! Я пытался лечить девочку, но ничего не получилось. Я виноват лишь в том, что защищал своего ребенка!»

— И кто-то же насиловал детей! — справедливо заметила Людмила. — Каким образом десятилетка может справиться, скажем, с восьмиклассницей?

— Я тоже спросил об этом Фурыкина, — вздохнул Вадим. — И знаешь, что тот мне ответил? «На данную тему я говорить не стану! Я здесь ни при чем. Думал, Алене надоест убивать и она остановится. Но есть вещи, которые обсуждать я не буду никогда».

— Если в его словах есть хоть доля правды, девочку необходимо запереть в психиатрической лечебнице. Навсегда! — запальчиво воскликнула Людмила.

— У закона в данном случае руки коротки, — вздохнул Филиппов.

— Ты обязан хоть что-нибудь сделать, — насела на него жена.

— Подумаю, — пообещал тот. — Понимаешь, Алена ведь не родная дочь Фурыкина, он ее удочерил, женившись на Светлане. Так что мне слабо верится, что любовь отчима к падчерице столь велика.

Дня через два после этого разговора, где-то

около полудня, в квартиру Филипповых позвонила женщина. В те годы москвичи еще не боялись преступников, не обзавелись стальными дверьми и не подозревали в каждом незнакомце бандита.

— Ищете кого? — спросила жена следователя, отперев замок.

— Меня зовут Светлана, — представилась незваная гостья, — обратиться к вам мне посоветовала Евгения Леонидовна.

— Входите, — предложила Людмила Николаевна.

Супруга Вадима Петровича обожала драгоценности, но ее никогда не привлекали изделия, свободно продававшиеся в ювелирных магазинах тех лет: массивные золотые кольца с ярко-красными камнями или цепи, похожие на якорные. Людмила покупала исключительно антикварный эксклюзив и специально завела дружбу с директрисой комиссионного магазина, куда люди приносили на продажу фамильные ценности. Приятельство устраивало обе стороны, Евгения Леонидовна получала барыши, а Людмила редкой красоты ювелирку. Как только в скупке появлялось нечто привлекательное, торговка сообщала об этом постоянной клиентке, но она никогда еще не присылала ей «сдатчика» на квартиру. Право, это было странно.

Но едва Светлана вынула из сумки небольшую коробочку и открыла ее, у Людмилы из головы вымело все мысли, кроме одной: она захотела приобрести это волшебной красоты кольцо за любую сумму.

— Сколько вы хотите? — прошептала жена следователя.

— Оно очень дорогое, — нервно ответила Светлана. — Вы понимаете толк в украшениях, я не стану вам говорить о количестве драгметалла и каратности камней, сами все видите. Колечко сделали в конце восемнадцатого века, оно передавалось в нашей семье из поколения в поколение.

— Назовите его стоимость, — попросила Людмила.

— Вам отдам даром, — неожиданно заявила Светлана.

— Невероятное предложение! — ахнула хозяйка квартиры. — Что вы хотите взамен?

— Помощи для своей дочери Алены, — объявила гостья.

Людмила Николаевна заморгала.

— Не знаю такую.

Светлана закрыла коробочку и положила ее на стол.

— Моя фамилия Фурыкина.

— Немедленно уходите! — зашипела Людмила Николаевна. — Как вы только домашний адрес следователя раздобыли?

Супруга маньяка и не подумала встать из кресла.

— Наши мужья служат в одной системе, — спокойно пояснила она. — Я дружу с Женечкой, заведующей комиссионным магазином. Не вы одна в скупку заглядываете! Я ответила на ваш вопрос об адресе?

Людмилу Николаевну затрясло.

— Я сейчас же сообщу мужу о вашем визите! Позвоню ему на работу, сюда моментально примчится патруль, и вас арестуют.

Светлана неожиданно засмеялась.

— Ну и наивность... Предположим, вы броситесь к аппарату, я в таком случае преспокойно уйду. А если мне зададут вопросы, отвечу: «Никогда не имела ничего общего с семьей Вадима Петровича и была крайне удивлена, когда ко мне заявилась Людмила Николаевна с предложением: я плачу ей определенную сумму, а следователь Филиппов убирает из дела Фурыкина некоторые эпизоды».

— Вы сумасшедшая! — закричала Людмила. — Никто в это не поверит!

— Почему же? — не моргнув глазом продолжала Фурыкина. — Я потребую поднять дела Зинченко, Максимовой, Алябина... Дальше продолжать? Думаю, начальство наших с вами мужей заинтересуют некоторые вопросы и странные совпадения. Юлия Зинченко не осудили за убийство тещи, некоторые улики оказались испорчены, и дело развалилось. Что ж, такое случается, но вот странность: через пару месяцев после того, как с Зинченко сняли все обвинения, Людмила Николаевна Филиппова приобрела дачу. Нужны подробности о Максимовой и прочих? Дорогая, повторяю, Алексей Трофимович и Вадим Петрович коллеги, мой муж имел доступ к разнообразной информации, он ее собирал и хранил. Так, на всякий пожарный случай!

Людмила Николаевна лишь моргала, пытаясь переварить услышанное.

— Никак не очухаетесь? — улыбнулась Светлана. — Зря, надо быстрее ориентироваться. Одним словом, ваш Вадим по макушку в пуху. На зарплату следователя не приобрести кооператив, машину и прочее. То, что имущество оформлено на вас, просто смешно. Давайте будем честны между собой: Филиппов берет взятки!

— Вадим никому не делает плохо, — начала отбиваться Людмила, — он помогает только тем, кто... ну...

— Убил свою тещу, — ехидно улыбнулась Светлана. — Действительно благородный поступок: подумаешь, одной бабкой больше на свете, одной меньше, кому от этого плохо? Дело семейное, государство не страдает.

— Алексей Фурыкин маньяк-педофил! — взвилась Людмила. — С вами Вадим никогда не будет иметь дела!

Светлана вновь открыла бархатную коробочку.

— Шикарное кольцо... жаль, оно пропадет, когда меня посадят. Точно сопрут цацку наши парни. Небось знаешь, как бывает при обысках... — Фурыкина перешла вдруг на «ты».

Людмила с огромным трудом отвела взгляд от бриллианта.

— Дело Зинченко рядовое, к нему такого внимания не было. А с Фурыкиным совсем другой коленкор, его никак не отмазать.

Светлана растянула губы в улыбке.

— А кто тебя просит Алексея невинным агнцем выставлять? Речь идет об Алене! Твой муж пошел не по тому следу, его Лешка за нос водит, меня из-под удара выводит.

— Тебя? — изумилась Людмила, тоже решив не церемониться с незваной гостьей.

Та кивнула.

— Именно. Алена тут ни при чем.

— Она отца в преступления вовлекла, — пробормотала Людмила.

Светлана протяжно вздохнула.

— Мы с Лешей любим друг друга до потери сознания, женаты давно, а страсть не утихает. Вот только у Алешки есть проблемы в интимном плане, ему надо, чтобы женщина была девочкой. Я поэтому вечно голодной хожу, вешу сорок два кило, как шестиклассница. Но если обнажиться, тело, увы, уже не то.

Людмиле стало дурно, а посетительница все говорила и говорила. Маленькая щуплая жена Фурыкина надевала школьную форму и становилась похожа на девочку. Лоб «нимфетка» закрывала густой челкой, шею прятал воротник-стойка форменного платьица, вдоль щек свисали длинные, мелко вьющиеся пряди. Да и девочки, к которым подходила «школьница», смотрели в основном на милого котенка, которого новая подружка охотно давала им погладить. В Светлане явно пропала актриса-травести. Видели когда-нибудь на театральных подмостках взрослых женщин, которые играют первоклашек? Помните старый советский фильм «Золушка»? Актрисе Янине Жеймо, исполнявшей главную роль, было глубоко за тридцать, но она выглядела шестнадцатилетней девушкой. И это не кинотрюк, ведь в конце сороковых годов двадцатого века о компьютерах и фотошопе никто не слышал, не было в распоряжении кинематографистов никаких технических ухищрений.

— Ты? — прошептала потрясенная Людмила. — Ты?

— Я, — подтвердила Светлана. — Вернее, мы с Алешей вместе. Наша любовь сильнее смерти! Тебе не понять, что испытывает женщина, когда она сливается в одно целое с мужчиной. Мы с Лешенькой единый человек, у нас общая душа, никаких тайн и секретов, все желания совместные. Я заманивала детей и отдавала их мужу.

Людмилу затошнило, а странная гостья продолжала:

— Приплести Алену к делу придумал Алеша. Алене едва исполнилось десять, она неподсудна, если признается, что помогала отцу, ничего ей не будет. Ну а мне грозит немалый срок. Когда его пришли арестовывать, Леша попросил разрешения поговорить с дочерью наедине, дескать, хочу проститься с ребенком. Люди, забиравшие его, чувствовали себя неловко, ведь арестовывали своего, поэтому, в нарушение всех правил, ему дали пообщаться с Аленой без свидетелей. Когда Алексея увезли, дочка пошла в ванную и разрезала себе вены на запястье левой руки. По счастью, я была настороже, ворвалась в санузел, и трагедии не случилось. Несколько дней я обрабатывала Алену и в конце концов внедрила ей в голову мысль — она должна спасти своих родителей. Потом отправила мужу в СИЗО с тайной оказией записку, и Алексей заявил об участии в деле дочери.

— Зачем ты мне все это сообщаешь? — затряслась Людмила.

Светлана указала на кольцо:

— Забирай его себе. Взамен поговори с Вадимом, открой ему правду, скажи, что я признаюсь во всем, подпишу протокол. Но с небольшим условием: Филиппов приедет ко мне домой, будем беседовать на моей территории.

— Почему бы тебе самой с ним не связаться? — пролепетала Людмила.

Светлана поджала губы.

— Я все сказала. Жду Вадима сегодня в любое время, хоть ночью. Не надо быть слишком любопытной...

Рассказчица помолчала. А затем подвела итог того дела. Алексея Фурыкина приговорили к высшей мере, его жену Светлану посадили, а их дочь Алену отдали на воспитание родственнице. Девочке сменили все данные, выписали новое свидетельство о рождении, что с ней стало, Филиппова не интересовалась. Кольцо осталось у жены следователя. Сначала оно хранилось в шкатулке, но после смерти супруга Людмила Николаевна начала носить самые дорогие вещи на себе, из боязни, что в квартиру, пока она на работе, залезут воры.

Собеседница закашлялась, я терпеливо ждала, пока она справится с приступом. На мой взгляд, более чем неразумно ходить по Москве, сверкая бриллиантами, ведь среди преступной братии есть не только домушники, но и грабители, нападающие на людей в транспорте, в магазине, на улице. Людмиле Николаевне следовало бы арендовать банковскую ячейку и спрятать там ценности. Хотя, вероятно, она не знает о существовании такой услуги, вот и решила, что безопаснее не расставаться с украшениями, чем топить их в варенье, прятать в банках с крупой или в морозильнике.

Людмила Николаевна вытерла слезы, выступившие от кашля.

Я нашла момент подходящим и задала вопрос:

— Кольцо у вас отняла дилер фирмы «Фрим»?

Она кивнула. Я не скрыла своего удивления:

— Но почему вы не заявили в милицию? Были свидетели, ваши сотрудницы Катя и Оля. Девушки видели, как вы убежали, а коробейница рванула следом.

Вдова Вадима Петровича прижала ладони к щекам.

— Та тетка сказала: «Немедленно верните мне кольцо. Оно не ваше, являлось семейной ценностью, принадлежало другой женщине, и теперь это единственная память о ней. Вы пособница убийцы».

— И вы испугались, — констатировала я. — Сбежали, чтобы дилер не затеяла публичный скандал, а та вас догнала, побила и отняла перстень?

— Нет, не так, — прошептала Людмила Николаевна. — Я увидела у нее на левом запястье уродливый шрам и сразу сообразила: ко мне явилась Алена, дочь Светланы, она хочет получить семейную реликвию назад. Больше-то никто не знал о драгоценности! Но я же за нее заплатила, выполнила все просьбы сообщницы маньяка, а Вадим Петрович костьми лег, чтобы Алене сменили документы и отдали ее родственнице... Вот я и побежала! Но меня никто не бил. Да, та женщина меня догнала, схватила за плечи, стала говорить про какого-то мальчика, чью жизнь она спасает. Я ничего не понимала, просто сунула ей в руку перстень и понеслась от нее как угорелая. Споткнулась, упала лицом на скамейку, расшиблась. А вы правда вернете мне перстень?

Глава 24

Я почти не помню, как оказалась в своей машине. В голове, словно чугунные шары, перекатывались мысли. Вера никогда не рассказывала мне ни о своих детских годах, ни о школьной поре. Она вообще не любила воспоминаний. Савельева всегда повторяла:

— Прошлого уже нет, будущее еще не наступило, давайте наслаждаться здесь и сейчас. Какой смысл рыться на заваленном старьем чердаке, когда можно выйти в сад и восторгаться цветущими растениями?

Я слышала, что родители Астаховой погибли на пожаре. Девочку подняла на ноги тетя, теперь покойная. И у Верушки на левом запястье есть некрасивый рубец. Подруга несколько раз обращалась к врачу, но ей сказали: «Если хотите привести руку в порядок, потребуется операция, ее делают под местным наркозом». Вера испугалась и оставила все как есть.

К хирургу подруга ходила много лет назад, а сейчас, наверное, придуманы другие методики, чтобы сгладить косметический недостаток, но Савельева приняла решение забыть об отметине. Однажды я бесцеремонно спросила:

— Где ты поранилась?

Вера замялась:

— Так, детская глупость.

— Резала вены от несчастной любви? — предположила я.

В ответ последовала неадекватная реакция.

— Я никогда не возьму в руки бритву! — заорала всегда спокойная Астахова. — Чего пристала?

Я, пораженная неожиданной грубостью, промямлила какие-то извинения и умчалась домой. На следующий день Вера пришла ко мне с повинной головой.

— Дашута, прости! — забормотала она, стоя на пороге. — В детстве мы с приятелями полезли в чужой сад нарвать яблок. И нас застал хозяин, все убежали, а мне не повезло, я упала и наткнулась на колючую проволоку. Кровь хлестала фонтаном. Меня даже никто не отругал за попытку воровства, так взрослые перепугались. В деревне имелся медпункт, местная фельдшерица наложила швы, да, видно, плохо обработала рану, началось нагноение. Мама отвезла меня в Москву, положила в больницу, там сделали операцию. Я натерпелась боли и страха, рана заживала плохо, поэтому рубец остался. А еще в то лето погибли мои родители. Понимаешь, почему я психанула?

Я обняла подругу.

— Это ты меня прости, я проявила хамское любопытство!

И мы с Верочкой забыли о мимолетной размолвке, но сейчас я тряслась в ознобе, сопоставляя факты, казавшиеся мне ранее незначительными. У Савельевой нет детских фотографий. Ни одной! В ее доме отсутствуют и снимки ее покойных родителей. Ира ничего не знала о своих дедушках и бабушках. Ладно Андрей — он воспитывался в приюте и при всем желании не мог ничего рассказать о своих предках, его мать отказалась от сына сразу после родов. Но Вера! Она-то счастливо жила до десяти лет в хорошей семье. Почему же ничего не говорила о своих родственниках? И я не помню, чтобы Вера ездила к ним на кладбище.

Теперь посмотрим на проблему с другой стороны. Олимпиада Борисовна, пустившая в квартиру своей соседки Зинаиды Семеновны некоего Кима Ефимовича, является матерью Валентины

Палкиной, одной из жертв маньяка Фурыкина и его жены Светланы. Если предположить...

Мне стало душно. Я опустила боковое стекло машины и поняла, что воздух исчез не только в салоне, на улице тоже нечем дышать. Как же быть? И тут я вспомнила. Год назад, делая мне массаж от радикулита, Андрей показал точку на мизинце и сказал:

— Если вдруг ты станешь терять сознание, моментально воткни сюда зубочистку, иголку, булавку, любой острый предмет, который попадется на глаза. В крайнем случае укуси себя за палец.

И сейчас я вцепилась зубами в руку, ощутила резкую боль, но в голове просветлело. Савельев прав — наше тело сложный механизм, люди пока мало знают о нем. Ну почему, чтобы прогнать дурноту, надо цапнуть свой мизинец, а не коленку?

Я подняла стекло, завела мотор, включила кондиционер на полную мощность и вернулась к своим размышлениям.

Ким Ефимович никакой не экстрасенс, он, скорее всего, актер, который был кем-то нанят для того, чтобы отомстить Вере. Что плохого сделала моя подруга? Она была дочерью маньяков, убивших многих детей. Кто-то из родственников узнал, что Вера Савельева, ранее Астахова, первые десять лет своей жизни прожила под именем Алена Фурыкина, и решил ее наказать. За что? Алена ведь не причастна к преступлениям. А за то, что живет счастливо и обеспеченно с мужем и дочерью. Не надо искать другого повода, одного этого для безутешного родителя хватит.

Злоумышленник не стал действовать наобум, он дотошно изучил биографию Веры, узнал о смерти Сережи и придумал дьявольский план: пообещал ей вернуть мальчика. Более того, продемонстрировал ребенка матери, довел несчастную до высшей точки психического напряжения, а потом убил Ирину. Теперь Вере предстоит жить, зная: Сережа не вернется, а Ирина умерла из-за того, что мать согласилась на условие колдуна: пусть кто-то скончается, чтобы малыш ожил.

Я схватилась за руль. Поехать к Андрею и сообщить ему правду? Но Верушка, вероятно, не открыла мужу семейной тайны, Савельев ничего не слышал о Фурыкине, я не имею права выдавать чужие секреты.

Стоп! Надо успокоиться и попытаться рассуждать трезво.

Ира мертва, помочь ей я не в силах. Убийства Веры мститель не планирует, наоборот, ему надо, чтобы Савельева поправилась, встала на ноги и прожила еще долгие годы, мучаясь мыслями о погибших детях. Так пусть злодей пребывает в уверенности, что его план удался. Я должна хранить сведения о Вере за семью печатями и искать этого графа Монте-Кристо, который решил наказать ни в чем не повинного человека. Но я теперь точно знаю, в какую сторону бежать за разгадкой.

Сделав пару глубоких вдохов, я обрела ясность мысли и поехала на встречу с Овсянкиным.

— Нужны сведения о детских годах Веры Олеговны Савельевой, прежде Астаховой, — заявила я, отдав помощнику деньги.

— Что именно? — уточнил Валерий.

— Все! — потребовала я. — Где родилась, номер детского сада, школы, судьба родителей. Рой глубоко и широко.

— Йес, босс! — гаркнул Овсянкин.

Но я не останавливалась.

— Можешь найти список жертв маньяка Фурыкина?

— Попытаюсь, — кивнул помощник.

— И еще нарой имена их родственников, тех, что живы или умерли в этом году, — добавила я.

Валерий не испугался большого объема работы, наоборот, в глазах новоиспеченного отца тройняшек мелькнула радость. Очевидно, решив проблему с детскими кроватками, капитан сейчас озабочен приобретением сверхвместительной коляски. Он лишь спросил:

— Сколько у меня времени?

— Мало! — Я подпрыгнула и демонстративно посмотрела на часы, висевшие на стене кафе, где мы пили чай.

Овсянкин встал и со словами: «Ускоряюсь!» — быстро вышел.

— Пожалуйста, счет, — пропела официантка, выкладывая на столик чек, — с вас двести рублей. Чайник цейлонского, и молодой человек съел чизкейк.

Я полезла за кошельком, невольно вспомнив слова вдовы следователя Филиппова о «современных мужиках, которые совсем и на мужчин-то не похожи». Конечно, я не разделяю потребительской позиции Людмилы Николаевны, мне никогда не приходило в голову выдавать ни одному из своих супругов точно отсчитанные шестьдесят восемь копеек. Но, согласитесь, Овсянкин мог хотя бы предложить оплатить выпитый нами чай. Сумма в двести рублей никого не разорит. Хотя у него же родились тройняшки, небось любая мелочь у Валеры на счету...

Вознаградив официантку, я порылась в записной книжке, нашла адрес старика Бусыгина, поняла, что он живет совсем рядом, и пошла к машине.

— Дама! — закричала мне вслед официантка. — Мобильный забыли, слышите, звонит!

Я побежала назад к столику и схватила свой негодующий сотовый.

— Фирсов! — заорал из трубки мужчина.

— Вы ошиблись, — ответила я, сунула аппарат в карман, сделала шаг и была остановлена новым вызовом.

— Фирсов! — гаркнул тот же человек.

— Здесь такого нет, — терпеливо пояснила я.

— Фирсов! — не успокаивался дядька. — Фирсов!

Сообразив, что легко от него избавиться не удастся, я попыталась еще раз объяснить ему:

— Вы перепутали номер.

— Нет! Фирсов!!!

— Пожалуйста, назовите набранные вами цифры.

— Фирсов!!!

— Это фамилия, — пропела я, — и она мне не нужна.

— Фирсов! — стандартно отозвался незнакомец.

Я покосилась на трубку. Может, на связи находится попугай? Птичка случайно нажала лапой на кнопки, а мне, как всегда, повезло, выпал мой номер.

— Фирсов, — потребовал попугай, — Фирсов! Пожалуйста, ответьте.

Значит, со мной общается человек, и надо попытаться договориться.

— Назовите набранный вами номер, — терпеливо повторила я.

— Как? — неожиданно спросил мужчина.

— Цифры скажите!

— Зачем? — не успокаивался звонивший.

— Вероятно, вы ошиблись, записывая телефон, — вежливо пояснила я.

— И как их говорить? — заинтересовался собеседник.

Я удивилась вопросу:

— Просто.

— Как? — настаивал незнакомец.

— Ну... раз, два, три, четыре, — пояснила я.

— Ладно, раз, два, три, четыре, — эхом повторила трубка.

В первую секунду я решила, что мужик издевается. Но потом в голову пришло воспоминание. Недавно я заехала в сберкассу, чтобы оплатить счет за электричество. Передо мной стояла симпатичная блондинка, которой тоже требовалось внести некий платеж.

— Не умею заполнять квитанцию, — нервничала она. — Что и куда писать?

— На столе лежит образец, — посоветовала я.

Блондинка кинулась в указанном направлении, живо оформила квиток и сунула его в окошко. Кассирша изучила бумажку, потом заявила:

— Не могу принять платеж.

— Почему? — возмутилась красавица.

Сотрудница сберкассы поправила очки.

— Тут указано: данные плательщика — Иванов Иван Иванович, адрес по прописке Красная площадь, дом один, а подпись внизу — Анна Титова.

— Верно, — пожала плечами девушка, — я и есть Анна Титова.

— Но почему вы назвались Ивановым Иваном Ивановичем? — нахмурилась кассирша.

— У вас так в бумажке на столе указано, — возмутилась блондинка.

Я не сдержалась и захохотала. Девушка просто перекатала образец, занесла в свою квитанцию мифического Ивана Ивановича, проживающего в доме номер один на Красной площади. Уж и не знаю, что на самом деле расположено по данному адресу — Мавзолей, ГУМ или собор Василия Блаженного? Может, и не все анекдоты про блондинок выдумка? Но сейчас-то со мной говорит мужчина. Хотя, вероятно, он тоже блондин.

— Раз, два, три, четыре, пять, — с хорошо слышимым раздражением в голосе повторил незнакомец. — Ну? Сколько еще талдычить? Раз, два, три, четыре, пять! И что дальше?

— Вышел зайчик погулять, — помимо воли продолжила я и быстро выключила телефон.

Некоторое время придется пожить отрезанной от мира. Сделав несколько бесплодных попыток дозвониться до таинственного Фирсова, незнакомец устанет и сообразит: что-то тут не так, надо уточнить номер.

Ну почему сильный пол не любит признавать свои ошибки? Каждый человек способен оплошать, записывая телефон. Так скажи спокойно: «Похоже, я перепутал цифры». Но нет, девяносто девять процентов парней будут отрицать очевидное и бубнить: «Я никогда не ошибаюсь!»

Ни один из моих мужей, оказавшись в незнакомом месте, не соглашался спрашивать дорогу. Как-то мы с Максом заблудились в квартале блочных домов-близнецов. Больше часа Полянский таскал меня по дворам, пытаясь отыскать здание с таинственным номером 19/а10. Сначала я покорно плелась за супругом, потом устала и решила спросить дорогу у женщины с детской коляской, явной аборигенки, которая могла бы нам помочь. Но едва сделала шаг в ее сторону, как Макс зашипел:

— Ты куда?

— Думаю, вон та девушка подскажет, где находится здание, — пояснила я.

— Еще чего! — взвился Полянский. — Разве я похож на идиота? Сам найду. Я никогда не путаюсь на местности!

Следующие полчаса мы бесцельно тыкались в разные стороны, потом Макс обозлился и сердито рявкнул:

— Значит, по-твоему, нужно бежать с вопросами к первым встречным?

— Ага, — кивнула я. — И лучше всего к мамашам, чьи дети вон там копошатся в песочнице.

— Обращаться к этим дурам? — снова взвился супруг. — Да они двух слов не свяжут! С бабами лучше не иметь дела! Ладно, поступлю по-твоему...

Макс ринулся вперед и остановил мужика, который нетвердым шагом брел по тротуару.

— Как пройти к дому девятнадцать дробь а десять?

— «В доме восемь дробь один на проспекте Ильича жил высокий гражданин по прозванью

Каланча», — не моргнув глазом, прохожий процитировал бессмертное стихотворение «Дядя Степа»
и удалился.

Красный от злости Макс повернулся ко мне.

— Ну? Довольна? Прав был Ходжа Насреддин,
утверждавший: «Послушай, что скажет баба, и
сделай наоборот».

Тогда я уже знала, что у моего супруга во всех
мелких и крупных неприятностях всегда виновата
жена, поэтому не стала обижаться и напоминать
Максу, что я предлагала пообщаться не с полупья-
ным дядькой, а с молодыми мамашами, быстро
сбегала на детскую площадку, выяснила дорогу и
довела Полянского до подъезда. Если хотите попасть в гости, не стоит спорить со спутником,
признайте себя глупой блондинкой и молча дос-
тавьте супруга в квартиру приятелей. В большин-
стве случаев лучше действовать решительно. Сейчас, например, требовалось отключить телефон.

Глава 25

Ким Ефимович Бусыгин не спешил открывать. Предположив, что у человека, который вот-
вот справит столетний юбилей, плохо со слухом, я
начала интенсивно стучать левой рукой в створку, а правой упорно нажимать на звонок. В конце концов открылась дверь соседней квартиры,
из нее высунулась старушка в голубой косыноч-
ке, прикрывающей крупные бигуди, и ласково
сказала:

— Милая, этак ты пальцы отобьешь. И дверь
Киму Ефимовичу разломаешь.

Мне стало неудобно.

— Простите, бога ради, но Бусыгин не реагирует.

— А нет его, — охотно вступила в беседу бабуся, — квартира заперта. Слава богу, ее не сдают. А то на третий этаж басурманы въехали, теперь шум и днем, и ночью стоит, газеты пропадают, почтовые ящики жгут, в лифте безобразничают.

— А где Ким Ефимович? — спросила я.

Старушка сообщила.

— Его внук устроил в пансион. Только не подумайте, что Аник старика бросил, хотя имел на то полное право.

— Аник? — поразилась я. — В смысле Анна? Но вы только что сказали, что у Кима Ефимовича внук!

Бабушка округлила глаза, потом заговорщицки мне подмигнула, вышла на лестничную площадку, вынула из кармана упаковку ментоловых сигарет и вкрадчиво сообщила:

— Меня зовут Ляля. Ненавижу отчество, лучше обойтись без него.

— Даша, — представилась и я.

— Покурю потихоньку, пока моих нет, — усмехнулась Ляля. — Дома нельзя дымить, невестка учует и предаст свекровь анафеме. Татьяна у нас за здоровый образ жизни ратует. Хотите за компанию?

Я почувствовала в старушке родственную душу и угостилась из ее пачки, по ходу заметив:

— Аналогичная ситуация сложилась и в нашей семье, я прячусь с сигаретой на балконе. А кто такой Аник?

— Внук Кима Ефимовича. Он по паспорту Анкибу Николаевич.

Я чуть не проглотила сигарету.

— Как зовут молодого человека?

— Анкибу, — вздохнула Ляля. — У Бусыгиных в семье дед командовал. Всех генерал за пояс заткнул, и внука, и дочь, хоть она ему не родная: Нина — ребенок жены Кима от первого брака.

Я попыталась разобраться в сложных семейных связях Бусыгина.

— Ким Ефимович был несколько раз женат?

— Нет, — помотала головой Ляля, — пошел в загс лишь с Анной Марковной. Вот у той от прежнего брака имелась дочь Нина.

Я внимательно слушала болтливую Лялю, в который раз удивляясь беспечности пожилых людей. А еще принято считать, что москвичи злые буки, не хотят ни с кем общаться! У меня, например, другой опыт — все встреченные мною пенсионерки весьма охотно вступали в беседу. Никто не насупился, не потребовал от меня документов: ни Зинаида Семеновна, квартиру которой использовал мошенник-экстрасенс, ни вдова следователя Филиппова, ни теперь вот Ляля. Милая старушка, не забыв несколько раз подчеркнуть, что живет здесь с детских лет и отлично знает Бусыгина, не сказала ни о старике, ни о членах его семьи ни одного плохого слова. Наоборот, из ее уст сыпались одни комплименты.

Ким Ефимович собственных детей не завел, но Нину, доставшуюся ему в годовалом возрасте, воспитывал, как родную, дал девочке отличное образование, заставил заниматься спортом, пару раз выдрал ремнем за грубость и прогулки до полуночи, но никогда не скупился на игрушки и одежду для дочки. Нина выросла, пошла на работу, удачно вышла замуж, родила Бусыгину двух внуков. Старшим был мальчик, ему Ким Ефимович придумал оригинальное имя, взял первые слоги имен бабки и деда (Анна и Ким), прибавил к ним слог из фамилии Бусыгин и получил Анкибу.

С Кимом в семье спорить не решались, поскольку он был на редкость авторитарен и терпеть не мог разговоры в строю. Но когда через год у молодых появилась еще девочка, которую дед надумал обозвать в честь своего папы и отца жены Ефмаркабу (Ефим + Марк + Бусыгин), зять Николай взбунтовался и категорично заявил:

— Одну глупость допустили — у нас растет Анкибу Николаевич. Вот уж дикое сочетание! Но Ефмаркабу Николаевну я не хочу. Запишу девочку Анечкой, в честь тещи.

Ким Ефимович попытался настоять на своем, но первый раз потерпел поражение. И жена, и дочь, и Коля в один голос воскликнули:

— Аня, и точка.

Бусыгин неделю не разговаривал с домочадцами, но те не дрогнули, и Ким Ефимович сдался, пробормотав себе под нос:

— Нина-то фамилию сменила, она теперь не Бусыгина, я хотел, чтобы у детей хоть один слог от дедушки остался. Меня назвали Ким в честь Коммунистического интернационала молодежи, и ничего, живу себе счастливо!

Но семья отмахнулась и от последнего аргумента. Генерал отчаянно баловал Аника (так сокращенно звали мальчика) и Анечку. Говорят, что первый ребенок — это последняя игрушка, а последний внук — первый ребенок. Бусыгин любил Нину, но воспитывал ее в строгости, получив же

Аника, дедушка забыл про кнут и раздавал мальчику одни пряники. Но все же внуку иногда, крайне редко, делались замечания, один раз дедушка даже поставил его в угол. А вот Анечке Ким Ефимович разрешал все. Девочка садилась деду на спину, и генерал ползал на карачках по квартире, старательно изображая лошадь, а если Анечка, набедокурив, нежно обнимала дедушку и ласково журчала: «Прости, пожалуйста, больше никогда-никогда», — Ким Ефимович беспомощно улыбался и целовал проказницу.

Семья была счастлива до того момента, как Анику исполнилось тринадцать, а его сестренке двенадцать лет. Десятого апреля дети решили прогулять школу и отправились в кино. Несмотря на старшинство, тихий Аник всегда подчинялся весьма бойкой Анечке. И когда сестра заявила: «Скажем потом в школе, что нас родители водили к зубному врачу, а сейчас айда на сеанс», — только молча кивнул.

Аник отлично знал: спорить с Анечкой бесполезно. Посмотрев фильм, дети стали продвигаться к выходу, и тут их разделила толпа зрителей, спешащих на улицу. Аника оттеснили взрослые, Анечка же, активно работая локтями, пробила себе дорогу на улицу одной из первых. Мальчик вышел из кинотеатра чуть ли не последним и был уверен, что сестра злится сейчас на него, ожидая на улице. Он даже вжал голову в плечи, ожидая тумаков. Но девочки на площади не оказалось.

Аник побегал по округе и побрел домой, ему пришлось рассказать родителям о прогуле. Нина и Коля встревожились и отправились на поиски дочери. Ким Ефимович поднял на ноги всю Москву, лично обшаривал все чердаки и подвалы в округе, тормошил милицию. В конце концов труп Анечки нашли на стройке совсем недалеко от кинотеатра.

Опознав тело, безутешный дед налетел на Аника со словами:

— Это ты виноват! Подбил ее прогулять уроки и бросил!

Бедный мальчик попытался оправдаться:

— Я не хотел, идти в кино решила Аня.

Но Бусыгин упорно повторял:

— Если бы ты не отпустил сестру, та бы сейчас была с нами.

Нина, Коля и Анна Марковна, горевавшие об Анечке, не замечали, как дедушка изводит внука. Квартиру украсили фотографиями девочки, взрослые постоянно вели о ней разговоры, дни рождения и смерти девочки были объявлены траурными. Анна Марковна и Нина стали богомолками, постоянно бегали в церковь, истово молились за душу невинно убиенного ребенка, Николай пошел на вторую работу, он решил заполнить время до отказа, хотел, чтобы у него не осталось даже минуты для горестных мыслей. Ким Ефимович один сидел в своем кабинете, чем он там занимался, никто не знал. Об Анике все забыли, мальчик был предоставлен самому себе, только мама иногда вдруг обнимала его и вздыхала. Но он не радовался ее вниманию, понимая — она вспоминает Анечку и только христианское смирение запрещает ей укорять сына в смерти дочери. Анна Марковна тоже не ругала внука, Николай вечно отсутствовал, а вот Ким Ефимович не стеснялся выражать свои эмоции и, изредка натыкаясь на кухне на внука, шипел:

— Есть захотел? А вот Анечке больше ничего не надо.

Многие подростки, очутившись на его месте, могли бы выдать агрессивную реакцию, но тихий, неуверенный в себе, мягкосердечный Аник сам начал верить в то, что виноват в гибели Ани, и перестал вымаливать у дедушки прощение.

Через год после гибели Анечки умерла Нина. Николай какое-то время жил с тестем и тещей, потом женился и переехал в Екатеринбург. Аник остался с дедом и бабушкой. Анна Марковна умерла, когда парень поступил в медицинский институт, а два года назад Аник перевез деда в пансион, квартиру запер и перестал сюда заглядывать.

— Значит, сдал деда в дом престарелых, — уточнила я.

— Аник не такой! — возмутилась Ляля. — Он Кима Ефимовича не бросал, постоянно пекся о старике. Аник святой! Ким Ефимович на внука нападал, а тот в ответ лишь тихонько говорил: «Дедушка, не надо, успокойся. У тебя давление повысится, не дай бог случится гипертонический криз».

— Но, несмотря на святость характера, Аник избавился от деда, отдал старика на попечение государства, — вздохнула я.

Ляля всплеснула руками.

— Что вы говорите! Какое государство? Аник отвез Кима Ефимовича в частный пансион «Солнечный парк». Это в Зеленограде. Дом стоит в лесу, условия шикарные, прямо пятизвездочный отель.

— Вы там были? — удивилась я.

— Нет, — призналась Ляля. — Подождите минуточку...

Споро развернувшись, старушка юркнула в свою квартиру. Я, наплевав на микробов, села на ступеньку лестницы.

Итак, любимую внучку Бусыгина сначала изнасиловали, а потом убили, девочку звали Аней. Аноним, звонивший по телефону Веры, который я случайно унесла с собой, говорил об Анечке Родионовой и Валентине Палкиной. Я теперь знаю, что Валя — дочь Олимпиады Борисовны, которая пустила в квартиру своей соседки колдуна Кима Ефимовича. Еще я в курсе, что Верочка, прикинувшись дилером компании «Фрим», отправилась к вдове следователя Филиппова, который вел дело маньяка Алексея Фурыкина, чтобы отнять у Людмилы Николаевны кольцо, которое та получила от жены преступника.

Получается, что все нити ведут к Фурыкину. А что, если внучка Кима Ефимовича носила фамилию Родионова и тоже являлась одной из жертв педофила? Иначе каким образом Бусыгин оказался втянут в эту историю? Вот только небольшая неувязочка с возрастом — безутешному деду девяносто четыре года, а экстрасенс выглядел мужчиной средних лет.

— Глядите... — запыхавшись, сказала Ляля, снова появляясь на лестнице и протягивая мне тонкий глянцевый журнал. — За Кимом Ефимовичем из пансиона прислали машину и сопровождающего, очень милого человека, наверное, медбрата. Я услышала шум и выглянула. Смотрю, незнакомый парень у двери Бусыгина возится. Конечно, поинтересовалась: «Милейший, вы кто?»

А он очень вежливо объяснил: «Меня зовут Сергей. Я из «Солнечного парка», господина Бусыгина туда внук определил, забираю дедушку. У нас отличные условия, прекрасное медицинское обслуживание, бассейн, библиотека, номера люкс. Вот вам проспект, почитаете на досуге».

Я пролистала страницы рекламного издания и зафиксировала в памяти адрес «Солнечного парка» — пансион, оказывается, находится совсем недалеко от Ложкина.

— Разве это похоже на приют для нищих? — подбоченилась Ляля.

— Нет, — согласилась я, возвращая старушке проспект, — вы правы, пансион напоминает хороший отель. Кстати, не подскажете телефон Аника?

— Нет, мы с ним давно не общаемся, — нахмурилась Ляля.

— А где живет внук Бусыгина?

— Понятия не имею, — ответила бабушка.

— Он Анкибу Николаевич? — уточнила я. — А фамилию можете назвать?

Ляля сдвинула брови, забормотала:

— Нина стала после брака... э... Сергеевой. Нет, Ковалевой! Или Андреевой? Память подводит. Такая простая, русская незатейливая фамилия... Николаева? Нет, увы!

— Может, Родионова? — подсказала я.

Старушка потерла виски ладонями.

— Вероятно, но не уверена. Я-то их всех по-прежнему Бусыгиными считаю. Ким Ефимович, когда на Анне Марковне женился, Нину удочерил и дал ей свою фамилию. Помнится, он очень переживал, что род Бусыгиных на нем закончится, все говорил: «Выскочит Нина замуж и станет какой-нибудь Попрядухиной».

— Аник внешне на кого похож? — перебила я Лялю.

— На мать, — категорично заявила соседка. — Да, ее масть.

— Рыжий, глаза светлые, а на лице борода? Хрупкого телосложения, невысокого роста?

— Вовсе нет, — засмеялась Ляля. — Глаза карие, волосы темные, симпатичный парень.

— Но не рыжий с веснушками? — пробормотала я, понимая, что выпестованная мною версия с треском разлетается в пыль.

— Такой человек за Кимом Ефимовичем из пансиона приезжал, — внезапно вспомнила Ляля. — Точно, волосы морковные, глаза, как у нашего кота, зелень с голубыми вкраплениями, бородка, конопушки, росточка невысокого, худенький. Я еще подумала: на клоуна похож. Ему бы большой красный нос и на арену.

Глава 26

Сев в машину, я схватилась за мобильный и очень удивилась, увидев безжизненный дисплей. Сначала я подумала, что забыла зарядить аппарат, но потом вспомнила про мужчину, требовавшего некоего Фирсова, и оживила трубку. Не успел экран замерцать, как понеслись короткие сигналы, сообщающие о полученных эсэмэсках, один, второй... пятый... десятый... двадцатый. Я в полнейшем изумлении изучала почту. Все сообщения выглядели почти близнецами.

«Этот абонент звонил в 15 ч.», «Этот абонент

звонил в 15.05»... Номер телефона был мне незнаком, кто-то с удивительным, можно сказать, с ослиным упрямством пытался достучаться до меня после того, как я отключила мобильный. Вероятно, нужно соединиться с настырной личностью и выяснить, что ей надо.

Но я не успела даже прикоснуться к кнопкам, как трубка начала звенеть, на экране возникли уже почти выученные мною наизусть цифры чужого номера.

— Фирсов! — гаркнул мужской голос.

Ну надо же... Мужик просто сумасшедший! Опять он!

— Фирсов, — надрывался незнакомец, — Фирсов.

Понимаю, что вы сейчас меня не одобрите, но другого способа избавиться от психа не нашла.

— Извините, Фирсов уехал.

В трубке помолчали, потом чуть тише спросили:

— Кто уехал?

— Фирсов, — соврала я. — Телефон оставил и тю-тю. Не звоните сюда больше.

— Кто укатил? — повторил незнакомец.

— Фирсов!

— Это кто?

— Фирсов! — решив ни за что не выходить из себя, сообщила я. — Фирсов он и есть Фирсов. Милый, хороший, умный, талантливый Фирсов. Но растеряха! Забыл сотовый!

Мужчина повторил:

— Кто?

Я, надеясь все же избавиться от идиота, терпеливо растолковала:

— Лапочка Фирсов. Он улетел, свой телефон бросил в офисе, я по нему отвечаю, но скоро перестану. Пожалуйста, больше сюда не звоните. Зайчик Фирсов покинул Москву.

— Куда он отправился? — странно напряженным тоном спросил собеседник.

— В Париж, — отрапортовала я. — Правда, летом там душновато, но есть замечательные местечки. На набережной Сены, например, там, где выходы со станций поездов «Эроэр». Вы бывали во Франции?

— Нет, — с усилием выдавил мужик.

— Жаль, а вот Фирсов туда умчался.

— Как умчался?

— На самолете, — предположила я. — Быстро и удобно, хотя сейчас благодаря Дусе, жене известного актера Игоря Костолевского, сделали прямое сообщение по железной дороге. Дуся француженка. Ее, конечно, зовут по-другому, но в Москве она Дуся.

— Иван Николаевич Фирсов? — почти с ужасом уточнил собеседник.

— Именно он, — успокоила я назойливого типа. — Абсолютно верно, Иван Николаевич Фирсов.

— Тысяча девятьсот сорок девятого года рождения, проживающий в Куркине, работающий преподавателем правильного экстремального поведения в центре «Князь», не женатый и бездетный?

Я устала, поэтому предпочла ответить коротко:

— Да.

— Уехал в Париж?

— Улетел.

— А телефон забыл?

В нашем разговоре явно наметился прогресс. Согласитесь, это радует.

— Абсолютно верно!

— Хочется проверить, правильно ли я усвоил информацию, — занудил мужчина, — Фирсов Иван Николаевич тысяча девятьсот сорок девятого года рождения, проживающий в Куркине, работающий преподавателем правильного экстремального поведения в центре «Князь», не женатый и бездетный, улетел в столицу Франции, оставив мобильный в офисе. А вы реагируете на звонки. Верно?

— Испытываю всепоглощающее счастье от того, что недоразумение выяснилось, — оживилась я. — Так что, повторяю, звонить сюда более не надо. И хотя сочетание «правильное экстремальное поведение» кажется мне слегка странным, вы великолепно разобрались в ситуации. Фирсов улетел.

— А надолго он отбыл?

— Навсегда! — гаркнула я. — Эмигрировал из страны.

— Позвольте еще спросить, — тоном умирающего лебедя попросил сумасшедший.

— Вся внимание.

— Вы очень любезны. Не потрудитесь взглянуть на сотовый, который держите в руке? Он черный?

— Точно!

— Модель «раскладушка»?

— Верно, — беззастенчиво лгала я.

— Правый нижний край поцарапан?

— В точку.

— А цифра семь почти стерлась.

— Похоже, вы знаете трубку, как родную, — польстила я мужику, — безошибочно назвали ее приметы.

— Ну да, это же мой сотовый! — ответил собеседник. — Я Фирсов Иван Николаевич, тысяча девятьсот сорок девятого года рождения!

— Проживающий в Куркине? — обалдела я. — Работающий в центре «Князь»? Не женатый и бездетный?

— Маленькое уточнение: я недавно развелся, — засопел Фирсов. — Но никак не могу понять, как я умудрился оставить трубу в офисе и сейчас беседую с ее помощью? Почему лечу в Париж? Я сижу на работе, и здесь нет никого, кроме меня! Может, в Москве есть еще один Фирсов Иван Николаевич, тысяча девятьсот сорок девятого года рождения, проживающий...

— Какого черта тогда вы звоните мне и требуете Фирсова? — заорала я. — Если сами Фирсов Иван Николаевич, то зачем вам еще один Фирсов?

— Мне не нужен Фирсов, — начал отнекиваться преподаватель правильного экстремального поведения.

— Но вы его просили! — обозлилась я.

— Ни разу! Мне и в голову не пришло звать Фирсова, когда я сам Фирсов! Вернее, будь в нашей семье отец Фирсов или брат Фирсов, такая ситуация легко могла возникнуть. Я Фирсов и хочу поговорить с Фирсовым, но я один Фирсов, поэтому не хочу говорить с Фирсовым. Понятно объясняю?

У меня по спине пробежал озноб.

— Нет. Ничего не понятно!

— Ах бедняжечка, — пожалел меня идиот. — Как вас величать?

— Даша Васильева, — почти впав в кому, представилась я. — Незамужняя, имею двоих детей, проживаю в Ложкине Московской области, по образованию преподаватель французского языка, год рождения сообщать не желаю. Миленький Иван Николаевич! Уж не знаю, кто из Фирсовых вам нужен, но не звоните мне больше!

— Даша Васильева? Замечательно! — выказал детскую радость мужчина. — Я пробовал связаться с вами многократно, но терпел неудачу!

— Вам хочется поговорить со мной? — пытаясь справиться с внезапно возникшей тошнотой, уточнила я.

— Конечно! — подтвердил Иван Николаевич.

— Но почему вы упорно требовали Фирсова?

— Никаких требований! — испугался преподаватель. — Существуют определенные правила разговора по телефону. Плохо воспитанные люди их не соблюдают, орут в трубку: «Алло, позовите Таньку!» Но я не могу вести себя неподобающим образом, поэтому действовал по этикету, представлялся вам: «Фирсов», произносил свою фамилию громко, четко, не чавкая, не фыркая. Вам следовало ответить: «Васильева, слушаю», и наш разговор потек бы в нужном направлении. Но вы отреагировали не по протоколу. Я же пытался...

— Короче, что вам надо? — перебила я зануду.

— Утка, она...

— Черт побери! — взвизгнула я. — Труп мерзкой птицы находится у вас?

— В некотором роде да. А к вам попала дорогая моему сердцу вещь, — заворковал преподаватель. — Коллекционный экземпляр, жду его с нетерпением.

— Вы собираете утки? — перебила я Фирсова.

— Уток, — поправил Иван Николаевич.

Ну да, что еще может коллекционировать преподаватель правильного экстремального поведения, как не ночные горшки, раскрашенные под произведения народного кустарного промысла. Вполне обычное явление! Вероятно, Иван Николаевич большой оригинал. Или его достали студенты. Весь день на службе улыбаешься, сеешь разумное, доброе, вечное, учишь любить людей, а вечером вернешься домой, оглядишь коллекцию переносных писсуаров, и на душе делается легче.

Фирсов кашлянул.

— Мечтаю получить свою утку. Могу приехать к вам в любое удобное время, когда холостому мужчине прилично посетить незамужнюю даму.

Ну уж нет! Прикатит этот зануда в Ложкино, потом не выгонишь!

— Лучше я сама доставлю вам посылку, — предложила я, — давайте адрес.

— Сегодня я пробуду в «Князе» до полуночи, — ответил Иван Николаевич. — У нас прием и тестирование новых студентов. Все они люди взрослые, работающие, поэтому и занимаемся мы с ними по вечерам. Соблаговолите прибыть в «Князь»? Он расположен на Машкинском шоссе.

— Великолепно! — обрадовалась я. — Никаких проблем! Машкинское шоссе близко от Ново-Рижской трассы, непременно приеду после того, как закончу свои дела.

— Можете рассчитывать на мою глубочайшую

благодарность и ответную услугу, — церемонно завершил словесную дуэль преподаватель. — До свидания, с вами был Фирсов.

Глянцевый рекламный проспект не врал, первый этаж пансиона «Солнечный парк» оказался точь-в-точь таким, как на фотографии. За стойкой рецепшен восседала симпатичная шатенка, а у двери маячил молодой парень в черном костюме и галстуке. Лицо и шея охранника были интенсивно красного цвета, то ли он обгорел на щедром летнем солнце, то ли слишком туго затянул галстук.

— Здравствуйте! — сверкая крепкими, как у молодой белочки, зубами, воскликнула дежурная. — Рада приветствовать вас в нашем доме. Меня зовут Лиза. Хотите кого-то навестить или позвать директора по размещению?

Я облокотилась на полированный пластик.

— Я дальняя родственница Кима Ефимовича Бусыгина. Подскажите, в каком номере он живет?

Сохраняя на лице милую улыбку, Лиза ответила:

— Третий этаж, квартира номер сорок пять. Но посещения запрещены.

— У вас тюрьма? — прищурилась я.

— Конечно, нет, — затрясла кудрями красавица. — Вход-выход свободный, есть кафе, библиотека, спортзал, в саду скамейки, качели, правда, они не пользуются спросом у жильцов.

Я опустила глаза, «Солнечный парк» — заведение, предназначенное для пожилых людей, а среди них мало найдется любителей летать вверх-вниз на доске, привязанной веревкой к железной перекладине.

— В хозблоке расположен зооуголок, — перечисляла местные развлечения Лиза, — можно покормить кроликов, погладить шиншиллу, пообщаться с котом. На тюрьму совсем не похоже!

— Тогда я поспешу к Киму Ефимовичу, — прервала я администратора. — Если здесь не учреждение исправительного типа, то отказать мне в визите может лишь сам Бусыгин. Хоть уже и вечер, но ложиться спать еще рано. Дедушка, вероятно, наслаждается телепрограммой.

Лиза растерянно заморгала. Очевидно, в «Солнечный парк» нечасто прибывали столь настырные гости.

— Ладно, — выдохнула администратор, — лифт справа.

Я кивнула и пошла по светлой плитке к кабине. В тот момент, когда ее створки уже начали закрываться, до моего слуха долетел голос Лизы:

— Яна, к вам, блин, тетка настырная приперлась!

В номер Бусыгина меня впустила молодая женщина в форменном голубом платье и белом фартуке, на ее лице играла широкая, вроде вполне искренняя улыбка.

— Вы к Киму Ефимовичу? — спросила она.

Я кивнула.

— Да, меня зовут Даша.

— Яна, — представилась сиделка. — Уж извините, но Кима Ефимовича лучше не беспокоить.

— Я только сейчас узнала, что внук поместил деда в дом престарелых, — вздохнула я, — хочу убедиться, что за Бусыгиным хорошо ухаживают.

— Здесь не социальный интернат, а частный пансион, — спокойно объяснила Яна. — У Кима Ефимовича апартаменты люкс: три комнаты, сан-узел, балкон-терраса и кухня. Но я ему только чай там кипячу, еду доставляют из столовой. Питание исключительное, все свежайшее, фрукты-овощи круглый год. Раз в неделю дедушку осматривает врач, он корректирует диету и лекарства. Я с Ки-мом Ефимовичем нахожусь с семи утра до девяти вечера, на ночь приходят либо Оля, либо Наташа, они дежурят посменно. Бусыгин ни на секунду не остается без присмотра. Вот, поинтересуйтесь.

Яна сунула мне листок, я начала читать убори-стый текст.

«7.00 — подъем, умывание. 8.00—9.00 — зав-трак. 10.00—11.00 — занятия с логопедом по раз-витию речи. 12.00—13.00 — прогулка по саду. 13.30—14.30 — обед. 15.00—17.00 — дневной сон. 17.00 — полдник. 17.30—18.30 — занятия лечебной физкультурой. 19.00—20.00 — чтение газет, книг, просмотр TV-программ. 21.00 — отход ко сну. Внимание — время приема лекарств в расписании на кухне».

— Впечатляет, — вздохнула я. И, не удержав-шись, добавила: — Похоже, вы постоянно тормо-шите Кима Ефимовича, у бедняги нет ни минуты покоя.

— Пожилых людей надо занимать, как де-тей, — строго заметила Яна, — тогда они счастли-вы. Можете спокойно уезжать, у нас полный по-рядок.

— Знаете, что странно? — ласково пропела я.

— Где? — не поняла Яна.

— Здесь, в этих роскошных апартаментах. Как

правило, старики очень любопытны. Едва в доме раздастся звонок, как бабушка или дедушка начинают суетиться, интересоваться, кто заглянул на огонек, спешат в прихожую. Мы с вами беседуем уже минут пять, но из глубины квартиры не доносится ни малейшего шума. Ким Ефимович сидит с кляпом во рту?

— Глупое предположение, — покраснела Яна. — Ким Ефимович только что завершил занятия с инструктором по ходьбе и сейчас отдыхает в кресле.

— Сначала меня пытались притормозить на рецепшен, — не обращая внимания на ее слова, продолжала я, — теперь вы загородили своим телом дверь, поете о великолепном обслуживании Кима Ефимовича, но к нему не впускаете. Хорошо, я покину пансионат, но прямиком отсюда отправлюсь в милицию.

Яна вздернула бровь.

— Пожалуйста, идите в гостиную, Ким Ефимович там.

Тщательно скрывая ликование, я почти пробежала по короткому коридору и очутилась в уютной квадратной комнате, обставленной добротной мебелью. Кто-то очень постарался воссоздать интерьер, в котором, очевидно, Бусыгин жил ранее. Стены украшали многочисленные фотографии, на столе лежали книги и газеты, на буфете теснились милые безделушки, а в кресле, укутанный, несмотря на теплую июньскую погоду, шерстяным пледом, сидел худой старик, молча глядевший в телевизор, на экране которого выясняли отношения мультипликационные заяц и волк.

— Здравствуйте, Ким Ефимович, — сказала я.

Дед не пошевелился. Я решила, что Бусыгин плохо слышит, и предприняла вторую попытку завладеть его вниманием.

— Добрый вечер, Ким Ефимович!

И снова ноль эмоций. Я повернулась к Яне:

— Он глухой?

Сиделка коротко ответила:

— Нет, слышит хорошо.

— А почему тогда не отвечает? — растерялась я.

— Подойдите ближе, — посоветовала девушка.

Я сделала два шага вперед и вздрогнула. Лицо Кима Ефимовича напоминало маску, нижняя губа его чуть отвисла, щеки и лоб застыли в неподвижности, а голубые тусклые глаза были пустыми. Ким Ефимович вряд ли понимал, что смотрит мультик, он не мог адекватно оценить происходящее.

— Восстанавливаем дедушку после инсульта, — вздохнула Яна. — Удивительный прогресс. Он ходит, пользуется туалетом, но речи почти нет. У нас бывают хорошие и плохие периоды. Вот в среду мы просто огурцом скакали, отлично реагировали и на логопеда, и на инструктора по ходьбе, живо общались, улыбались. А сегодня не наш день, он даже меня не воспринимает. Да вы садитесь! Может, Ким Ефимович и оживится, он иногда как из болота выныривает.

Глава 27

Мне понадобилась пара секунд, чтобы обрести самообладание и перейти к вопросам.

— Давно Ким Ефимович в таком тяжелом состоянии?

Яна обиделась.

— Ему стало намного лучше.

— Скажите, а где его паспорт?

Яна уперла руки в боки.

— Интересная заява! Зачем вам документ Бусыгина? Похоже, это мне надо обращаться в милицию.

— Нет причин для беспокойства, я не хотела вас нервировать, вот и прикинулась его родственницей. Разрешите представиться: сотрудник уголовного розыска Дарья Васильева, работаю в отделе у полковника Дегтярева Александра Михайловича, — заявила я.

— Ой... — попятилась Яна. — Что случилось?

Я постаралась составить речь на милицейском суахили.

— В ходе расследования нами был обнаружен факт использования основного документа Бусыгина с целью проникнуть в телецентр.

— Чего? — по-детски отреагировала Яна. — Не поняла.

Я отказалась от идеи общения при помощи служебных оборотов из речи ментов.

— В бюро пропусков телецентра «Останкино» был отмечен паспорт Кима Ефимовича. Бусыгин получил пропуск на съемку программы об экстрасенсах.

— Быть того не может! — энергично отвергла сей факт Яна. — Ему даже в сад спуститься тяжело.

— Документ мог отправиться в путешествие и без хозяина, — вздохнула я. — Поэтому я и спрашиваю: где паспорт?

— Не побоитесь тут одна остаться? — поинтересовалась Яна. — Я схожу в спальню, все бумаги там, в шкафу.

— Почему одна? Здесь Ким Ефимович, — возразила я.

Сиделка улыбнулась и убежала, а я, покосившись на недвижимого старика, стала рассматривать фотографии на стенах. Дама средних лет в кружевных блузках и дорогих украшениях, очевидно, жена Бусыгина, девочка в старомодном байковом платье и скрученных «бубликами» на тонких щиколотках нитяных чулках, явно удочеренная им Нина. Но больше всего было снимков очаровательной малышки, можно проследить, как из хорошенькой детсадовки, кудрявой, словно ангелочек, она превратилась в школьницу с озорным взглядом. Похоже, соседка Ляля не ошиблась, Ким Ефимович обожал внучку и не испытывал особо нежных чувств к Анику, своему внуку с диковинным именем, его фотографии здесь не было. Изучив снимки на стене, я взяла альбом, лежавший на буфете, раскрыла его и вдруг услышала:

— Дай!

Звук оказался настолько неожиданным, что я едва не уронила альбом. Потом повернулась к инвалиду:

— Вы хотите посмотреть фотографии?

Бусыгин медленно кивнул. Я положила кожаный фолиант ему на колени, старик попытался перелистнуть страницы, но пальцы плохо его слушались, и мне пришлось прийти ему на помощь. Едва я открывала очередную страницу, как дед дергал рукой, и становилось понятно: он просит продолжать дальше.

Перед моими глазами замелькали фотографии девочки. Лишь в середине альбома нашелся снимок, где малышка была запечатлена не одна, около нее стоял мальчик, по виду на год старше. Я вздрогнула: на голове паренька красовалась вязаная шапочка, а в руках он держал игрушечный грузовик. И головной убор, и машинка были как две капли воды похожи на те, что Лена, внучка Зинаиды Семеновны, случайно обнаружила в шкафу. На шапчонке было небольшое темное пятнышко, а у самосвальчика не хватало колеса. Мне стало не по себе. Таинственным образом вещи со старого снимка «ожили» и перебрались в квартиру Зинаиды Семеновны.

В конце концов я добралась до заключительного портрета, явно сделанного в студии. Анечка, одетая в белое платье с воланами, сидела на банкетке, чинно сложив руки на коленях. Один из ее пальчиков украшало старинное кольцо с большим прозрачным бриллиантом, окруженным более мелкими, темными камнями. Волосы ребенка завили тугими локонами, а на ногах красовались лаковые лодочки на довольно высокой шпильке. Если учесть, что снимок был сделан много лет назад, то становится понятно: Анечку нещадно баловали. В те годы детей не водили в парикмахерскую на укладку, не украшали ювелирными изделиями и не разрешали щеголять на каблуках.

— Аааняяя, — протянул Ким Ефимович и зарыдал.

Я испугалась и кинулась искать Яну. Сиделка была в спальне, узнав о случившемся, она схватила какое-то лекарство и поспешила в гостиную.

После того как Ким Ефимович был успокоен, умыт, напоен в неплановом порядке чаем и снова усажен в гостиной, Яна с укоризной сказала:

— Зачем вы дали ему альбом?

Я попыталась оправдаться:

— Он сам попросил. Дед, оказывается, соображает.

Сиделка покосилась на Бусыгина.

— Моментами да. Ладно, раз Ким Ефимович задремал, расскажу. У него была внучка, Анечка. Девочка лет в двенадцать стала жертвой педофила. За пару дней до трагического происшествия дедушка отвел ее фотографироваться в студию, он хотел, чтобы внучку-красавицу сняли в кино, и собрался передать портфолио на Мосфильм, но не успел. Анечку он очень любил! Видели у нее на пальце кольцо?

— Не детское украшение, — отметила я.

Яна кивнула.

— Бусыгины никогда, как я понимаю, не бедствовали. Ким Ефимович был генералом, баловал жену, покупал ей украшения. Это кольцо он супруге из Питера привез, там в прежние времена в скупках можно было найти очень ценные вещи. Ане очень нравился перстенек, вот дедушка и запечатлел ее с ним.

Я встала, раскрыла альбом и внимательно изучила снимок.

— Где сейчас эта вещица?

Яна понизила голос до шепота:

— Тут, знаете, трагедия. В день, когда Аню похитили, она без спроса взяла перстень и отправилась с ним в кино. Глупая девочка решила пофорсить, не понимала, что привлечет внимание грабителей. Бабушка не сразу хватилась пропажи, когда девочку убили, ей не до брюликов было. Маньяка поймали и осудили, и лишь после того, как приговор привели в исполнение, бабушка вспомнила об украшениях. Глядь, а кольца нет. Только тогда внук Аник признался: Аня ушла в кино с перстнем. Мальчик боялся сказать об этом раньше, не хотел, чтобы ему еще и за драгоценность досталось.

— Не брат же прихватил бабушкино кольцо, — удивилась я.

Яна покосилась на Кима Ефимовича.

— Ну конечно! Но дедушка во всех несчастьях обвинил внука. Жизнь повернулась к генералу черной стороной — жена и дочь скончались, зять женился на другой, со стариком остался один Аник. Вот правильно говорят: не плюй в колодец, пригодится воды напиться! Юноша мог сказать деду: «Прессовал меня с тринадцати лет, обзывал убийцей, вот и живи в старости как хочешь!» А разве мальчик был виноват? Но Горынычу повезло, внук вырос порядочным человеком.

— Кому повезло? — переспросила я. — Горынычу?

Яна тихонько хихикнула.

— Анечка деда за гневливый характер Львом Горынычем окрестила. С ее легкой руки генерала все за глаза так звали.

— Наверное, милый был дедушка, — протянула я.

— С мужиками вообще непросто, — принялась философствовать Яна, — а уж если они на работе большие начальники, то полный караул. И военные самые худшие. У меня отец не генерал, всего лишь подполковник, но спорить с ним невозможно. Дома как на плацу: ать два, левой, молчать, исполнять, бегом и с песней!

— Вы так хорошо знаете семейную историю Бусыгиных... Аник, наверное, часто сюда приезжает. Он и поделился сведениями? — предположила я.

— Нет, внук Кима Ефимовича в «Солнечном парке» не появляется, — после некоторого колебания возразила девушка. — Я видела его один раз, мельком. На место сиделки было несколько претенденток, Анкибу Николаевич прочитал все резюме, биографии, ознакомился с рекомендациями и принял положительное решение обо мне. Вот тогда и состоялся наш с ним разговор. Анкибу Николаевич передал мне медкарту дедушки и сказал: «Если хорошо присматривать будете, рассчитывайте на премию к праздникам». Но я не из-за денег стараюсь, Ким Ефимович хороший, я привыкла к нему, считаю родным. Мне его внук ничего об их прежней жизни не говорил.

— Тогда откуда столь подробные сведения? — насела я на Яну. — И где паспорт старика?

Глаза девушки быстро забегали из стороны в сторону.

— Ну... сам Ким Ефимович вспоминает... иногда кое-что, — в конце концов промямлила она.

— Аник перевел деда в пансион после того, как у того случился инсульт. Сейчас старику лучше, но Бусыгин способен произносить лишь отдельные короткие слова, ему не составить серьезный рассказ. Уж извините, Яна, но вы врете. И где паспорт? — повторила я вопрос.

— Все в целости, — заверила Яна, — орденамедали, документы на квартиру, пенсионное удостоверение и прочее. И паспорт! Вот видите?

— Но один разок паспорт улизнул погулять, — хмыкнула я, — покатался на карусели и вернулся. Хватит идиотничать! Кто его брал?

Сиделка принялась креститься.

— Ей-богу, никому бы и в голову не взбрело!

— Кто? — настаивала я.

— Ой, понятия не имею, — зашмыгала носом Яна.

— Ладно, поставим вопрос иначе, кто приходит к Бусыгину?

— Ночные медсестры, но они никогда...

— Дальше, — прервала я Яну.

— Доктор.

— Хорошо, продолжайте.

— Официантка из столовой приносит поднос с едой, но она дальше входной двери не ходит, — зачастила девушка.

— Меня интересуют не сотрудники «Солнечного парка», а гости, так сказать, из города, — уточнила я.

На лице девушки появилось самое честное выражение:

— Никто не приезжает!

Мне стало грустно. Ну почему большинство людей так бездарно врет?

— Яна, я сейчас спущусь на рецепшен, и дежурная через минуту сообщит мне о...

— Только Жанна, — захныкала сиделка. — Меня предупредили: никто сюда ходить не станет, у старика из родных остался один внук. А потом Жанночка прибежала. Ким Ефимович ее сразу узнал, оживился, даже поцеловал. Мы ничего плохого не делаем, дедушка никому не нужен, а Жанна его любит. Иначе зачем бы ей сюда раз в неделю, как на работу, кататься? Она на старика хорошо влияет, он ее ждет!

— Кто такая Жанна? — мигом спросила я.

Яна оставила попытку заплакать.

— Бывшая жена Аника, они развелись. Но Жанна до сих пор его любит, а Кима Ефимовича родным считает. Жанна не сразу выяснила, куда дедушку подевали, долго его искала, муж ей говорить не хотел, но потом признался. Жанна очень хорошая, мы с ней обо всем болтаем, она и рассказала мне про Анечку, педофила и прочее.

— И когда бывшая невестка посещает старика?

— Вчера была, теперь через неделю ждем, — вновь попыталась всхлипнуть Яна.

— Давайте ее телефон, — потребовала я.

Яна заморгала.

— Ну... я не знаю его.

Вот тут я рассердилась всерьез:

— Хватит лгать!

— Ой! — подскочила в кресле сиделка. — Хорошо, забивайте в аппарат. Только, пожалуйста, никому не рассказывайте! Аник против того, чтобы деда посещали, но ничего дурного в приездах Жанны нет. Один раз она нас так выручила! Ночная сиделка не пришла, это невиданный форс-мажор! Я тогда перепугалась, а Жанна предложила: «Иди домой, я останусь с Кимом Ефимовичем. Никто не узнает, что Наташа дежурство пропустила». За такое поведение памятник надо ставить!

Пообещав Яне сохранить информацию о визитах Жанны в тайне, я спустилась на первый этаж и обратилась к Лизе, мирно читающей новую книгу Милады Смоляковой:

— Простите, Сережа на улице?

На лице девушки появилось выражение искреннего удивления:

— Кто?

— Ваш сотрудник, Сергей, — уточнила я, — рыжий, с бородкой, в веснушках, небольшого роста, худощавый.

— У нас такой не работает, — еще сильнее изумилась Лиза. — С чего вы решили, что он здесь есть?

— Когда я парковала машину, никак не могла впихнуть ее в крохотное пространство между огромными джипами, — я пустилась во все тяжкие. — Страшно поцарапать чужие машины, да еще такие дорогие, затонированные, потом ведь не расплатишься с крутым владельцем. И тут появился мужчина, назвался Сергеем, сказал, что служит в «Солнечном парке» медбратом, сопровождает новых постояльцев, заезжает за ними на «Скорой помощи». Он мне помог поставить машину и пообещал меня, так сказать, отпарковать. Прямо так и сказал: «Когда уезжать решите, меня кликните, вытащу вашу таратайку из щели». Так Сергей во дворе?

Лиза вытаращила глаза, а секьюрити, тосковавший у двери, оживился.

— В котельной Сергей Иванович служит. Может, это он?

Администратор пришла в себя и повернулась к охраннику:

— Сергей Иванович? Его парнем не назовешь,

он давно пенсионер. Лысый, в очках. У нас здесь рыжих нету. И никто за клиентами на дом не ездит, их родственники сами доставляют, кого на личном автомобиле, кого на такси, а кого и на «Скорой», ведь машину с красным крестом нанять можно. Вы что-то перепутали!

Секьюрити предположил:

— Неподалеку супермаркет расположен. Может, оттуда кто подошел?

— В «Солнечном парке» все медики женщины, — продолжала Лиза, — из мужчин только главврач, Юрий Николаевич, но он брюнет.

— Не беда, — кивнула я, — сама выеду. В конце концов не первый год за рулем.

— Удачи, — пожелала Лиза.

Я помахала ей рукой и вышла на улицу.

Солнечный июньский день сменил угрюмый дождливый вечер. Небо заволокли тучи, из них сыпались мелкие, колкие капли, порывы ветра швыряли в лицо соринки, поднятые с асфальта. Я за секунду продрогла, юркнула в машину и включила подогрев сиденья. Все-таки на земле никогда не будет равенства. Одни люди живут на тропических островах, целый год купаются в теплом океане и никогда не видели ни снега, ни отвратительной каши из грязи и льда на шоссе. А другие прозябают в бетонных многоэтажках, не рискуя открывать окна, выходящие на скоростные магистрали, и платят с трудом скопленные деньги, чтобы недельку поваляться на песочке у моря.

Впав в тоску, я вынула телефон и набрала номер Жанны.

В ответ послышался голос автоответчика:

— Оставьте сообщение после гудка.

Жанна не захотела записывать свое собственное приветствие.

Глава 28

К воротам центра «Князь» я подъехала почти в кромешной темноте. Мелкий дождь превратился в ливень. Фонарями на узенькой дороге и не пахло, и я чуть не сломала бело-красный шлагбаум, который возник перед капотом, как черт из табакерки. Вспотев от стресса, я вдавила педаль тормоза в пол, малолитражка замерла как вкопанная. Хорошо, что сзади не было ни одного автомобиля, иначе моей страховой компании пришлось бы оплачивать ремонт багажника, бампера и задних крыльев.

Из стеклянной будки вышел охранник. Одетый в брезентовый плащ с капюшоном, он походил на гнома-переростка. Я опустила стекло в дверце.

— К кому? — заорал «гном».

— Договаривалась о встрече с Фирсовым, — ответила я.

— Душ не работает, — внезапно заявил секьюрити, — помыться не сможете. Авария на трассе, вот воду и отключили. Лучше завтра приезжайте.

Сначала я удивилась странному заявлению, но потом сообразила: очевидно, при центре открыт фитнес-клуб. И поблагодарила заботливого охранника.

— Огромное спасибо за предупреждение, но Фирсов меня ждет.

— Дело хозяйское, — кивнул «гном» и поднял шлагбаум. — Вам налево. Езжайте до белых ворот гаража, на них увидите красную кнопку, нажмете и попадете внутрь. Ну уж а там ориентируйтесь по обстановке.

Я выполнила указания и с похвальной быстротой добралась до места. Вылезла под дождь, ткнула пальцем в яркую пупочку и очутилась в сухом светлом помещении, которое мало походило на парковку спортклуба или учебного центра, скорей уж просто на широкий гараж.

В некотором недоумении я посидела в машине, потом решила выехать на улицу, но не тут-то было, ворота опустились. Я вышла из автомобиля и увидела оранжевую тумбу с надписью «нажми». Ситуация стала напоминать сюжет книги «Алиса в Стране чудес».

Я хлопнула рукой по клавише, торчавшей на круглой штуковине. Внутри что-то лязгнуло, фыркнуло, затем металлический голос прокаркал:

— Заполни анкету.

— Какую? — обратилась я к тумбе.

— Заполни анкету.

— Где ее взять? — начала я переговоры с чушкой.

— Заполни анкету.

Однако... День сегодня выдался суматошный и очень длинный. Начался он рано, я порядком устала, хотела быстро всучить Фирсову эмалированное бело-синее безумие, забрать утку от Ласкина и живо укатить в Ложкино, где меня ждали теплая ванна, горячий чай и баночка яблочного варенья. Никакого желания оформлять анкету не было, поэтому я решила позвонить Ивану Николаевичу и попросить его прийти в странный гараж. Но оказалось, что связь отсутствует.

Оставалось лишь снова нажать на клавишу.

— Эй, оживи!

— Заполни анкету.

— И где она? — возмутилась я.

— Заполни анкету.

Я изо всей силы пнула тумбу, в сердцах выругавшись.

— Прекрати идиотничать!

Раздалось шуршание, посередине цилиндра приоткрылось отверстие, оттуда выехал розовый листок.

— Заполни анкету, — талдыкнула чугунина. — Минута, время пошло, минута, время пошло, минута ..

Я бросилась к машине за ручкой, потом стала в спешном порядке царапать ею по бумаге. Имя — Дарья, фамилия — Васильева, год рождения — это вы обойдетесь, вес... Тут я приостановилась. Вот уж необычный интерес! Но дальше-то еще круче: объем талии, бюста и бедер. Имеете ли любовника(цу), сколько раз делали пластическую операцию, кого хотите убить, как относитесь к борьбе сумо?

Не успела я прочитать последний абсолютно идиотский вопрос, как оранжевая балда заорала:

— Время истекло. Время истекло. Положи анкету в приемник.

Я машинально повиновалась приказу.

Завыла сирена, и свет погас.

— Эй ты, дура? — обратилась я к тумбе, пытаясь нашарить клавишу, — совсем с ума сошла! Мне надо к Фирсову.

— Минус пять очков, — вдруг произнес тихий мужской голос.

Я подскочила, больно стукнулась коленом о какой-то предмет и заверещала:

— Кто здесь?

— Следуйте прямо по тоннелю два, — приказал дядька.

— Нельзя ли зажечь свет? — попросила я.

— Тоннель номер два находится в направлении северо-запад, пятнадцать градусов от основной оси. Учитывайте координаты.

Я затрясла головой. Вот здорово! Кабы еще знать, что такое северо-запад... У меня географический кретинизм, а градусы я разбираю лишь на термометре. Что значит «от основной оси»? Надо найти какую-то палку? Она торчит из потолка или пола?

— Безобразие! — пискнула я. — Отвратительно! Мне к Фирсову.

Слева послышался характерный скрежет открывающихся ворот, в ту же секунду я сообразила: ведь моя машина оснащена фарами.

— Минута, — объявил голос.

Я заметалась ошпаренной кошкой. Влезла в автомобильчик, зажгла дальний свет, увидела открытую в стене дверь, поняла, что туда надо идти пешком, под неумолчный бубнеж непонятно где спрятавшегося парня:

— Время истекло. Время истекло.

За спиной лязгнуло, вновь стало темно.

— Ау! — позвала я. — Есть здесь кто? Люди! Эй! Сюда!!! На помощь!!!

Орать дальше показалось мне бессмысленным. «Прежде всего спокойствие, — принялась я убеждать себя. — Дашутка, ты попала в нестандартную ситуацию, значит, выбираться из нее тоже придется, применив выдумку. Тебя специально загнали в этот отсек, стоять на одном месте и вопить непродуктивно».

Я вытянула перед собой руку и, ощупывая ею пространство, медленно двинулась вперед, шаркая ногами. Некоторое время я перемещалась без проблем, потом правая ступня опустилась на нечто мягкое, оно дернулось и с оглушительным воплем: «Мяуууу...» исчезло во тьме.

— А-а-а! — заорала я от ужаса и схватилась за сердце. — Ну, чертова кошка! Вот, гадость, разлеглась на дороге, чтоб тебе пусто было! Напугала до обморока! Фу!

Приведя в порядок нервы, я осторожно продолжила путь и спустя короткое время очутилась... в луже. Холодная вода тут же намочила туфли.

— Ну и безобразие же здесь творится! — затопала я противно чавкающими, явно навсегда испорченными лаковыми тапочками. — Куда я приехала? Эй, Фирсов! Я тебя ненавижу! Гоблин! Дятел!

В лицо повеяло омерзительным запахом, и меня незамедлительно затошнило. Кое-как подавив приступ обратной перистальтики, я прошагала еще пару метров, уперлась ладонью в стену и начала колотить по ней кулаками, призывая на голову Ивана Николаевича все громы и молнии мира. Кстати, не забудьте, что у меня был при себе очень мешающий пакет с уткой, который я держала то правой, то левой рукой, то зубами.

Неожиданно с потолка хлынула вода. Я попыталась прикрыться пакетом, потом подумала, что и так уже промокла снизу, и перестала сопротивляться. От злости я потеряла способность излагать мысли вербально. И тут зажегся свет, я увидела стеклянную дверь, а за ней уютную комнату, стол и мужчину, спокойно читавшего газету.

С воплем: «Покажите мне Фирсова!» — я одним прыжком преодолела расстояние до двери, рывком распахнула ее и заорала:

— Где это чертов Иван Николаевич?

Мужчина моментально отложил прессу, встал, поклонился и чопорно заявил:

— Прошу садиться, результаты теста вполне приемлемы.

Я обвалилась на стул и начала отдуваться.

— Учитывая отсутствие ненормативной лексики, в частности то, что, наступив на кошку, вы назвали ее кошкой, а не как-нибудь иначе, и присовокупив результат водного испытания, могу оценить ваше экстремальное поведение как пятнадцать единиц от нормы. Чтобы иметь стопроцентный результат, необходимо повысить уровень... Погодите, вы Васильева? Дарья?

Мужчина уставился на розовый листочек, который лежал перед ним на столе.

— Верно, — простонала я. — Куда я попала?

— Центр обучения владением собой «Князь» сделает вас психически несокрушимой, — машинально ответил незнакомец. — Произошла ошибка. Я Фирсов, а вы случайно прошли тест для поступающих. Примите мои извинения! У нас сегодня не работает душ, я просил охранника всех предупреждать. Неужели он вам не сказал?

Я чихнула.

— Разве можно так издеваться над человеком? У вас еще никто не скончался от страха?

Фирсов втянул голову в плечи.

— Мы сообщаем абитуриентам: предстоит непростое испытание на ваше правильное поведение в экстремальных условиях. Не наряжайтесь, лучше прийти в спортивном костюме, возьмите с собой запасной комплект одежды. Но вы! Почему поехали к месту въезда в коридор испытаний?

— Меня направил сюда секьюрити, — пояснила я.

— Непременно разберусь, — пообещал Фирсов, — виновного накажут.

— Ерунда, — остановила я Ивана Николаевича, — пустяки. Даже интересно было. У меня плохой результат?

— Обычный, — деликатно ответил Фирсов, вынул из ящика стола кошелек и начал отсчитывать деньги.

— Десять, двадцать, три, четыре, семь... Вот, получите, тридцать два рубля. Вообще-то получилось тридцать один целковый, восемьдесят семь копеек, но я округлил сумму в выгодную для вас сторону.

— За что вы мне платите? — удивилась я. — Это что, продолжение очередного теста? Вы проверяете, каким образом люди реагируют на кретинские ситуации? Заманиваете клиентов в подобие гаража, тушите свет, затем направляете в коридор, где на полу лежит кошка, включаете неожиданно душ и смотрите на поведение абитуриента? А теперь еще и деньги? Кстати, на вас не догадались подать в суд за издевательство над животными? Сильно сомневаюсь, что киска счастлива, когда на нее наступают со всего размаха по сто раз в день!

Иван Николаевич скрестил руки на груди.

— К сожалению, сто абитуриентов в день к нам не приходит. На данном этапе занятия в центре «Князь» посещают тридцать человек. И мы не используем живое существо, кошка — тренажер, грубо говоря, пищащая игрушка. Деньги за утку.

— За утку? — удивленно переспросила я.

Фирсов потер ладони.

— Да. Мне передали коллекционный экземпляр со знакомой. Анна Сергеевна ехала через город Кранск, где ей и вручили посылку. Но дама слегка ошиблась, отдала ее некой Васильевой, а та передала другой Васильевой, первая не нашла вторую, вторая искала первую, в результате тот, кто знал первую, обнаружил вторую и третью.

Я вздрогнула.

— Третьей Васильевой в этой истории не было.

— Это моя сестра, — заулыбался Иван Николаевич. — Она приехала получать посылочку, Анна Сергеевна ее спросила: «Фамилия?» А Олеся и скажи: «Васильева». Тут ей дали пакет для первой Васильевой, а когда явилась вторая, той всучили передачу для третьей. Олесе надо было представиться: «Фирсова», но...

— Огромное спасибо, больше никаких объяснений! — остановила я зануду. — Давайте мою утку, забирайте свою, и расстанемся в хорошем настроении.

— Так вот же она, — указал на купюры Иван Николаевич.

— Кирилл прислал мне тридцать два рубля? — оторопела я. — Но он все время твердил о тушке самой лучшей птицы из его домашней стаи. Нет, я абсолютно не хотела получить утку, для меня ее мясо слишком тяжелое, а члены семьи в отъезде, и они тоже не любят блюда из водоплавающих, но сейчас я забеспокоилась о здоровье приятеля. Согласитесь, весьма странно отправить в Москву столь нелепую сумму!

— Крайне несправедливые слова, — укоризненно забормотал Фирсов. — Я провел исследование рынка, учел степень износа тушки, ее ценность, вес, жирность, составил формулу, исходя из среднеарифметического между ценой магазина и рынка. Целый день посвятил решению этой проблемы. Вам действительно не нужна утка?

Я кивнула.

— Да. Но Ласкин хотел сделать мне приятное. Честно говоря, я устала гоняться за птичкой. Если бы не пакет с вашей посылкой, то я просто попросила бы вас выбросить сгнившую птицу.

— Уф, — выдохнул Фирсов, — очень рад! Я оказался в сложном положении. Пакет, доставленный Олесей, издавал очень неприятное амбрэ. Сначала я развернул передачу, сообразил, что произошла ошибка, стал названивать Анне Сергеевне. Выбросить испорченную тушку мне показалось неправильным, ведь кто-то ее ждет! Я положил труп в холодильник и пошел спать, утром решил покормить кота. Распахнул холодильник, оттуда пахнуло ароматом. Смотрю, мой Мурлыка упал в обморок. Вот я и выбросил утицу от греха

подальше, спустил в мусоропровод и распережи-
вался, как возместить вам...

— Понятно, — перебила я Фирсова, — рубли — это компенсация. Но вы абсолютно не обязаны тратиться. Птичка потеряла человеческий
вид задолго до того, как попала в ваши руки.

— Но выбросил ее я! — возразил Фирсов. —
И про утку нельзя сказать, что она когда-либо
имела человеческий вид.

— Думаю, это мне следует вас наградить за из-
бавление от протухшей утки, — улыбнулась я.

— Считаете эту цену неприемлемой? — насторожился Иван Николаевич. — Я ее не с потолка
взял, сходил в пару супермаркетов, сбегал на кре-
стьянский базар, купил брошюру «Ценообразова-
ние на рынке птицы», посоветовался с приятелем-
бухгалтером и с адвокатом. Юрист сказала мне:
«Олеся явилась первопричиной путаницы, следовательно, ответственность несет она. Но раз сестра не желает брать вину на себя, то ты, как ближайший родственник, можешь выплатить ком-
пенсацию пострадавшей стороне. Злого умысла не
было и...»

— Ясно! После всех расчетов получилось тридцать два рубля, — опять перебила я Фирсова.

— Тридцать один восемьдесят пять, — уточнил
Иван Николаевич. — Однако финансовый кон-
сультант сказал: в подобном случае при наличном
расчете следует округлить сумму в вашу пользу.
Пожалуйста, напишите расписку.

Я покорно спрятала купюры в бумажник и
принялась царапать ручкой по бумаге. С таким
кадром, как Фирсов, лучше не спорить.

— Отлично! — обрадовался Иван Николаевич,

пряча полученный автограф. — Спасибо, что привезли мне пакет.

— Проверьте целостность содержимого, — попросила я.

Иван Николаевич прижал к груди сверток.

— Вам нужен документ о сдаче посылки в руки хозяина?

Я пожала плечами.

— Конечно, нет. Просто хочу убедиться, все ли в порядке.

— Я счастлив! — слишком страстно для зануды откликнулся Фирсов. — Поймите меня правильно, там экземпляр для коллекции, вещь дорогая моему сердцу, уже любимая... Хочу развернуть ее в одиночестве, насладиться без чужих глаз. Извините за откровенность!

Я встала.

— До свидания.

Фирсов, продолжая нежно обнимать пакет, вскочил.

— Всего хорошего. Кстати, пятнадцать процентов психической стабильности — замечательный результат. Не хотите у нас пару месяцев позаниматься?

— Спасибо, времени нет, — отказалась я от предложения. — Где моя машина?

— Сейчас провожу вас к автомобилю, — засуетился Иван Николаевич и пошел к двери, по-прежнему не выпуская из рук посылку.

Я потрусила за Фирсовым. Похоже, преподавателю очень хочется остаться наедине с ночным горшком, вон как Иван Николаевич бежит вперед, думаю, он мечтает поскорее избавиться от «курьерши».

Глава 29

Не успела я войти в родной дом, как на меня обрушились телефонные звонки. Сначала позвонила Маруся из Парижа, трубку у нее выхватила Ирка, следом внимания потребовал Иван, который нажаловался на Банди, поломавшего в саду кусты флоксов.

Не успела я перевести дух, как домашний аппарат вновь ожил. Теперь из трубки звучал голос Ольги:

— Почему у тебя не отвечает мобильный?

— Разрядился, — пояснила я.

— Надо вовремя заряжать, — Зайка не упустила момента, чтобы поучить меня. — Наверное, куришь в доме?

Я заверила Ольгу, что даже не прикасаюсь к сигаретам, и пообещала каждый день тщательно проветривать все комнаты.

Последним, уже глубоко за полночь, до меня дозвонился Овсянкин.

— У тебя мобильный тю-тю, — сообщил он.

— Батарейка села, — в который раз пояснила я.

— А Дегтярев рассказывал, что ты раз в два месяца трубку теряешь, — радостно насплетничал Валерий.

Я обиделась.

— Хочешь расскажу, как полковник заезжает в Ложкино в гараж? Сначала он берет слишком круто вправо и ломает зеркало на крыле, потом, решив исправить незадачу, выворачивает налево и ломает зеркало на другом крыле. В конце концов Александр Михайлович попадает-таки в гараж, но всякий раз врезается в запасные колеса, которые сложены у стены, и в одном случае из пяти разбивает задний фонарь.

— Прикольно! — захохотал Овсянкин.

— Делу время, потехе час. Говори, что узнал, — менторски провозгласила я. И вздрогнула: неужели заразилась занудством от Фирсова?

Овсянкин откашлялся.

— В отношении родственников жертв. В Москве их сейчас не так много. Олимпиада Борисовна Палкина, мать Валентины, потом дед и брат Анны Родионовой. Бусыгин Ким Ефимович и Родионов Анкибу Николаевич. Суперское имечко у парня! Это все. Остальные либо умерли, либо уехали.

— Где проживает Анкибу Родионов? — занервничала я. — Есть адрес?

— Конечно. Прописан вместе с дедом! Улица...

Я быстро перебила Валерия:

— Мне нужно фактическое место проживания, а не дом, в котором он прописан!

Овсянкин растерялся.

— И как я его тебе найду?

— Не знаю!

— Мне потребуется много времени.

— А кому сейчас легко? — не успокаивалась я. — С пропиской просто разобраться — влез в компьютер, и готово. Но возьмем мою подругу Оксанку. Она зарегистрирована на городской квартире, но там ее уже пару лет не видели, Ксюта живет в поселке в области, она себе дом построила. Кстати, дедушка Бусыгин коротает денечки в пансионе «Солнечный парк», а значится проживающим совсем в другом месте.

— Таких граждан пруд пруди, — согласился Валерий.

— Вот и добудь мне истинный адрес Анкибу.

— Не злись, — вздохнул Овсянкин, — подумаю над этим. Теперь об Алене Фурыкиной.

— Стой! — велела я помощнику. — У Анкибу Родионова была жена. Дай ее координаты.

— Это легко, — забубнил Валерий, — но данные снова будут по официальной регистрации. Так, так... ты ошибаешься! Анкибу никогда не оформлял брак.

— Почему? — удивилась я.

— Умный человек, — вздохнул Овсянкин. — Или свою маму послушал. Родители плохого не посоветуют!

— Но мне известно, что некая Жанна называет себя его бывшей супругой.

— И ничего странного, — сказал Овсянкин. — Гражданский брак, отношения не скреплялись штампом, никакой ответственности, и детей небось нет. Да уж, только дураки учатся на своих ошибках, а умные учитывают печальный опыт других и пользуются презервативами.

— Твоя тройня приехала домой! — догадалась я. — Почему же счастливый папаша торчит в рабочем кабинете?

— Кто-то же должен семью кормить, поить, обувать, одевать? — тяжело вздохнул Валера. — Да и дел полно, днем не успеваю все переделать. Ничего, я здесь на диване спать лягу.

— Насчет ботиночек для новорожденных пока не беспокойся, — язвительно сообщила я, — всякие там сапожки и сандалики им еще месяцев восемь не понадобятся, можешь временно вычеркнуть из бюджета данную статью расходов. А вот бросать в сложной ситуации жену некрасиво. Думаешь, у нее двенадцать рук?

— Там народу, как тараканов, — мрачно отозвался Овсянкин. — Моя мать, теща, тесть, две сестры, все помогают, в квартире не повернуться!

Я захихикала:

— И ты удрал от семейного уюта? Прикрылся службой?

Овсянкин обиженно засопел:

— Вообще-то, я считал, что нам и одного ребенка заводить рано. Еще на ноги не встали!

— Сочувствую, но теперь разговор на эту тему бессмысленен. Ничего, все уладится, образуется, — начала я утешать павшего духом парня, — тройня — не самое страшное, что может случиться. Вон одна американка родила сразу восьмерых, и ничего, даже улыбалась с мужем на фото.

— Я бы застрелился, — печально заметил Овсянкин. — Нахожусь в глубочайшей депрессии. Народ поздравляет, по плечу хлопает, кричит: «Отец-молодец», — а мне все хуже и страшнее.

— Лучшее средство от депрессивных мыслей — работать как можно больше, — приободрила я его. — Давай вернемся к делу. Значит, координаты гражданской жены Аника узнать невозможно?

— Говори ее фамилию, имя, отчество, год рождения, и дело в шляпе.

— Жанна, — бойко отрапортовала я.

— Дальше, — потребовал Овсянкин.

— Просто Жанна, — уже тише повторила я.

— Супер! Ты собираешься проверять всех Жанн в Москве?

— Есть ее мобильный! — осенило меня. — Записывай номер. При заключении контракта телефонная компания требует паспорт.

— Завтра около полудня, очевидно, я нарою инфу, — пообещал Овсянкин. — Теперь об Алене Фурыкиной.

Сон стал обнимать меня мягкими лапами, я зевнула.

— Говори!

— Алексей Фурыкин утверждал, что Алена основное действующее лицо. Дескать, она выискивала жертву, втиралась к ней в доверие, убивала и заставляла его прятать тела.

— На свете есть идиот, способный поверить в то, что десятилетняя девочка способна на такое? — хмыкнула я.

— Следователь разобрался. Алена ни при чем, она даже не подозревала, чем занимались родители. Это ее мать, Светлана Михайловна, переодевшись школьницей, помогала мужу-маньяку. Алене сменили метрику, ей дали другое имя — Вера Федорова, затем, выйдя замуж, она взяла фамилию мужа и стала Астаховой. Развелась и некоторое время назад снова сходила в загс, превратилась в Веру Савельеву. Эй, ты чего молчишь?

— Все нормально, — севшим голосом сказала я. — Вера Савельева имеет мужа, Андрея, врача, и дочь Ирину, школьницу. Так?

— Верно, — подтвердил Овсянкин. — Хочешь на десерт кусок шоколадного торта?

— Навряд ли ты сможешь меня удивить, — тихо ответила я.

— Записывай данные Светланы Михайловны Фурыкиной!

Меня обдало жаром.

— Она жива?

— Алексея Фурыкина расстреляли, а его супруга отсидела большой срок, от звонка до сирены, и сейчас она Попова, вернула себе девичью фамилию.

— Адрес! — закричала я. — Диктуй скорей!

— Сталелитейный проезд, дом семь, комната четыре, — отрапортовал Овсянкин. — Это общежитие завода по производству пластиковой посуды. Фурыкина-Попова работает там на складе, она упаковщица.

Я бросила взгляд на часы. Интересно, когда начинается смена? И позволят ли постороннему человеку пройти на склад? Боюсь, не смогу заснуть, промаюсь всю ночь, ожидая момента, когда будет можно помчаться в столь романтично названный Сталелитейным проезд.

Фабрика, где штамповали одноразовые чашки-тарелки-ложки, размещалась в новом мрачном здании из серого бетона и охранялась строже, чем завод по производству ракетного топлива. Все мои попытки проникнуть внутрь были пресечены хмурыми парнями в черной форме из частного охранного агентства. Накачанные юноши с каменным выражением на лицах повторяли:

— Посторонним вход запрещен.

Прикинуться оптовым покупателем было плохой идеей. Для торговцев, оказывается, имелся магазин, на склад закупщиков не пускали.

Поняв, что потерпела сокрушительное поражение, я села в машину и стала наблюдать за проходной. Когда народ пойдет со смены, порасспрашиваю местных теток и найду Светлану Михайловну Попову. Чтобы не заснуть, я включила радио и вытащила мобильный, сегодня день рождения Ники Пестовой, надо ее поздравить. Когда трубка оказалась в руке, я расстроилась, похоже, у меня начинаются проблемы с памятью, опять забыла включить сотовый. Неужели ко мне крадущимся шагом приближается склероз?

Не успел палец нажать на нужную кнопку, как раздались резкие звонки, и одновременно с ними мерное попискивание приходящих эсэмэсок.

— Фирсов, — заорали из трубки, — Фирсов.

— Что случилось, Иван Николаевич? — спросила я, не отрывая взора от дверей фабрики.

— Фирсов! — надрывался зануда.

— Васильева, — в тон ему отозвалась я, вовремя сообразив: преподаватель будет представляться, пока не услышит в ответ мою фамилию.

— Наконец-то! — выдохнул он. — Я звонил вам всю ночь.

Я мысленно перекрестилась. Хорошо, что всегда отключаю перед сном мобильный.

— Утка! — продолжал Фирсов в присущей ему манере. — Невероятно! Неописуемо!

— В каком смысле «неописуемо»? — деликатно осведомилась я. — В прямом или переносном? Ночной горшок не очень велик и весьма мил внешне.

— Я собираю уток! — заголосил Фирсов.

— Я привезла вам пакет в целости и сохранности.

— Уток! — талдычил Иван Николаевич. — Кря-кря! Фигурки птиц, а не то, о чем сказать стыдно! Заберите свою гадость назад!

— Спасибо, не хочу, — честно ответила я. — Побеседуйте с тем, кто отправил посылку.

Иван Николаевич начал что-то бубнить, но я быстро отсоединилась и выскочила из машины. Большая стрелка часов, висевших на фасаде здания, замерла на цифре «12», маленькая указывала на «2», из дверей повалили работники фабрики, в основном женщины, одетые в платья и вязаные кофты — сегодня на улице внезапно похолодало, народ предпочел утеплиться.

Первая схваченная мной за рукав тетка приветливо откликнулась:

— Светлана Попова? Не знаю ее. В каком цеху работает?

— Вроде на складе, — уточнила я.

— Катьк! А Катьк! — заорала собеседница.

Одна из баб остановилась.

— Чего тебе?

— Попову знаешь? Она у вас сидит.

— Светку? — спросила Катя.

— Да, — обрадовалась я. — Где ее найти?

— Чего искать... — хмыкнула Катя. — Вон пионерка чапает, в синих штанах. Левее позырь!

Я пошарила глазами по толпе и выделила из массы обрюзгших теток хрупкую фигурку подростка лет двенадцати, единственную, на ком были джинсы.

— Чего стоишь? — удивилась Катя. — Лови ее, а то в маршрутку сядет.

Я ринулась за школьницей, не понимая, какое отношение она имеет к Фурыкиной. Может, это ее внучка? Кто же разрешил несовершеннолетней работать на фабрике? Даже во время летних каникул нельзя принимать на службу тех, кому не исполнилось четырнадцать.

Девочка отделилась от толпы рабочих и пошла к ларькам. Похоже, она намеревалась сделать покупки, потому что притормозила возле лотка с косметикой. Я схватила ее за плечо.

— Скажи, пожалуйста...

Подросток обернулся, и конец фразы застрял у меня в горле. Из-под вытравленной перекисью челки на меня хмуро смотрели глаза с жирно нарисованными «стрелками», на щеках полыхал неестественный румянец, нанесенный слишком толстым слоем, губы напоминали сосиски, в них явно вкачали гель, а сверху намазали перламутровой помадой. Но ни большое количество косметики, ни силикон, ни щуплая фигурка, ни тинейджерская одежда не могли скрыть возраст тетки. Да, сзади ее легко было принять за школьницу, но при взгляде на лицо иллюзия рассеивалась. Передо мной стояла явно немолодая особа.

Глава 30

— Светлана Михайловна? — выдавила я из себя.

В глубине ярко накрашенных глаз метнулся огонек тревоги.

— Чего надо? — нелюбезно спросила бывшая зэчка.

Но я уже успела прийти в себя.

— Ваша фамилия Фурыкина?

Тетка дернула плечом.

— Ошибка! Я Попова. Не лезь!

— Давайте зайдем в кафе? — миролюбиво предложила я.

— Денег нет на ресторан, — по-прежнему грубо отреагировала тетка.

— За мой счет, — пообещала я.

— Че за интерес тебе чужих кормить? — не обрадовалась «красавица».

Я изо всех сил пыталась наладить контакт.

— У меня к вам пара вопросов, лучше побеседовать за чашкой кофе.

Собеседница исподлобья глянула на меня:

— Еще шампанское предложи!

Я прикинулась восхищенной:

— Замечательная идея! Откупорим бутылочку!

Светлана Михайловна покосилась по сторонам:

— И че те надо?

Я взяла ее под руку.

— Вы любите пиццу? Или спагетти с морепродуктами?

— Дерьма не жру, — сурово отрезала Фурыкина. — И не пью.

— Пойдемте, — настаивала я, — самое время пообедать.

— Вали-ка ты на... — послала меня жена маньяка и выдернула руку. — Примоталась, блин! Я с бабами не сплю, ковыляй, пока не огребла!

Я укоризненно покачала головой:

— Неужели я похожа на лесбиянку?

— Че, у нас благотворительная акция по прокорму прохожих? — заржала женщина. — Может, еще и бабла отсыплешь?

— Милостыню подавать не собираюсь, — от-

ветила я, — но если вы ответите на мои вопросы — получите деньги. Обед прилагается в качестве бонуса.

— Сколько дашь? — поинтересовалась тетка.

Я ответила дипломатично:

— В обиде не останетесь.

— Назови сумму, — уперлась Светлана Михайловна. — И в кафе пойдем по моему выбору,
только туда, куда я захочу.

После короткого торга и обретения задатка
повеселевшая Фурыкина бойко пошагала на соседнюю улицу, к небольшой закусочной, расположенной на первом этаже кирпичного дома. Там
без малейших кривляний она села за столик в уг-
лу и решила ни в чем себе, любимой, не отказы-
вать.

Пока Фурыкина заказывала закуски, первое,
второе, третье, четвертое, пятое и десятое, я молчала, но когда она с вожделением потребовала:
«Пузырь перцовки», я вмешалась в процесс:

— Спиртного мне не надо.

— Я что, во сне про шампусик слышала? —
скривилась тетка.

— Нет, я готова купить вам бутылку любого
пойла, но после беседы, — категорично заявила я.

Светлана Михайловна неожиданно не стала
спорить:

— Лады, договорились.

Я попыталась начать интервью:

— Скажите...

— Сначала пожрать надо, — возразила нахал-
ка. — На голодный желудок нормальные люди не
беседуют!

Мне пришлось терпеливо ждать, пока она уложит в себя огромное количество заказанной еды и закурит вонючую дешевую сигарету.

— Вот теперь спрашивай, — милостиво разрешила она.

— Вы Фурыкина Светлана Михайловна?

— Не! Я Светлана Михайловна Попова, — уточнила пособница маньяка.

— Верно, вы стали ею после отбытия заключения, — терпеливо продолжала я.

— Я всегда была Поповой, — уперлась баба.

Я ввязалась в глупый спор:

— Нет. Попова ваша девичья фамилия. А Фурыкиной вы стали, выйдя замуж за Алексея Трофимовича.

— Ты че? В загс я не ходила, детей не имею, — нагло соврала мне в глаза Светлана Михайловна, — закажи чаю. Хотя, нет, здесь крепкий не заварят, бурду принесут. Тогда лучше кофе!

— Как вам не стыдно! — возмутилась я. — Поели, получили задаток, а теперь не хотите разговаривать? Лучше не прикидывайтесь дурочкой, а то...

Светлана Михайловна растянула в улыбке силиконовые губы, обнажив белые искусственные зубы.

— А то что? Ты меня не пугай! Я маленькая, да жилистая, не с такими в отряде справлялась. Никогда не была Фурыкиной! Не имею к маньяку никакого отношения! Да, я сидела, не отрицаю, мотала срок за воровство, торчала на игле и за дозу на все готова была. Но детей не мучила!

Я укоризненно посмотрела на бывшую убийцу.

— Молодец, вы меня обманули, пообедали за мой счет, получили немного денег и довольны.

Наверное, решили, что я из газеты? Хочу сделать сенсационное интервью с подельницей педофила? Ошибаетесь. Вашей дочери угрожает опасность, а внучку, о которой небось вы и не слышали, на днях убили, и, похоже, это месть родственника одной из жертв Фурыкина. Если я его не остановлю, то все закончится очень плохо. Но вам, кажется, без разницы, что случится.

— Эй, погоди! — занервничала Светлана Михайловна. — Я Попова!

— Да я уж поняла, — отмахнулась я.

— Фурыкина на зоне померла, — нагло соврала тетка. — Мы в одном отряде числились, она о себе кой-чего рассказывала, но я мало что помню, мимо ушей ее сказки пропускала!

Я сдвинула в сторону пустую посуду, навалилась всем телом на столик и попыталась заглянуть лживой бабе в глаза.

— Понимаю, что вы избегаете воспоминаний о прошлом, боитесь потерять работу, место в общежитии и превратиться в изгоя. Удивительно, как вам удалось выжить на зоне, женщины жестче мужчин, пособницу педофила они должны были придушить в первый месяц ее пребывания в колонии. Но вы, похоже, умный, хитрый, изворотливый человек, сумели выстроить отношения с зэчками, сделали выводы из случившегося и, сменив фамилию, решили начать жизнь с нуля. Немного поздновато, но сейчас средняя продолжительность жизни женщин в России увеличилась, а учитывая ваше телосложение, можно предположить, что вы легко перешагнете за девяностолетний рубеж. Только не будет ли вас на смертном одре мучить совесть? Я сейчас говорю не о жертвах насилия. Вдруг убийца лишит жизни вашего ребенка? Вы дадите ему возможность продолжать охоту на свою дочь, если не ответите на мои вопросы!

Тетка закурила новую сигарету.

— Знаешь, кой-чего я вспомнила из фурыкинских басенок. Рассказать?

— Сделай одолжение, — попросила я, тоже переходя на «ты». В конце концов, чего церемониться?

— Она девку родила в пятнадцать лет. Осуждаешь за такое? — прищурилась собеседница. — Небось шлюхой ее считаешь?

— Не судите, да не судимы будете, — не поддалась я на провокацию. — В молодости всем свойственно совершать ошибки, у тебя не было матери, с которой ты могла бы посоветоваться.

— Да моя мать сука! — в запале воскликнула Попова. Но мигом опомнилась: — Мы же о Фурыкиной болтаем, я-то здесь с какого бока?

— Конечно, конечно, — закивала я, — значит, ее в ранней юности обманул первый возлюбленный...

— Ага, — согласилась баба. — Он женатый был, вежливый, воспитанный, цветы дарил... слушай, закажи сто граммов для легкого разговора! Больше не попрошу!

Я поманила официантку. Когда та принесла маленький графинчик, Светлана Михайловна быстро опустошила его и стала рассказывать свою историю. Она старательно пыталась изобразить, что не имеет к Фурыкиной никакого отношения, говорила о себе в третьем лице, но иногда забывалась и произносила местоимение «я». Я же делала вид, что не замечаю оговорок и верю «сказочнице»: вроде все происходило не с ней, а с подругой по заключению.

В юности Светочки не было ничего особенного. Да, она росла без отца, с сильно пьющей матерью, которая предпочитала не замечать собственную дочь, но подобное случалось со многими. Света окончила несколько классов и пошла в ФЗУ[1], получила профессию сборщицы часов и очутилась на заводе. Такую работу многие считали хорошей, сиди себе в светлом зале и ковыряйся пинцетом в механизме. Но Светлана была молодая, подвижная, ей хотелось хорошо одеваться, делать перманент в парикмахерской, веселиться и бегать на танцы, а не корпеть на конвейере. Поэтому она частенько прогуливала, и ее фото регулярно появлялось на доске позора. В конце концов бригадир нажаловалась начальнику цеха, а тот решил уволить девчонку-разгильдяйку. И тут выяснилось, что у юной Светочки есть дочка, рожденная вне брака. Алена жила в деревне, на попечении прабабки. Светлана очень гордилась тем, что не отказалась от девочки в родильном доме, а «воспитывает» ее, даже иногда, раз в полгода, навещает ребенка.

Светлану оставили на заводе, но с конвейера, где требовались аккуратность и внимательность, убрали, перевели в упаковщицы. Девушка потеряла в заработке, но не расстраивалась. Отстояв нуд-

---

[1] ФЗУ — фабрично-заводское училище, прообраз современных ПТУ.

ную смену, Попова неслась гулять, у нее было много веселых приятелей. Во время одной из вечеринок Света встретилась с Алексеем Фурыкиным, и ее жизнь кардинально изменилась. Леша был милиционером, он не пил, не курил, учился в институте на вечернем отделении. Почему со всех сторон положительного Фурыкина привлекла бесшабашная Светлана? Любовь, как известно, зла. Кое-кто из общих знакомых попытался открыть парню глаза на его избранницу, но Алексей советов не слушал, женился на Поповой и удочерил Алену.

Замужество самым благотворным образом повлияло на безалаберную девушку. За короткое время она превратилась в идеальную супругу и заботливую мать. Алексей быстро продвигался по службе, Светлана обеспечивала домашний уют, Алена ходила в школу. Спокойная, счастливая жизнь длилась не один год, но потом дочь стала выходить из-под контроля...

Фурыкина облокотилась на стол и понизила голос:

— Девчонка оказалась маньячкой! Она убивала детей, а потом бежала домой и требовала, чтобы родители прятали трупы! Мурашки от такого бегут, правда?

— Да уж, — протянула я. — И отчим с матерью покрывали малолетнюю убийцу?

— Верно мыслишь, — похвалила меня Светлана Михайловна. — Ребенок — это святое, ради кровиночки на все пойдешь. Когда Алена попалась, родители взяли вину на себя.

— Шекспир отдыхает, — пробормотала я.

— Трагедия! — торжественно объявила Светлана. — Драма! Алексея, совсем невиновного, расстреляли. А мать, мою подругу, посадили, и мотала она срок до конца, никто ей условно-досрочного не дал. За свою доченьку страдала! Каждый день в бараке молилась, счастье ребенку выпрашивала!

Мутные глаза Светланы Михайловны наполнились слезами. Едва сдерживая гнев, я сказала:

— Душераздирающая повесть, вот только не пойму, зачем родители взвалили вину на себя. Алене едва исполнилось десять, ей тюрьма не грозила. И ладно Светлана, но Алексей! Выходит, его расстреляли за несовершенные преступления. Думается, человеку не хочется умирать в расцвете сил даже за родную дочь, а здесь приемная.

— Тебе этого не понять, — всхлипнула женщина.

— И жертвы-то были изнасилованы! — гнула я свою линию. — Значит, в преступлении замешан мужчина.

— Нет, — уперлась Попова, — их просто резали, а менты про секс приписали.

— Да зачем? — поразилась я. — Какой смысл?

— Хотели Алешу с дороги убрать. Он в ментовке многим из-за своей честности поперек горла встал, — каркнула Светлана Михайловна. — Обрадовались возможности убрать его и подставили.

— Однако, вы сильно любили дочь, — отбросив игру в «историю подруги-зэчки», сказала я, — Людмила Николаевна Филиппова рассказывала мне, как жена Фурыкина пришла к ней, принесла кольцо невероятной ценности и попросила, чтобы Вадим Петрович убрал из дела все упоминания об

Алене. И еще сказала: «Детей я заманивала». И это похоже на правду, поскольку трудно поверить в то, что десятилетняя девочка способна на неописуемо жестокие действия.

На лице Светланы Михайловны появилось выражение неподдельного удивления.

— Ну-ка, ну-ка, че она натрепала?

— Повторить? Ты заявилась к ней, отдала эксклюзивное украшение и попросила об услуге. Вадим Петрович должен был вычеркнуть из дела все упоминания об Алене, детей к маньяку заманивала не она, а ты, пользуясь тем, что фигурой похожа на подростка, переодевалась и обманывала будущих жертв.

— Вот сука! Дрянь! Эта падла еще жива? Следователь кольцо буквально с руки у меня содрал! — заголосила Светлана Михайловна. Но тут же спохватилась: — То есть не у меня, я к этой истории отношения не имею, про подругу говорю...

Однако она опять не выдержала взятой на себя роли. Сорвалась, зачастила:

— Не ходила я ни к какой бабе. Следователь сам ко мне припер. Хотел денег, обещал из-под вышки вывести. Гад! Я ж тогда не знала, что женщин к расстрелу не присуждают. Поверила ему, жить-то охота. Ну и рассталась с украшением, отдала колечко, сказала: родительское наследство. У Филиппова аж глаза выкатились, так перстенек с брюликом ему понравился. Потом-то услышала, что мне бы все равно «коридор» не светил. Обманул дурищу Вадим Петрович!

— Ну да, — кивнула я, — значит, драгоценность следователь забрал себе?

— Чтоб мне на шконку[1] опять попасть, если вру! — перекрестилась Светлана. — Мамой клянусь! Вадим Петрович ушлый был. И никто потом о кольце не вспомнил, оно ни в какие описи не попало. Странно, как родственники жертвы промолчали. Я бы орать стала, обнаружив потерю.

Я опустила глаза. Да нет, не странно. Аня взяла украшение тайком, после смерти девочки ни ее мать, ни бабка драгоценности не проверяли, не до того им было. Аник же, знавший, что у сестры в тот злополучный день был на руке перстень, молчал. Правда выплыла на свет уже после того, как был вынесен приговор Фурыкиным — Филиппов не знал, кому принадлежит на самом деле кольцо. Вадиму Петровичу просто повезло, а Людмила Николаевна солгала мне, выдумала на ходу оправдывающую мужа историю. Из ее слов выходило, что следователь взял мзду, но ведь за благородное дело — спас оклеветанную девочку, а не потребовал взятку от пособницы маньяка. Людмила Николаевна талантливая лгунья, я ей поверила.

— Щас приду, — буркнула Светлана Михайловна, поднимаясь.

— Ты куда? — бдительно поинтересовалась я. — Мы еще не закончили беседу!

— В туалет, — фыркнула тетка. — Че дергаешься, вернусь. Не веришь, на дверь смотри, мимо нее на улицу не попасть.

Я проводила глазами бывшую зэчку, увидела, как та скрывается за тяжелой темно-бордовой портьерой, отделяющей санузлы от зала, и замер-

---

[1] Ш к о н к и — нары (кровать в СИЗО).

ла в ожидании. Но минут через десять заерзала на стуле — Светлана слишком задержалась в сортире. Наверное, надо за ней пойти.

— Оплачивать будете? — прочирикала хорошенькая официантка, подходя к столику.

— Сейчас моя знакомая вернется, и, вероятно, мы закажем еще кофе, — пообещала я.

Девушка хитро улыбнулась и поправила бейджик с именем «Таня».

— Она не вернется.

— Почему? — растерялась я.

Официантка засмеялась.

— Там, за шторой, черный выход. Бабка им всегда пользуется.

— Всегда? — ошарашенно повторила я. — Она сюда часто приходит?

— Прикольная старушонка! — почти с восхищением воскликнула Таня. — Страшная — аж жуть, вечером увидишь — паралич разобьет. С лица бабка, с заду младше моей сестры-осьмиклашки выглядит, одевается чумой. Но мужики на нее клюют. Где она их ловит?! Приводит сюда, поест, попьет и через служебную дверь сматывается.

— Ловко, — протянула я.

— И никто шума не поднимает, — болтала девушка. — Вы, кстати, первая женщина! Обычно она дедушек дурит.

— Вы знаете о хобби мадам и пускаете ее в кафе? — запоздало возмутилась я.

Таня начала ставить на поднос грязную посуду.

— А по какой причине отказать? Она не напивается, не шумит, не скандалит, а то, что приятелей с носом оставляет, нас не касается. Главное, ее кавалеры стол оплачивают, без слов кошельки расстегивают. Лишь один скандал закатил, да и то когда к нему девушка прибежала. То-то цирк был! Бабка с ним потрепалась и в тубзик рванула. Мужчина водки заказал, я ему принесла, так он разом двести граммчиков махнул и говорит: «За Анечку! Вот теперь ты, сестричка, успокоишься!»

Глава 31

— За Анечку? — переспросила я. — И давно дело было?

— Ну... года два назад, — ответила Таня.

— И вы помните? — поразилась я.

Девушка принялась стряхивать крохотной метелочкой крошки со скатерти.

— Так какой бумс случился! Клиент еще водки потребовал и мне велел: «Давай, не чокаясь, за Анечку!»

Официантка отказалась, вежливо объяснила: «Нам не разрешают садиться за стол к посетителям».

— А ты стоя махни, — не принял отказа клиент. — Давай за спокойствие ее души и мое освобождение! Сегодня счастливый день, я все узнал, осталось лишь... ну, хоп!

Татьяна не любит алкоголь и не собиралась лишаться хорошего места из-за рюмки беленькой. И потому ответила категорично:

— Спасибо за предложение, но принять его не могу.

Посетитель сдернул со стола скатерть со всей посудой, растоптал упавшие на пол тарелки, заорал нечто невразумительное, сел на стул и... заплакал. В кафе в тот момент было пусто, и Таня растерялась. Следовало вызвать милицию, но буян так горько всхлипывал...

Пока официантка думала, как поступить, на полу зазвенел мобильный, принадлежавший скандалисту. Поскольку он трясся в рыданиях, Таня подняла трубку, увидела на дисплее имя «Жанна» и очень удивилась, услыхав хриплый голос явно парня:

— Милый, ты где?

Девушка быстро объяснила ситуацию.

— Слушай, я приеду через полчаса, все оплачу и тебя отблагодарю, только не поднимай шум, — попросил незнакомец.

Официантка, всегда готовая заработать, быстро уничтожила следы погрома и отвела неожиданно ставшего послушным скандалиста в служебное помещение. Минут через сорок в кафе примчалась женщина, она выглядела нормально, была стройной, симпатичной, темноволосой. Но когда незнакомка открыла рот, Таня вздрогнула, брюнетка говорила мужским голосом.

— То есть? — не поняла я.

Официантка поправила вазочку с салфетками.

— Группу «Чили» слышали? Их песни часто по радио гоняют.

— Не помню, — призналась я. — А что?

— В «Чили» солистка поет, ну чистый парень, — пустилась в объяснения Татьяна, — и если не знать, что она девушка, никогда не догадаться. У нее хриплый бас! И эта женщина так же говорила. Закроешь глаза — мужик, откроешь — видишь симпатяшку. Она мне заплатила и приятеля увела, тот больше ни слова не произнес.

— Теперь понятно, почему вам так запомнилось происшествие, — кивнула я.

— Это еще не все! — округлила глаза официантка. — На следующий день она снова заявилась. Ну умора! Оделась под мужика, парик нацепила, рыжий, глаза голубыми сделала, конопушки намалевала, бороду приклеила. Села за столик и говорит: «Вроде здесь драка случилась? Я из газеты, если расскажешь, заплачу».

Проверить меня решила, протреплюсь я за бабки или нет! Цирк!

— А вы как поступили? — заинтересовалась я.

Таня хмыкнула:

— Надо было подыграть ей, да устала я в тот день и еще ногу подвернула, вот и ответила: «С цветными линзами надо аккуратнее обращаться. Если своя радужка темная, лучше брать зеленый оттенок, а не голубой. Там, где зрачок, есть дырка, в ней натуральный цвет порой проскальзывает. Зелень бывает с крапинами, а голубизна нет, сразу ясно — фальшивые глазоньки. Голос у тебя — не придерешься, и борода супер, джинсы со свитером тоже сойдут, бывают хлипкие мужики. Но вот руки-ноги выдают. Надо ботинки сорок второго размера надеть, в носок газеты напихать, и ладно получится, а ты в штиблетах как у Золушки. А уж чего с руками сделать, не подскажу, но они больше всего бабу выдают. Если еще хочешь мне денег дать, не откажусь».

Я вспомнила, как Вера, описывая Кима Ефимовича, рассказывала о внешности «святого» целителя, его изящных руках с длинными пальцами, и спросила:

— Как она отреагировала на твои замечания?

— Не смутилась, — улыбнулась Таня. — Кошелек достала и заявила: «Тебе отдохнуть надо, чушь в голову лезет. Я из газеты, хотел материал для номера собрать». Надо же так других за идиотов считать! Кому какое дело до нашей забегаловки? Оба прибабахнутые, что он, что она. Его звали — Анька! Представляете? Мужик и Анька!

— Откуда это известно? — подпрыгнула я.

Таня пожала плечами.

— Я небось не глухая... Его так Жанна называла. Влетела сюда и с порога забасила: «Где Анька? Он тут? Я звонила! Кто со мной говорил? Куда Аньку отвела?»

— Ясно, — очнулась я. — Басовитая женщина представилась Жанной?

— Нет, говорила же, я подняла звонящую мобилу с полу, увидела на экране надпись «Жанна». Видно, она часто тому мужику трезвонит, вот и определилась. А потом я удивилась, что парень говорит, — повторила Таня.

Я вынула из сумки кошелек и добавила к счету внушительные чаевые.

— Вау! — обрадовалась девушка. — Хотите чашечку эспрессо за счет заведения?

Я отказалась от любезного предложения, вышла на улицу и остановилась около своей машины, задумавшись. Примерно два года назад мужчина с забавным именем «Анька» беседовал в кафе со Светланой Михайловной. Подельница маньяка рассказала ему нечто крайне будоражащее и удрала. «Анька» впал в буйство, и выручать его явилась Жанна. Наверное, не надо никому объяснять, что «Анька» — это Анкибу. Таня не знала, как зовут клиента, вот ей и послышалось —

«Анька», Жанна явно произносила — «Аник». И она же затем пришла в кафе в образе рыжеволосого мужчины. По всей видимости, именно гражданская жена внука Бусыгина изображала из себя и экстрасенса. Она хорошо загримировалась, не получилось у нее только руки изменить. Жанна часто приезжает в пансион и легко могла тайком от сиделки взять паспорт старика, думаю, фото в нем давнее, а на год рождения никто и не смотрит. Нет, нотариус или сотрудник кредитного отдела банка очень внимательно изучат документ, но в бюро пропусков на телевидении просто пробежали по страничке глазами, выхватив лишь имя.

В кармане запрыгал мобильный, со мной опять пыталась соединиться Маша.

— Муся, угадай, где я? — радостно завопила она.

— Дома, — ответила я. — В предместье Парижа, конечно, не в Ложкине!

— А вот и нет! — захлебываясь от восторга, выкрикнула Манюня. — В Германии!

— Да ну? — удивилась я. — Кто тебя туда отвез? И зачем?

Маруся поделилась радостью. У ее подруги Анетт Дюпон есть старшая сестра Франсин, которая завтра выходит замуж за бюргера. Анетт будет подружкой невесты, Франсин должны сопровождать в церковь восемь девочек. И, вот неприятность, одна из участниц праздника сломала ногу. Анетт попросила Маню заменить выбывшую и сейчас...

Связь прервалась, я набрала номер Манюни и убедилась, что та на самом деле в Германии, потому что услышала мужской голос, говоривший на немецком.

Я когда-то изучала язык Гейне и Гете, но владею им не очень хорошо, однако даже моего весьма скудного словарного запаса хватило, чтобы понять: Маруся оказалась вне зоны доступа.

У меня закружилась голова. Я нырнула в салон малолитражки и попыталась разложить по полочкам полученные сведения. Мысли в голове путались, руки затряслись, снова отчаянно зачесался живот. Отбросив предположение о начинающейся лихорадке реки Нга, я стала тереть зудящее место. Похоже, после того, как я померила штанишки от дизайнера Саши Пушкина, созданные из «хитрого» материала, я заработала аллергию, которая обостряется в тот момент, когда мой мозг усиленно обдумывает какую-то проблему. Наверное, надо обратиться к врачу.

Представляю реакцию специалиста, когда он услышит от больной слова:

— Доктор, аллергию у меня вызывает умственная деятельность.

Поток машин замер, я пристроилась в хвост темно-синей «девятке» и опустила стекло своего окошка. Здравствуй, пробка! Вместо того чтобы заняться анализом сведений, я стала рассматривать соседей и увидела девушку, судорожно всхлипывающую в ярко-красной праворульной «букашке», стоявшей почти впритык к моей машине.

— Может, я могу чем-то вам помочь? — спросила я. — Что-то случилось?

Девушка махнула рукой и помотала головой.

— Послушай, — продолжила я, — мы не знакомы и больше никогда не встретимся, если расскажешь про свое горе, я могу дать совет или просто выслушаю. Поверь, тебе легче станет. Иногда с чужим человеком проще поделиться. Времени навалом, похоже, опять Рублевку перекрыли, стоять нам полчаса, не меньше.

Девушка вытерла лицо ладонями и заговорила:

— У меня есть парень, Никита, мы уже два года вместе живем, квартиру снимаем, но свадьбу не играли. Понятно?

— Да, — кивнула я, — обычная ситуация.

— Сегодня я приехала с работы рано, — всхлипнула девушка, — у Никиты был выходной, он дома сидел. Я хотела ему сюрприз сделать, ну типа смотри, кто пришел. Открыла дверь тихонечко, на цыпочках вошла, слышу, он со своим лучшим другом, Костиком, болтает, тот в гости приперся...

Костян спрашивает:

— И чего теперь делать будешь?

Никитос отвечает:

— Я так сильно ее люблю! Просто жить без нее не могу! Она для меня единственная женщина, я ждал такую — красавица, умница, секси... Каждую секунду о ней думаю! Но ведь был такой дурак, что с Ленкой связался.

Костян другу совет дает:

— Пошли Ленку куда подальше, живи с той, которую любишь. Ленка Воронкова — малозначительный эпизод! Выбрось ее из своей жизни и памяти!

Никита давай бормотать:

— И чего меня на нее потянуло? Я похотливая скотина!

Девушка снова прижала ладошки к зареванному личику.

— Вот какая получилась ботва.

— Знаешь, — вздохнула я, — мало найдется на свете женщин, которым бы не изменяли спутники жизни. Ну сходил Никита налево... Если ты заинтересована в сохранении отношений, сделай вид, что ничегошеньки не знаешь, утешайся тем, что он тебя любит, а Ленка Воронкова — эпизод. Никита про тебя так хорошо другу рассказывал, себя за мимолетную связь с Ленкой ругал, называл похотливой скотиной. Он понял...

— Ленка Воронкова — это я, — перебила меня девушка.

Я поперхнулась словами и уставилась на незнакомку. Слава богу, мне на помощь пришла богиня автолюбителей, машины начали движение вперед, и красная «букашка» потерялась в потоке.

Мне стало грустно: ну зачем я полезла к незнакомке? С какой стати решила помочь той, кого абсолютно не знаю? Ведь сколько раз давала себе обещание: все, больше никогда не буду проявлять сочувствие, если человек не попросит принять участие в его судьбе! Постоянно ведь попадаю в глупейшие ситуации.

Не так давно меня пригласили на день рождения одного пафосного глянцевого журнала. Я не любительница ходить по вечеринкам, но тусовку организовала моя близкая знакомая Олеся Федорчук, пришлось пойти. Уже в гардеробе кишели знаменитости. Сдав пальто, я собралась пройти в зал и вдруг увидела перед собой хрупкую девушку в элегантном черном платье. Фигуре юной особы могла бы позавидовать любая из присутствующих дам, объем талии у незнакомки составлял явно менее пятидесяти сантиметров. Но вот с ее нарядом случилась беда, длинная «молния» на спине разошлась, замок съехал до красивого изгиба поясницы, была видна часть кружевного лифчика, явно произведенного одной из самых дорогих фирм.

Не колеблясь ни минуты, я кинулась к девушке и тронула ее за плечо. Незнакомка обернулась. Я не ошиблась, гостья была очень красива: большие, выразительные глаза, чувственный рот, фарфоровая кожа. И я сразу ее узнала, эта была известная актриса Алиса Гребенкина, дочь культового рок-певца, кумира миллионов.

— Простите, — шепнула я, — у вас «молния» разошлась.

— Ой, — округлила свои огромные глаза девушка.

— Не волнуйтесь, сейчас застегну, — успокоила я Гребенкину, одновременно пытаясь поднять замок «молнии».

Увы, мои усилия не увенчались успехом. Неожиданно Алиса сказала:

— Все в порядке. У платья такой фасон, с глубоким вырезом на спине.

Я чуть не провалилась сквозь землю от смущения.

— Простите! Очень глупо получилось!

У Гребенкиной, несмотря на ее бешеную популярность и звездность, оказался милый характер и отличное воспитание. Алиса засмеялась:

— Ерунда! Даже приятно, что вы решили мне помочь.

Помахав мне изящной рукой, актриса исчезла

в зале, а я осталась переживать по поводу своей глупости. Слава богу, что Гребенкина такая приветливая, другая звезда могла бы дать мне по лбу клатчем из кожи питона и заорать:

— Не суйся не в свое дело!

И вместо того, чтобы усвоить полученный урок и больше никогда не лезть с желанием помочь к незнакомым людям, сегодня я снова совершила бестактность.

От самобичевания меня отвлек звонок телефона.

— Дарья, — не здороваясь, заговорила Лида Горелик, — ты небось в курсе, где Верка хранит запасные ключи?

— Да, — коротко ответила я, — а в чем дело?

— Так я и думала, что ты все знаешь, — не сдержала язвительности Горелик, — Андрей потерял свою связку. Попросил найти другую, а я роюсь, где он велел, и ничего не нахожу.

— Где ищешь? — уточнила я.

— В столе, у него в кабинете.

— Надо в секретер заглянуть, Савельев его тоже столом называет, — пояснила я.

— Сейчас, погоди... — засопела Лида. — Не открывается!

— Поверни колечко.

— Какое?

— Слева висит.

— Не вижу, — заныла Горелик.

— Ладно, приеду через полчаса, — вздохнула я, — в принципе я недалеко нахожусь.

Лида встретила меня весьма нелюбезно.

— Могла бы поторопиться! — рявкнула она, — Андрей на улице стоит.

— А почему он домой не идет? — удивилась я, открыв секретер. — Ты здесь, уж открыла бы хозяину дверь.

— Так он ключи от машины посеял, не от жилья, — пояснила уже чуть приветливее Лида.

— А-а-а. Я подумала...

— Ты не думай, а шевели клешнями, — снова схамила Горелик. — Вот они, ключики! Не могла нормально объяснить, как открыть секретер. Черепаха, блин! Пошевеливайся, я тороплюсь. Андрей ждет. Запирай живо стол и марш на выход!

Последнее заявление Лида сделала, уже выходя из кабинета Савельева. Я, обозлившись на хамку, слишком сильно хлопнула крышкой секретера. Послышался тихий скрип, сбоку откинулась декоративная накладка, обнажилось тайное отделение, о существовании которого я и не предполагала. Впрочем, думаю, Вера тоже не знала о секретном отсеке, иначе бы непременно показала его мне. Испытывая неуместное любопытство, я наклонилась, увидела небольшую коробочку, вытащила ее и открыла.

Внутри лежало кольцо с большим бриллиантом, окруженным более мелкими темными камнями. Я сразу узнала украшение — именно оно красовалось на пальчике Ани Родионовой в тот день, когда любящий дедушка Ким Ефимович Бусыгин сделал памятный снимок внучки.

Глава 32

Можете смеяться надо мной сколько угодно, но я люблю чертить схемы: когда смотришь на кружочки и стрелочки, рано или поздно приходит ясность мысли. Я просидела за столом в своей комнате не один час, потом позвонила в наш французский дом и тут же начала злиться: ну неужели нельзя сразу взять трубку? Наконец до слуха донеслось шуршание и голос Ирки:

— Чертовы французы, офигели совсем! Бонжур... э... ву... парлэ... э... ё-моё... как же это по-ихнему...

— Можешь не стараться, — остановила я «полиглотку», — свои на проводе.

Ира отреагировала неадекватно:

— Матерь Божья, случилось чего?

Меня охватило искреннее возмущение:

— Я не могу позвонить в родное гнездо? Почему сразу паника? Позови Дегтярева! Он на месте или ушел?

— В спальне, — обиженно ответила Ирка.

— Так переведи на него звонок, — потребовала я. — Напоминаю, как пользоваться внутренней линией: сначала нажимаешь на трубке кнопку «интерком», а затем цифру два.

— Сумасшедший дом... — вздохнула домработница, — коттедж полоумного кролика.

Я не стала реагировать на Иркины замечания и стала слушать длинные гудки, один, третий, пятый, девятый, пятнадцатый...

— М-м-м, — наконец простонал полковник, — м-м-м.

— Привет, — бойко заговорила я, — срочно нужна твоя помощь!

Александр Михайлович закряхтел:

— Это кто?

— Ты пьян? — поразилась я. — Не узнал меня?

— Кого? — протянул Дегтярев. — Эй! Силь ву пле! Антвортен![1]

— Очевидно, мне, как преподавателю французского языка, следует застрелиться, — вздохнула я. — Ты мое педагогическое Ватерлоо[2], полная победа русского мента над иностранной грамматикой и лексикой. Странно, однако, с остальными моими учениками такого эффекта не наблюдалось, большинство студиозусов могло поддержать беседы на темы «Моя комната», «Москва — город-герой» и даже весьма бойко сообщить кое-какую информацию о себе.

— Дарья, ты? — осенило Дегтярева.

— И снова здравствуй, — хихикнула я, — почему так странно себя ведешь?

— Я спал, — признался полковник.

— Этак ты всю жизнь продрыхнешь, — укорила я приятеля, — ладно, мне очень нужна твоя помощь. Слушай, не перебивай!

— Ну за что мне это наказание... — не обрадовался полковник.

Забыв про счет, который телефонная компания, потирая от радости руки, пришлет нам в конце месяца, я подробно изложила суть дела.

Полковник засопел и зашуршал бумагами.

— Эй, что ты делаешь? — спросила я.

— Ищу телефон Бориса Григорьева, поедешь к нему, — пояснил Дегтярев. — Черт, листок выпал.

---

[1] Пожалуйста (испорченный французский), отвечайте (испорченный немецкий).

[2] В а т е р л о о — 18 июня 1815 года около этого населенного пункта была разгромлена армия Наполеона I.

— Почему ты не пользуешься книжкой в мобильном? Ведь это удобно же.

— Не говори глупостей, — отрезал Александр Михайлович. — Ни разу не видел человека с примотанным к сотовому блокнотом.

Я с трудом сдержала смех:

— Книжка внутри.

— Где?

— Прямо в аппарате. Неужели не знаешь? Тебе надо как следует изучить телефон, у него много функций, — сообщила я. — Трубка может служить будильником, ежедневником, радио, фотоаппаратом, диктофоном. Для начала научись посылать эсэмэски!

— Мне это неинтересно, — заявил полковник.

— Очень удобно!

— Нет.

— Только попробуй, — не утихала я.

— Зачем?

— Если человечество сделало изобретение, им следует пользоваться!

— Зачем? — бубнил полковник.

— Ты же не ездишь на лошади и не читаешь при свече, — аргументировала я.

— А ПМС пользоваться не желаю! — рявкнул приятель.

— СМС, — поправила я отставшего от прогресса полковника, — ПМС совсем другая вещь, она тебе точно ни к чему. Впрочем, с тобой неприятность никогда и не случится. Ну нельзя демонстрировать такую пещерную необразованность!

— Человечество давно изобрело часы, — гневно перебил меня Александр Михайлович, — почему ты не желаешь смотреть на циферблат?

— Я? Да у меня перед носом сейчас висят ходики! — удивилась я странному замечанию.

— Ну и глянь, сколько они показывают? — поинтересовался полковник.

Я перевела взгляд на стрелки и ойкнула:

— Четыре утра! Я тебя разбудила?

— Да, — ответил не обремененный излишним воспитанием приятель, — выдернула из сна! Всю голову задурила, с какими-то ПМС да с СМС пристала. Записывай номер Бориса. Но не звони ему сейчас, подожди до девяти.

Я обиделась:

— Считаешь меня идиоткой?

— Ага, — не постеснялся согласиться Александр Михайлович.

Не успела я около одиннадцати утра войти в кабинет к Григорьеву, как Борис сразу встал и вполне искренне сказал:

— Наслышан о вас! Садитесь, пожалуйста. Александр Михайлович в отпуске?

— Да, он во Франции, — кивнула я.

Григорьев включил электрочайник, предусмотрительно спрятанный на подоконнике за рулонкой.

— Вот оно что! То-то он мне сегодня в пять утра звякнул, наверное, время перепутал. Слушаю внимательно. Берите кофеек.

Я протянула руку к жестяной банке. Терпеть не могу растворимые напитки, но мне надо подружиться с Борисом.

— Я очень хорошо знаю, что коллеги Александра Михайловича зовут меня постоянно действующим несчастьем Дегтярева, сокращенно ПДН.

Григорьев не удержал ухмылку, а я продолжала:

— Также я осведомлена о том, что начальник Овсянкина, упрекая подчиненных, произносит замечательную фразу: «Это не нормальный сотрудник, а какая-то Дарья Васильева». С одной стороны, приятно стать частью местных легенд и мифов, с другой — я понимаю: вы считаете меня дурой. Но я не один раз распутывала сложные дела, обладаю интуицией, сообразительностью, умением мыслить логически, способна выловить в потоке пустой болтовни крупинку драгоценной информации.

Борис наполнил чашки кипятком и отбросил вежливое «вы».

— Не обращай внимания на завистников. Народ понимает, как повезло Дегтяреву, он живет за тобой, как за каменной стеной. Далеко не у всех так удачно в семье, вы вместе много лет, ты родила ему двух замечательных детей и постоянно помогаешь супругу.

— Странно, почему никто ни разу не упомянул, что я родила полковнику еще и мопса Хуча? — вздохнула я. — Устала повторять: мы с Александром Михайловичем просто друзья.

— Все, все, хорошо, — закивал Григорьев, — не хотел тебя обидеть. Знаешь, я тоже завидую Дегтяреву. От меня жена удрапала десять лет назад.

— Давай о деле, — остановила я Бориса. — Можно положу на стол схему?

В кабинете у Григорьева я просидела почти

весь рабочий день, налилась до макушки мерзким растворимым кофе, но, несмотря на разного рода сложности, вдвоем мы сумели составить отличный план.

А около пяти часов вечера я позвонила в дверь квартиры на улице Протопопова.

— Кто там? — спросил из-за двери мужчина.

— Дарья Васильева, близкая подруга Веры Савельевой, — громко представилась я.

Послышался противный скрип, дверь открылась, и я увидела довольно высокую худую женщину с коротко остриженными волосами.

— Кто? — с настороженностью повторила она.

— Дарья Васильева, — спокойно ответила я, испытывая огромное желание почесать живот.

— Мы знакомы? — прищурилась хозяйка.

— Только заочно, — улыбнулась я. — Вы Жанна Носова, гражданская жена Анкибу Николаевича Родионова. А я — извините, придется повторить — лучшая подруга Веры Савельевой.

— Ошибка вышла, — басом перебила меня Жанна, — вы перепутали адрес.

— Это вряд ли, — не сдалась я. — Его уточняли по мобильному номеру, тому самому, который вы оставили Яне, медсестре, ухаживающей за Кимом Ефимовичем. Аник не знает, что вы посещаете деда, так?

Носова продолжала щуриться, но молча, я кивнула и понеслась дальше:

— Было большой ошибкой ездить в «Солнечный парк», но вы сострадательный человек, борец за правду и справедливость. Однако не лучше ли нам побеседовать в квартире? Некоторые соседи крайне любопытны. Дверь напротив имеет «глазок», с той стороны сейчас, вероятно, уже наблюдает за нами старушка. Конечно, легко залепить отверстие жвачкой, но, согласитесь, это не очень красивая затея.

Жанна поманила меня рукой и захлопнула дверь.

— Насчет соседки вы угадали. Она у нас такая, что ЦРУ отдыхает. Про остальное не понимаю. Анкибу? Это что? Идите на кухню!

После того как мы устроились за столом, я осторожно поскребла пальцем живот и уставилась на Носову.

— Что смотрите? — занервничала Жанна. — Объясните!

— Аник ошибся, — тихо сказала я, — Вера ни при чем. Вы решили наказать не того человека.

— Бред! — пожала плечами Жанна. — Несете какую-то чушь.

— Почему же тогда вы впустили меня в квартиру? — спросила я. — Отчего не захлопнули перед носом сумасшедшей гостьи дверь? Глупо отпираться от знакомства с Аником, вас опознают и Яна, и администратор «Солнечного парка».

— Ну предположим, мы жили с Аником, — скривилась Жанна. — Это запрещено? Оба давно справили совершеннолетие! Хотели проверить свои чувства, потом разбежались.

— Всякое случается, — кивнула я. — Извините, можно зайти у вас в туалет? Нет сил терпеть.

— Ладно, — согласилась Жанна, — третья дверь по коридору.

Я быстро забежала в санузел, не нашла там

ничего, кроме унитаза, ершика, держателя для туалетной бумаги, спустила воду и ринулась в ванную. На кухню я вернулась, держа руки за спиной. Жанна, внешне спокойная, сидела на прежнем месте.

— Объясните причину, по которой вы сюда заявились! — потребовала она.

— Могу даже показать, — ответила я и положила перед хозяйкой рыжий парик и бороду. — Вот, знакомьтесь, колдун Ким Ефимович, пообещавший Вере Савельевой оживить ее давно погибшего сына Сережу. Очень опасно хранить такие улики в ванной. Хотя вы же не ждали незваных гостей! Жанна, поймите, вы фатально ошиблись. Вера Савельева-Астахова никогда не убивала Анечку Родионову.

Хозяйка уставилась на парик.

— Но... как... он же...

Я села на стул.

— Жанна, вы попали в скверную историю. Я читала вашу биографию и знаю, что за плечами у вас постоянные увольнения с работы. Вы окончили театральное училище, но так и не смогли удержаться ни в одном коллективе. Отчасти виной тому ваш необычный голос. Но основную роль сыграл характер, вы неутомимый борец за правду, обладаете обостренным чувством справедливости. Карьера могла сложиться более удачно, вам предложили роль в телесериале, но режиссер живо «убил» второстепенную героиню. Сейчас вы преподаете в частном центре, ведете театральный кружок.

— Тот режиссер спал с девицей, которая играла главную женскую роль, — не выдержала Жанна. — У мамзели не было ни таланта, ни образования, лишь умение раздвигать ноги. А еще там творился беспредел со счетами. Прикажете молчать о безобразиях?

Я вздернула подбородок.

— Наверное, да. Основная масса людей так и поступает.

— А я не могу! — взвилась Жанна. — И не стану закрывать глаза на неблаговидные поступки! Никогда! Кстати, в том сериале я не за себя боролась, а за Ксению Букову. Очень талантливая актриса. Ее взяли на главную роль, а потом поменяли на мымру, которая ничего не умеет. Разве это справедливо?

— И вы подняли шум, — кивнула я. — Договорились с газетой «Треп», дали интервью, а в результате и вас, и Букову выперли из проекта вон. Наверное, Ксения вас очень благодарила за поддержку?

— Нет, — сердито ответила Жанна, — она со мной теперь не разговаривает. Ей в том сериале предложили другую роль, второго плана, и балда согласилась. Я побежала к Буковой и сказала: «Это невероятное унижение! Немедленно откажись! Сниматься в фильме — позорить себя. Сначала ты первая, а потом «кушать подано» стала?» Но Букова уперлась, заявила: «Ерунда, если хочешь пробиться, надо, сцепив зубы, хвататься за любую возможность». Она глупая, не понимает, что главное — самоуважение. Я ей помогла, дала интервью, объяснила, кто и почему захапал лучшую роль. Благодаря мне Букова сохранила репутацию гордой актрисы, поостерегутся ее в дальнейшем унижать.

— Или вообще не станут приглашать, — не выдержала я. — Вот неблагодарная Ксения! Вы подняли ради нее бучу, можно сказать, насильно лишили ее малозначительной роли, а Букова вместо того, чтобы сказать вам «спасибо», решила со своей защитницей не общаться.

— Мне не нужны изъявления благодарности, — отрезала Жанна, — главное, должна восторжествовать справедливость.

— Вы знаете, что Ира умерла? — резко спросила я.

Носова искренне растерялась.

— Умерла? Нет, почему? Постойте, какая Ира? Не знаю я никакой Ирины!

— Обостренная жажда справедливости и возложение на себя роли мстителя могут превратить человека в преступника. Вы ошиблись! Вера не делала ничего плохого Анечке, а уж Ира и вовсе о ней не знала. Давайте расскажу вам одну историю... вы ее внимательно выслушаете и поправите меня, если я ошибаюсь. Согласны?

Жанна молча кивнула, я откинулась на спинку стула.

— Жил-был на свете генерал Бусыгин, хороший, но авторитарный человек, настоящий вояка. Он и в семье раздавал приказы, как на плацу. Ким Ефимович любил жену, Анну Марковну, и воспитал, как родную, ее дочь от первого брака Нину. Но поговорка говорит: «На каждого охотника найдется свой сотый медведь». Для Кима Ефимовича таким медведем стала внучка Анечка. Дедушка обожал девочку до потери пульса, разрешал ей все, никогда не ругал. Внука Аника он тоже любил и баловал, но Анечка являлась для старого генерала светом в окошке. Наверное, мне не нужно рассказывать, что случилось с девочкой? Вы знаете о ее судьбе во всех подробностях. И пожалуйста, не отрицайте сейчас очевидное.

Жанна растерянно кивнула, а я продолжила:

— Когда Ким Ефимович узнал, что произошло с внучкой, его охватило огромное горе, и он обвинил в смерти Ани ее брата Аника. Напрашивается вопрос: почему? У самого Бусыгина был один ответ: мальчик старше на год и обязан был следить за сестрой, не терять ее в толпе, держать за руку. Мысли о том, что Аник во всем подчинялся Анечке, поскольку заводилой в их паре являлась она, что идея прогулять школу и пойти в кино принадлежала ей, Ким Ефимович даже не допускал. Иногда сильно горюющему человеку необходимо найти виноватого, он будет обвинять его во всех несчастьях, вопреки доводам рассудка. Бусыгин избрал на роль козла отпущения Аника. Да, девочку убил Фурыкин, но вот если бы брат не потерял ее при выходе из кинотеатра... С таким же успехом генерал мог обвинить дирекцию кинозала: не прими она решение продемонстрировать фильм, посмотреть который захотела Анечка, она пошла бы на уроки и трагедии бы не произошло. Еще правильнее было бы взять вину на себя, генерал слишком разбаловал внучку, вот та и не побоялась удрать с занятий. Эту цепочку можно продолжать бесконечно, но Бусыгин направил весь гнев на мальчика. Ведь так?

Жанна шумно вздохнула и решила не прикидываться ничего не знающей.

— Верно. Он превратил жизнь Аника в сплошной кошмар, дня не проходило, чтобы дед не упрекнул внука. Мать с бабушкой подростка не защищали. Они ушли в религию и превратили дом в мавзолей. По всем стенам висели фото Анечки, в гостиной устроили почти алтарь, комната, где жила девочка, стала музеем. Сначала Аник пытался оправдаться, но Анна Марковна и Нина отвечали: «Бог прощал, и мы прощаем». А Ким Ефимович рычал: «Убийца!»

В конце концов Аник поверил, что он виноват. Знаете, где мы с ним познакомились? На групповых занятиях у психотерапевта. Аник был измучен до последней степени. Он всю жизнь пытался добиться у деда прощения, стал в школе отличником, получил золотую медаль, затем красный диплом в институте, завоевал репутацию уникального специалиста, заботился о Киме Ефимовиче, не женился, потому что дед бесился, едва порог их квартиры переступала женщина, но все было зря. Когда мы полюбили друг друга, Аник панически боялся звать меня к себе, генерал хамил гостям внука, мог даже распустить руки.

Жанна подперла шеку кулаком.

— Но Ким Ефимович неожиданно хорошо ко мне отнесся. Не знаю, чем я ему понравилась, но против наших с Аником отношений он не протестовал. Иногда мне казалось, что старик устал ненавидеть, ему хотелось иметь рядом близкого человека, но Анна Марковна и Нина давно умерли, а внука он не мог простить. Мне было очень жаль и Аника и Кима Ефимовича. Боюсь, вы не поймете того, что между ними происходило. Дед на самом деле в глубине души любил внука, но ему, как вы правильно заметили, требовался виноватый. Генерал боялся простить Аника, это в его глазах выглядело бы предательством Анечки. Дед и внук мучили друг друга, и было больно наблюдать за их жизнью...

В конце концов Жанна набралась смелости, сказала Киму Ефимовичу:

— Мы хотим пожениться. Я рожу ребенка, обязательно девочку, назовем ее Анечкой.

Бусыгин ничего не ответил, не продемонстрировал ни одобрения, ни гнева, ушел в свою комнату, заперся там, просидел безвылазно сутки, а затем вышел и бросил на стол толстую папку.

Аник с Жанной удивились и хором спросили:

— Что это?

— Мои соображения по Фурыкину, выводы и аргументы, — ответил Бусыгин. — Не спрашивайте, как я добыл копию дела. Хотя секрета нет, сполна заплатил за нее одному жадному человечку, который переснял для меня бумаги. Я не один год изучал их и могу утверждать: главный преступник остался безнаказанным. Но я его нашел и хочу, чтобы он получил сполна.

— Фурыкина расстреляли, — прошептал Аник.

— Верно, — согласился Ким Ефимович, — и жена его сидела. Вот только у нее срок недавно закончился, Светлана на свободу вышла. Наслаждается теперь солнцем, воздухом, вкусно ест, сладко пьет. Анечка же в могиле. И существует человек, который никак не ответил за убийства.

Внук и Жанна с изумлением слушали старика, а тот говорил без умолку.

Мысль отомстить Светлане Фурыкиной зародилась у генерала в тот момент, когда он отправился на кладбище, чтобы отметить очередную годовщину смерти внучки. Ким Ефимович положил на могилу букет цветов, посмотрел на фотографию и предался грустным размышлениям: прошло много лет, а Анечка так и осталась маленькой. И тут вдруг Бусыгина осенило: на самом деле промчались годы, и одна из убийц, Светлана Фурыкина, вышла на свободу, ее срок закончился.

Глава 33

Генерал вернулся домой с твердым решением отомстить женщине. Если судебная система настолько несовершенна, что выпускает убийц из тюрьмы, то Бусыгин сам займется восстановлением справедливости. Будучи человеком военным, приученным к порядку, Ким Ефимович стал действовать методично.

Сначала он раздобыл копию дела маньяка, состоявшего из большого количества томов. Генерал хотел удостовериться, что следствие ничего не упустило, нашло всех виноватых. И очень скоро Бусыгин стал находить некоторые нестыковки. Во-первых, он выяснил, что Алексей Фурыкин на самом деле был не военным, служившим, как озвучили на суде, на секретном объекте, а сотрудником милиции, и ему стало ясно: люди в синей форме хотели сохранить честь мундира и скрыли правду о месте работы маньяка. Обнаружив столь явную ложь, Ким Ефимович разъярился и начал копаться в документах с утроенным тщанием.

Дед изучал бумаги не один месяц. Его жизнь теперь обрела смысл, Бусыгин даже помолодел, проводя собственное следствие. И он обратил внимание на некоторые нестыковки в протоколах допросов, которые проводил следователь Филиппов. В конце концов Бусыгин понял — Вадим Петрович кое-где подтасовал бумаги, он что-то скрывал. Филиппов на тот момент давно был на кладбище, но жила и здравствовала его вдова — Людмила Николаевна. Ким Ефимович решил порасспрашивать женщину, она могла знать некие подробности. Бусыгин не собирался пугать ее, поэтому узнал, где она работает, и направился в салон «Хоббит-Боббит» с заготовленной историей о покупке компьютера для внука.

Филиппова оказалась первой, кого увидел дед Анечки, Людмила Николаевна сидела у входа. Когда вошел посетитель, она улыбнулась и спросила:

— Что вы хотите?

Ким Ефимович не знал, как выглядит вдова, он лишь прикинул, сколько ей лет, и хотел озвучить секретарю версию о приобретении ноутбука, но тут его взгляд упал на руку дамы — на ее пальце было кольцо Анны Марковны, пропавшее вместе с Анечкой. Оцените самообладание генерала! Он не закричал, не напал на Людмилу, а, бормотнув: «Извините, я ошибся, не туда попал», — выбрался на улицу и привалился к стене дома.

Ким Ефимович испытал огромный стресс, он не смог побеседовать с Филипповой, не было сил на разговор. И старика можно понять. Хоть Бусыгин и имел дома прозвище Лев Горыныч, хоть и обладал железной силой воли и неодолимым упорством, и испытывал яростное желание отомстить за смерть внучки, вид кольца Анны Марковны, сверкавшего на пальце Людмилы Николаевны, выбил генерала из колеи. Видно, даже Лев Горыныч мог испытывать минуты слабости.

Анечка без спроса взяла кольцо бабушки, его

не обнаружили на трупе, оно никак не упоминалось в деле, не было найдено после ареста Фурыкина, испарилось без следа и появилось спустя много лет на руке жены следователя. О чем бы вы подумали, услыхав вышеперечисленные факты? Бусыгин сообразил: ювелирное изделие послужило взяткой. Но что должен был сделать Филиппов? За какую услугу он получил бриллиант? Фурыкина расстреляли, а Светлана, жена и помощница маньяка, получила предельный для женщины срок, никаких послаблений преступникам не сделали. Ким Ефимович и так и эдак крутил в голове разные версии, и вдруг до него дошло: у Светланы была дочь! Не ее ли спасала мать?

Бусыгин бросился заново изучать дело, и чем дольше он его листал, тем яснее понимал: Алексею помогала не Светлана, а Алена. Мать взяла на себя вину дочери, спасла ее, пошла вместо девочки под суд, вот почему Фурыкина пожертвовала перстнем.

Жанна замолчала, я потерла живот и спросила:

— Не хотите ничего добавить? Рассказывать, как обстояло дело дальше? Хорошо. Ким Ефимович узнал, где живет Фурыкина, понял, что не сможет сам встретиться со Светланой. Не нашлось у генерала ни моральных, ни физических сил на свидание. И он послал к бывшей зэчке внука. А та спела ему песню про девочку, которая, едва достигнув десятилетия, командовала отцом и матерью. Вот тут возникает вопрос. Ну ладно Бусыгин, он хотел поверить, что не все наказаны и ему предстоит восстановить справедливость. Но почему Аник не распознал ложь?

Носова вскинула голову.

— Так это правда! Девчонка заманивала школьниц в укромные места, где их поджидал маньяк.

— Нет, не так! — не согласилась я. — И Светлане, и Алексею было наплевать на девочку. Мать родила ребенка невесть от кого в подростковом возрасте и подкинула дочь в деревню своей бабке. Там Алена, почти всегда голодная, провела первые годы жизни. Когда бабушка умерла, Светлана, уже вышедшая замуж и ставшая Фурыкиной, была вынуждена малышку забрать. Внешне семья казалась благополучной, но на самом деле муж и жена вместе совершали преступления. Они были очень осторожны. Светлана, тщедушная, щуплая, невысокого роста, легко сходила за подростка. Именно она налаживала контакт с детьми. А когда Фурыкина арестовали, парочка задумала свалить ответственность на Алену, девочке едва исполнилось десять, ей не грозил тюремный срок. Думаю, Светлана как следует обработала дочь, велела ей признаться в несовершенных преступлениях, а потом, схватив кольцо, помчалась к жене Филиппова. Мне вдова следователя поведала душераздирающую историю о том, как мать решила спасти ребенка, взять вину на себя, и за помощь Вадима Петровича в этой миссии вручила ей перстень, а Филиппов, ради девочки, преступил закон. Рыдать хочется, ознакомившись с этим рассказом, — материнская жертвенность соединилась с благородством Филиппова! Да только я побеседовала с милейшей Светланой Михайловной и сообразила — все неправда. Вообще, занимаясь этой историей, я услышала такое количество лжи, что чуть не утонула в ней. Врали почти все, с кем я общалась. Должна вас, Жанна, разочаровать, сегодня днем пару часов назад Людмила Николаевна Филиппова призналась следователю Борису Григорьеву, что она меня обманула. Светлана к ней не приходила, кольцо принес ей муж. Филиппов пообещал Фурыкиной жизнь, взятку он получил за сокрытие некоторых фактов. А Светлана сама просила следователя свалить вину на Алену. Вадим Петрович и раньше брал взятки, но, хоть и имел рыльце в пуху, помогать топить девочку Фурыкиной не стал. Наоборот, он сделал все, чтобы Алена получила новые документы и навсегда забыла о своей связи с маньяком и негодяйкой-матерью. Даже нечистого на руку следователя возмутил план Светланы Фурыкиной! Но кольцо он оставил себе.

— Я вам не верю, — дрогнувшим голосом перебила меня Жанна. — Мы восстанавливали справедливость. У Аника, когда он узнал правду, прямо в кафе припадок случился. А Кима Ефимовича, услышавшего новость, через день разбил инсульт. Вы не сможете понять, что мы пережили, на что пошли... Вот и строить свою семью не могли. Аник поклялся деду, что жестоко отомстит Алене. Он очень хотел...

— Чтобы дедушка наконец-то его простил, — я закончила фразу за Жанну. — И разработал план. Сначала он установил, что Алену воспитывала тетка, а у той была собственная дочь, одного возраста с племянницей. Ну да, у Светланы Фурыкиной была совершенно нормальная работящая старшая сестра Галина, она-то и заменила десятилетке мать. Так Алена превратилась в Веру Федорову. Потом она стала Астаховой и наконец Савельевой. Аник порылся в биографии женщины и узнал про смерть ее сына Сережи. Скажите, вы помогали ему при создании сценария или просто играли роль экстрасенса?

Жанна заколебалась, но ответила честно:

— Я знала все до мельчайших подробностей!

— Но история написана не вашей рукой, — предположила я. — Как же Анику удалось осуществить задуманное?

Носова тихо забубнила:

— Вера проявляла интерес ко всяким паранормальным явлениям, она выписывала на эту тему разные издания. У Аника много клиентов, они всегда готовы ему помочь. Одна его пациентка работает на телевидении, и она, естественно, не зная никаких подробностей, позвонила Вере, сказала, что та, как постоянная подписчица, выиграла билет на запись шоу «По ту сторону». Савельева очень обрадовалась. Та же администратор выписала мне пропуск на имя Кима Ефимовича. Я хорошая актриса, да еще учтите мой специфический голос. Справиться с ролью колдуна мне не составило труда. Вера сразу поверила в возможность возвращения мальчика. Удивительная глупость!

— Да уж, — прошептала я. — Мне надо было как следует потрясти свою подругу Киру, режиссера по гостям. Может, она бы все же вспомнила, кто подсунул ей на подпись заявку на пропуск. И как предполагалось завершить дело?

Жанна откашлялась.

— Аник хотел, чтобы Вера привязалась к малышу. А заодно решил с ее помощью наказать жену следователя-взяточника. Савельева должна была под благовидным предлогом посетить Людмилу Николаевну и забрать у нее кольцо. Я внушила Вере, что драгоценность нужна для совершения обряда. Аник надеялся, что Вера его узнает, ведь украшение было на пальце Анечки, когда ту убивали. Представляете ее шок? Без кольца не вернуть Сережу, но оно принадлежало мертвой девочке. Вера должна была перепугаться до полусмерти, но не выполнить задание она не смеет, ведь иначе ее Сережа не воскреснет. И Людмиле тоже предстояло от страха затрястись.

— У вас почти получилось, — констатировала я. — Филиппова сбежала из офиса, а Вера кинулась за ней и получила необходимый атрибут. Савельева не струсила. Вы не подумали тогда, что Аник ошибся? Та, кого вы считали убийцей, не узнала колечко.

— Нет, — недовольно заметила Жанна. — Вера пришла на встречу со мной радостная, отдала кольцо. Я ее спросила: «Правда, красивый перстень?» А она, не моргнув глазом, ответила: «Я не увлекаюсь ювелиркой, не понимаю, почему люди приходят в восторг при виде камней и золота».

Она элементарно забыла про украшение, тут Аник просчитался. Но остальное прошло как по маслу! Прямо замечательно!

— Вы считаете замечательной смертьИришки? — взорвалась я. — Господи, Ким Ефимович помешался от горя, потеряв обожаемую внучку, сделал психически больным Аника. Но вы-то вроде нормальная! Как могли вы согласиться на участие в подобной затее? Обещать матери воскрешение сына! Это же... просто слов нет!

— Я за справедливость, — попыталась оправдаться Жанна, — все должно быть честно, правильно! Вера убила Аню. Мы ей отомстили, показали мальчика, но не отдали его. Пусть теперь мучается. Око за око! Правда, сейчас, послушав вас, я начала сомневаться. Вдруг вы правы насчет Светланы? Как-то мне не по себе стало!

Я нашла в себе силы продолжить допрос:

— Где вы взяли ребенка?

Носова поежилась.

— Бывших пациентов Аника можно обнаружить повсюду, он замечательный врач. Мальчика предоставила директор детдома, одна из вылеченных им больных. Его, кстати, на самом деле зовут Сережей.

— Какая же ты сволочь! — снова слетела я с катушек. — Изображаешь из себя борца за справедливость, ходячую Фемиду... А про ребенка ты подумала? Он называл Веру мамой! И каково теперь Сереже в приюте?

— Не знаю, — прошептала Жанна, — мне такая мысль в голову не приходила. Ну... маленькие дети... не переживают... не соображают... ему пять лет всего...

— Ошибаешься! — прошипела я. — Вы нанесли малышу травму. А убитая Ира? Она в чем виновата?

— Никого мы не убивали! — испугалась Жанна. — Это ложь!

Я открыла сумочку, вынула документы и положила их на стол.

— Читай, здесь копия акта вскрытия. Обрати внимание на имя, фамилию, адрес. А я, пока ты изучаешь материал, расскажу то, о чем Аник не сообщил своей ретивой помощнице. Желание заслужить прощение и любовь деда толкнуло внука на преступление. Он хотел наказать Веру как можно более жестоко, поэтому и велел тебе под видом экстрасенса внушить Савельевой: мальчик вернется лишь в случае обмена. Кто-то умрет, а он станет живым. Так?

Носова кивнула:

— Да. Вера спросила: «Кто погибнет?» А я ответила: «Не знаю. Человек». Аник полагал, что Савельева будет мучиться, окажется перед дилеммой: возвращать или нет сына? Соглашаться ли на смерть другого лица? Получается вроде как убийство.

Я сжала кулаки. Бедная Верочка! Вот что она имела в виду, говоря: «Если бы ты знала, на что я решилась». Моя подруга ощущала себя убийцей невинного человека.

— Аник хотел показать Вере, как бывает тяжело, — причитала Жанна.

— Он тебе просто лапшу на уши повесил, — не сумела я удержаться от грубости, — на самом же деле решил лишить жизни Иру.

— Ой! — вздрогнула Жанна.

— Странная реакция, — скривилась я. — По твоей логике все нормально: око за око.

— Нет, — затрясла головой Носова, — Аник лишь хотел проучить Веру, доставить ей страдания.

— Вот и избрал самый лучший способ: внушил Вере мысль об обмене и убил Иру, — жестко добавила я.

— Как? — прошептала Жанна. — Я не знаю... Вы врете! Не хочу больше слушать, уходите!

— Даже не сдвинусь с места, — отрезала я. — И буду говорить, пока ты не сообразишь, Аник тебя использовал. Его планы были другими, ты знала лишь часть задуманного. Внук Бусыгина начал обрабатывать Иру, связался с девочкой через Интернет и сообщил ей: «Твоя мама давно имеет любовника и родила от него сына. Не веришь, загляни в файл, там есть фото малыша». Конечно, девочка бросилась искать компромат.

Вся ситуация с Иришкой была мне абсолютно ясна, и я стала выкладывать ее Жанне.

Ира подросток, у нее накалены отношения с родителями, да еще девочка злилась на Веру, которая пыталась тотально контролировать дочь. Совершенно случайно подстрекатель выбрал очень благоприятный момент. Ирина влюбилась в Костю, инструктора по фитнесу, хотела убежать с ним, отчаянно завидовала своим подругам Асе и Карине, которые вступили в интимные отношения со своими мальчиками. И на этом фоне появляется сообщение о невесть откуда взявшемся брате. Ирина не задает себе очевидный вопрос: зачем мама прячет ребенка, кто ей мешал привести мальчика домой? Браку с Савельевым около двух лет, а малышу, похоже, пять. Но Ирочка безоговорочно верит «информатору». Она находит изображение счастливой Веры с ребенком на руках и начинает делать глупости. Пытается шантажировать Асю и Карину, требует от девочек несуразно большую сумму в двести тысяч долларов. Потом задумывает свое похищение, пытается использовать меня. Фитнес-инструктор, сообразив, что Ира может навлечь на него беду, быстро уходит с работы и заметает все следы. Ирина в отчаянии, жизнь кажется ей ужасной, любимый бросил, мама ее обманывает, не любит, родители не дают никакой свободы! И тут с ней на связь в очередной раз выходит таинственный Немо и предлагает:

— Хочешь получить неопровержимые доказательства существования своего брата и измены твоей матери мужу? Сделай так, чтобы во время свадьбы, на которую вы отправитесь, остаться одной. Лучше всего притворись пьяной до такой степени, что не можешь передвигаться, тогда тебе снимут номер в гостинице. Я принесу туда документы, и мать будет вынуждена ради сохранения тайны исполнять все твои приказы.

Ирина в восторге, ей не приходит в голову спросить, кто такой Немо, по какой причине он решил ей помочь. Она на моих глазах глотает два коктейля и ловко изображает сильное опьянение.

Когда Ира осталась одна, она дождалась звонка Немо. Очевидно, он сам связался с ней, среди входящих звонков на телефон девочки последним в тот день был вызов с засекреченного номера. Но никто не обратил на этот факт внимания, сейчас многие люди скрывают свои координаты. Ира умирает от инсульта, а на телефон Веры приходит сообщение из фирмы «Привет от друга». Аник хотел, чтобы Вера точно знала: ее наказывают за смерть Анечки Родионовой и Вали Палкиной.

Завершив рассказ, я задала следующий интересовавший меня вопрос:

— Кстати, почему здесь еще примешана и дочь Олимпиады Борисовны?

Жанна вскочила.

— Аник честный и справедливый. Он хотел помочь и остальным родственникам. Мы взяли список жертв и начали разыскивать людей. Прошло много лет, одни умерли, другие уехали. В Москве осталась лишь Олимпиада Борисовна, она страдала в той же мере, что и Ким Ефимович.

— И согласилась помочь, — предположила я. — Вы ей частично открыли свой план?

— Нет, — призналась Жанна. — Но нам нужна была квартира... ну вроде там экстрасенс живет... нормальная, уютная, а не съемная халабуда. Вера не должна была ничего заподозрить. Я спросила у Олимпиады Борисовны, нет ли у нее возможности найти такую жилплощадь, и она сказала, что скоро соседка надолго уедет на Украину, можно воспользоваться ее «трешкой». Олимпиада Борисовна была больна, но она умерла счастливой, знала...

— Вы ее тоже обманули, — перебив, сказала я. — Прикинулись колдуном и внушили, что Валечкина душа мучается, просит мести.

— Мы хотели наказать Веру по справедливости, — пролепетала Жанна, — когда караешь убийцу, все средства хороши!

— Даже женитьба на объекте мести? — тихо спросила я.

— Вы знаете? — отшатнулась Носова. — Вы знаете?!

— То, что Анкибу Николаевич Родионов и Андрей Николаевич Савельев, муж Веры, один и тот же человек? — задала я вопрос. И тут же на него ответила: — Да, сей факт мне известен.

Глава 34

Жанна застыла в напряженной позе. Наверное, так выглядела жена Лота, когда, нарушив приказ, обернулась, чтобы в последний раз посмотреть на родной город.

Я решила не затягивать паузу:

— Могу объяснить ход своих мыслей. До недавнего времени я, как и все вокруг, считала Андрея идеальным мужем. Он женился на Верочке после очень короткого романа, сразу усыновил Иру, стал звать ее дочерью, осыпал подарками и жену, и подростка, демонстрировал невероятное терпение при общении с, честно говоря, излишне избалованной девочкой. Просто рахат-лукум, а не спутник жизни, мало найдется на земном шаре мужчин, которые так себя ведут. Представители сильного пола и к собственным отпрыскам подчас не испытывают теплых чувств, а здесь бескрайняя любовь к дочери жены. Но вначале ничто не вызывало моих подозрений. Когда я начала искать Анкибу Николаевича, то была искренне удивлена: куда подевался врач? До недавнего времени он, несмотря на весьма тяжелые отношения с дедом, жил вместе с ним в одной квартире. А потом неожиданно поместил старика в «Солнечный парк». Почему он так поступил? Ну, предположим, на этот вопрос есть вполне разумный ответ: Ким Ефимович превратился в неспособного обслуживать себя человека, и внук решил отправить генерала в место, где за ним будет постоянный медицинский контроль и уход. Аник пошел на большой расход, содержание больного сильно бьет по кошельку даже хорошо зарабатывающего человека. Ладно, Анкибу Николаевич хотел предоставить дедушке лучшие условия. Но почему он не навещал старика? Правда, странно? И, насколько я знаю, внук запретил появляться в «Солнечном парке» и тебе! Вот только ты успела привязаться к Бусыгину, считала его своим свекром и потому нарушила приказ Аника. Ведь так?

Жанна сказала:

— Разве можно бросать инвалида на попечение пусть очень хорошего, но постороннего человека? И мне кажется, что врачи ошибаются, считают инсультников выжившими из ума, ничего не соображающими. Поверьте, это не так! Ким Ефимович просто потерял способность членораздельно говорить, но он меня узнавал, радовался мне, брал за руку, тосковал в чужом месте. Было бы несправедливо лишать старика общения.

Я пристально посмотрела на Носову, похоже, она видит мир исключительно в черно-белых красках, живет в простой системе координат: справедливо — несправедливо, правда — ложь. И готова бороться за свои убеждения до последней капли крови.

— Но вот Аник не хотел, чтобы кто-нибудь видел там его или тебя. И снова вопрос: почему? Может, чтобы скрыть свое родство с Бусыгиным? Но ведь прежде ему такое не приходило в голову. Следующая странность: квартира генерала заперта, ею никто не пользуется. Где живет Аник? Он снимает апартаменты? Бог мой, зачем?

Высказав свои вопросы, я снова поглядела на Жанну.

— Следишь за ходом моих мыслей?

Та кивнула.

— Молодец, — одобрила я. — Мне пришло в голову сравнить некоторые даты. Андрей Савельев женился на Вере, и это событие совпало по времени с исчезновением Аника. Ну а потом я зацепилась за одну деталь. Все, кто хоть раз пользовался роумингом, знают, что соединение происходит с помощью зарубежного оператора. Поэтому, звоня своим в Париж, я порой слышу автомат, вещающий на французском; если разыскиваю в Америке подругу, могу наткнуться на английскую тираду; в Германии, естественно, говорят на немецком языке. Но почему же, позвонив в день смерти Иры Андрею Савельеву на Кипр, я услышала хорошо знакомое объявление на русском: «Абонент временно недоступен»?

Значит, Андрей находился в России? Но Вера была абсолютно уверена — муж за границей. Да и сам Савельев упомянул позже про тяжелый перелет в Москву. Андрей врал? Зачем? И самое главное. Абсолютно случайно в секретере Андрея я нашла то самое кольцо, которое с пальчика мертвой Ани попало в руки Светланы Фурыкиной, а потом очутилось у жены следователя. Позже перстень у Филипповой отняла моя бедная, одураченная подруга Вера и отдала его «колдуну» для проведения обряда. Ну и как вещь вернулась в семью Савельева? Да еще оказалась в его потайном ящичке? Андрей-то с какого бока в этой истории?

Вопрос был риторическим. Жанна молчала. И я продолжила:

— Потом было совсем просто. Мои приятели из МВД проверили Андрея Николаевича Савельева и выяснили — мужчина с таким именем и данными не существовал ранее, появился уже взрослым, около двух лет назад. Приобрести паспорт нетрудно. Кстати, своим пациентам Анкибу Николаевич всегда представлялся Андреем Николаевичем — ему не нравилось собственное имя, оно вызывает вопросы, улыбки. Был еще один прокол. Общероссийский паспорт внук генерала купил, а вот с заграндокументом дело обстояло сложнее. Савельев решил не рисковать, и если клиент приглашал его за пределы России, массажист выезжал, пользуясь подлинным удостоверением на фамилию Родионов. Да, кстати, не помню, я говорила, что Аник гениальный массажист? И Андрей Николаевич Савельев тоже. Достаточно будет показать мужа Веры кому-нибудь из больных, и кроссворд решится.

Когда стало ясно, что Анкибу и Андрей — один человек, я поняла, кто взял на время паспорт Кима Ефимовича. Это была не ты. Анкибу не знал про твои посещения, он сам два раза приезжал в пансион, причем на одной неделе, и приказал сиделке Яне навсегда забыть о его визитах, пригрозил в случае неповиновения выгнать медсестру вон, не заплатив той ни копейки. А девушке очень нужны деньги, вот она и прикусила язык, рассказала мне об Ане и раз десять повторила: «Внук здесь никогда не показывается».

Мне бы тогда сообразить: если человек так упорно твердит одно и то же, может, он врет? Но я не отреагировала на поведение Яны. Правда, я наконец нашла ответ на вопрос, зачем Немо убил

Иру в гостинице. Не побоялся ведь прийти в отель! Анкибу-Андрей великолепно знал, что девочку везде сопровождает либо охрана, либо мать. День свадьбы Ники Пестовой был объявлен четыре месяца назад, и тогда же сообщили название ресторана, в котором произойдет торжество. Понятно, что на бракосочетание охрану не пропустят. А если Ира изобразит пьяную, ее отведут в номер, запрут там и оставят спать. Думаю, «добрый отчим» хорошо загримировался для визита в отель. С одной стороны, страшно убивать человека в гостинице, но с другой — в толпе постояльцев легко затеряться. Зато наконец-то он осуществит свою месть...

Кстати, Жанна, не понимаю одного: как ты могла согласиться на брак Анкибу-Андрея с Верой? Неужели ты не ревновала? Все вокруг считали их отношения идеальными, Андрей так заботился о жене!

Жанна вскочила и, не обращая внимания на опрокинувшийся от резкого движения стул, закричала:

— А никто не знает правды! Андрей вполз к Верке змеей, сумел поссорить ее со всеми подругами. Капал женушке на мозг ядом, бабам тоже кое-что рассказывал, вот дружба и рухнула. Одна ты осталась, потому что очень толстокожая оказалась, плюнь тебе в глаза — все божья роса. Чего только Аник не делал: отговаривал Верку с тобой общаться, на твой день рождения ее не пустил, говорил о твоей зависти, намекал, что ты на него нацелилась, но ничего не получалось. Вера пыталась с тобой ссориться, а ты лишь улыбалась и отвечала: «Солнышко, не нервничай, мы столько лет вместе!» Даже Горелик ему удалось отвадить, а уж с ней-то совсем особая ситуация!

Я тоже поднялась и стала ходить между окном и дверью. Понятно, почему Андрей сначала, увидав меня в своей квартире, нахамил мне, надеялся, что я обижусь и навсегда исчезну. Но потом спохватился. Он задумал пригласить на похороны Иры ее отца, чтобы сделать Вере еще хуже, и позвонил мне, чтобы о нем узнать. Вот только фокус не удался, я не знаю, от кого Вера родила дочь.

— Верно, Лида появилась в жизни Веры раньше меня. Горелик училась с ней в одном классе, а я была подругой первого мужа Верушки. Но с течением времени мы с ней стали более близки, Лида отошла на второй план, тем более что с годами становилась все злее и злее, — сказала я.

Внезапно Жанна рассмеялась.

— Так ты ничего не знаешь?

— О чем? — насторожилась я.

— Лидка не просто дружила с Веркой, она с ней вместе воспитывалась, Горелик — дочь ее тетки, Галины, которая взяла после суда над Фурыкиными Алену на воспитание.

Я растерялась.

— Значит, они двоюродные сестры? Но Лида с Верой никогда не упоминали об этом!

— Не афишировали свою историю.

— Почему?

— У Лидки спроси, — пожала плечами Жанна, — Верка не сразу и мужу рассказала, сообщила лишь тогда, когда он намекнул, что Горелик к нему пристает. Кстати, это правда, Лидка Анику активно на шею вешалась. Верка супругу сказала: «Я очень обязана матери Лиды. Осталась в десять лет без родителей, они погибли, и меня взяла в семью тетя Галя, воспитала, как свою дочь. Ты просто скажи Лиде, что любишь меня и не собираешься мне изменять». В общем, Анику не удалось их сразу рассорить.

— Но потом все же Лида и Вера поругались, — протянула я. — Предполагаю, что муженек не успокоился и довел-таки дело до конца.

Жанна подняла стул, села на него и положила ногу на ногу.

— Да. Аник дознался: в свое время именно Лида развела Юрия Астахова с Верой. Знаешь, из-за чего их брак рухнул?

Я кивнула.

— Никакого секрета тут нет. Верочка попала в идиотскую ситуацию, ей позвонила подруга, предложила купить детские вещи у коробейника. Вера помчалась по указанному адресу, а там ее поджидал голый парень с шампанским. Потом вдруг появился Юра. Астахов не поверил жене, которая отрицала измену, и подал на развод.

— Все устроила Лидка, — объявила Жанна. — Горелик хотела выйти замуж за Юру, клинья потом под него подбивала, но ничего не получилось. Она всю жизнь Верке завидовала! Аник ее быстро раскусил. И когда он Вере правду о той истории с Юрой рассказал, вот тут она не выдержала и поругалась с сестрой.

— Но как внук генерала докопался до истины? — спросила я.

— Какая разница! — фыркнула Жанна. — Главное, это правда. Лидка сначала все отрицала, но потом призналась. А Верка прибежала к мужу и давай рыдать: «Милый! Если бы ты знал, какая тайна есть у меня в прошлом. Но я не могу ее открыть. Сделала в юности страшную глупость! Вот соберусь с духом и расскажу...» Еще бы чуть-чуть, и она призналась бы в убийствах! Оставалось немного дожать суку!

Жанна закашлялась и схватила бутылку воды.

— Некоторые поступки порой имеют совсем иную подоплеку, чем кажется, — прошептала я. — Вроде Андрей так переживал за жену! Он вызвал врача из-за границы, отложил похороны Иры, даже пытался найти ее отца. Все выглядит как забота, но это не так. Андрей не хотел убивать жену, обширный инфаркт не был запланирован, физически уничтожать Веру он не собирался. Это было бы слишком просто, несчастной предстояло жить и мучиться: принять участие в погребении Иры, вспоминать о во второй раз потерянном сыне. Андрей перестарался в своем желании побольнее ударить жену. В больнице, где она очутилась, ей не сообщили о кончине дочери, вот Анкибу и сделал объявление по больничному радио о вскрытии тела Ирины. Но хитрый Аник наделал ошибок. Забыл, например, в шкафу у Зинаиды Семеновны пакет с детской машинкой и шапочкой. Чтобы произвести на Веру сильное впечатление, Аник нашел дома свою старую игрушку и головной убор. Думаю, их сохранила Анна Марковна. Я увидела в альбоме у Бусыгина единственное фото, на котором был запечатлен Аник, он стоял в этой шапчонке и держал в руке самосвальчик. Ким Ефимович не уничтожил снимок, потому что мальчик был на нем вместе с Анечкой. И я теперь знаю, как Горелик узнала о смерти Иры, ей сказал Андрей. Наверное, он планировал новую подлость.

Хотел поставить жену на ноги и изводить ее дальше. И он действительно убил Иру. Но я не понимаю как.

Жанна вцепилась в стол.

— Я ничего не знала про Иру! Клянусь жизнью! Речь шла только о наказании Веры...

— Но теперь ты понимаешь, что Лев Горыныч ошибся? — свистящим шепотом сказала я. — Светлана Фурыкина обманула Аника, привычно подставив свою дочь. Вы издевались над ни в чем не повинной женщиной, которой не повезло родиться у плохой матери, а потом стать падчерицей маньяка. И, знаешь, разрешить любимому мужчине жениться на другой, чтобы он свел ее с ума, помогать ему в этом... это... не могу подобрать слова, как назвать такое. Может, ты сама психически нездорова?

Жанна покачала головой.

— Справедливость должна восторжествовать, — по привычке произнесла она любимую фразу и тут же охнула: — Мне плохо, голова кружится, сейчас упаду в обморок...

— Ребята, позовите сюда врача, — приказала я.

Носова через силу удивилась:

— Ты с кем разговариваешь?

Я приподняла футболку:

— На мне микрофон, поэтому я и чесалась все время, очень противно, когда к коже приклеивают пластик. У подъезда стоит неприметный минивэн, в нем сидят парни, которые не только слышали, но и записали весь наш разговор.

Жанна положила голову на стол и тихо заплакала. В ту же секунду раздался звонок в дверь.

Эпилог

Прошло почти пять месяцев, и я теперь знаю ответы на все вопросы.

Аника арестовали, он не стал запираться, рассказал о своем плане и не испытал ни малейшего раскаяния, когда Борис Григорьев попытался ему разъяснить:

— Вера ни в чем не виновата, она такая же жертва, как и ваша сестра.

— Нет, — уверенно заявил врач, — в семье Фурыкина все преступники. Я готов сидеть в тюрьме до конца жизни, зато отомстил. Дедушка будет доволен. Он уже мною гордится.

Борис лишь махнул рукой. Вряд ли Ким Ефимович понял, что внук завершил начатый им акт возмездия. И уж никто никогда не сможет объяснить Льву Горынычу, что тот фатально ошибался. Бусыгин умер в августе, так и не реабилитировавшись после инсульта.

Аник не стал ничего скрывать от следствия. Он рассказал о том, как убил Иру. Естественно, он не улетал на Кипр, а просто отключил свой мобильный и для связи с девочкой под псевдонимом Немо использовал другой сотовый. Едва я ушла из гостиничного номера, как Аник, незаметно наблюдавший за нами в вестибюле, позвонил Ире. Та сообщила ему, где находится, и открыла дверь.

Думаю, Ира не узнала Андрея — тот был в бейсболке, в темных очках, с черными усами и бородой.

Войдя в номер, Аник, долгие годы изучавший точечный массаж, схватил девочку за руку и нажал на особую точку около локтя. У Иры сначала закружилась голова, ее вырвало, а затем в мозгу несчастной лопнул сосуд. На синяк эксперт Хоменко внимания не обратила. Не следует обвинять ее в некомпетентности, она отличный специалист, но не владеет знаниями по китайской медицине и не знает про точку, которую массажист назвал «врата смерти».

— Точечный массаж — гениальная вещь, — откровенничал он на допросе, — я могу быстро поставить человека на ноги, но могу и убить его. И никто никогда не поймет, отчего тот скончался.

Борис выслушал признание Анкибу Николаевича и поинтересовался:

— На теле Олимпиады Борисовны, матери Валентины Палкиной, около локтя тоже обнаружили синяк округлой формы. Следует ли думать, что кончина пожилой женщины произошла с вашей помощью? Вы и ее убили?

— Не убил, а избавил от страданий, — с достоинством поправил Григорьева внук генерала. — Олимпиаду Борисовну ждало страшное будущее, болезнь Альгеймера — настоящая беда для одинокой старухи. Я врач и великолепно знал, что ждет пенсионерку, поэтому пожалел ее. Лучше уйти без страданий, в относительно трезвом уме, чем мучиться от маразма в социальном интернате. Считаете, я был не прав?

Григорьев не нашелся, что ответить.

Анику дали пожизненный срок. Жанна тоже была осуждена, но у нее все-таки есть шанс до пенсии выйти на свободу. Людмила Николаевна вышла сухой из воды, а Светлане Фурыкиной даже не погрозили пальцем. Она уже отсидела свой срок, а то, что продолжала сваливать ответственность на дочь, не является преступлением. Вера оправилась от инфаркта.

В самом начале декабря где-то около полудня Верочка неожиданно приехала в Ложкино. Я распахнула входную дверь и увидела подругу, которая держала за руку маленького голубоглазого мальчика.

— Что надо сказать, Сереженька? — ласково напомнила Вера ребенку.

— Здласти, — тихо произнес мальчик. И моментально испугался: — Ав-ав!

Я ухватила за шею Банди, который от полноты чувств хотел облизать Сережу, и быстро зачирикала:

— Авва хорошая! Собаки в нашем доме все ласковые, ждут Сережу, чтобы поиграть.

— У нас пока с речью не очень, — пояснила Верочка, выпутывая ребенка из комбинезона, — детдомовские дети почти всегда отстают в развитии, но мы справимся.

Через полчаса Сережа был накормлен фруктами и усажен у телевизора смотреть мультики, а мы с Верой заняли кресла у камина.

— Во-первых, я хочу поблагодарить тебя, Аркадия и Дегтярева за то, что помогли мне с усыновлением ребенка, — торжественно объявила Вера. — После всего случившегося я не могла оставить Сережу в приюте. Настолько к нему привязалась, так искренне считала, что...

Голос Верочки дрогнул, я взяла ее за руку.

— Ты приняла абсолютно верное решение и не должна ни перед кем оправдываться.

— Кое-кто считает, что я пытаюсь заменить Иру Сережей, — прошептала Верочка, — знаю, бродят слухи, что я забыла дочь!

— Никогда не слушай сплетен! — воскликнула я. — И прекрати общение со всеми, кто их распускает или передает тебе гадости.

Вера кивнула.

— Ты права. У меня осталась лишь одна подруга — ты. И, честно говоря, я не испытываю пока большого желания расширять свой круг общения.

— Не форсируй события, — улыбнулась я, — жизнь длинная, у тебя еще появится много верных друзей!

Вера взяла висевший на ручке кресла плед, закуталась в него и сообщила:

— На днях пришло известие, что колледж в городе Спрингс готов принять меня в следующем семестре на вакансию преподавателя русского языка. Двадцатого декабря мы с Сережей вылетаем в США. Спрингс небольшой городок, американское захолустье, и там никто ничего не знает об истории с Андреем Савельевым. Понимаешь меня?

— Конечно, — кивнула я.

— Перед отъездом я хотела сказать тебе...

Я замахала руками.

— Верочка, перестань. Нет необходимости ничего обсуждать.

Подруга освободилась от пледа.

— Мне нужно открыть тебе одну тайну, не хочу, чтобы между нами остались недомолвки. Ты заслужила право знать обо мне все!

— Верочка, что случилось, то случилось, — я попыталась избежать тягостного разговора, — давай жить дальше. Дети за родителей не отвечают.

Вера встала, подошла к камину, зачем-то подняла прозрачную дверцу топки, опустила ее и выпалила:

— Меня зовут не Вера.

Поняв, что беседу не отложить, я ответила:

— Знаю, ты Алена Фурыкина.

— Нет! — отрезала Верочка.

— То есть как это «нет»? — оторопела я. И тут же сделала предположение: — Хочешь еще раз поменять имя? Но будут проблемы, виза в Америку...

Верочка села в кресло.

— Я Лида Горе́лик, дочь Галины, сестры Светланы Фурыкиной. Моего родного отца никак нельзя было назвать образцовым родителем, он пил, гулял и умер, когда мне исполнился год. Мама воспитывала меня одна, но, согласись, лучше иметь в роду пьяницу, чем сексуального маньяка.

Я разинула рот, а Вера продолжала рассказ. Казалось, она отрепетировала речь заранее.

Галина и Светлана мало общались. Младшая сестра казалась благополучной, она удачно вышла замуж за Алексея Фурыкина и постаралась дистанцироваться как можно дальше от старшей, работавшей воспитательницей в детском саду. Материальное положение Галины было почти бедственным, они с дочерью перебивались с хлеба на воду, жили в крохотной, малогабаритной двушке, а Лида донашивала чужие платья. Конечно, дочь Галины слышала, что у нее есть двоюродная сестра Алена, но хоть они и были одного возраста, никогда не встречались, ни о какой дружбе между ними речи не было. И вдруг Галя неожиданно привела в дом хмурую девочку и сказала дочери:

— Это Вера. Ее родители внезапно умерли, теперь мы одна семья.

Лидочка очень удивилась и с детской непосредственностью поинтересовалась:

— А как мы ее прокормим?

Мать укоризненно покачала головой.

— Ай-ай, это очень гадкие слова. Где двое живут, там и третьей место найдется. Вера сирота, ты должна ее жалеть.

Лидочке моментально стало стыдно, и она решила полюбить непонятно откуда взявшуюся сестричку.

С появлением Веры жизнь Горелик неожиданно стала меняться в лучшую сторону. Галина ушла из детского сада, нанялась в домработницы к известному актеру и стала неплохо зарабатывать. В доме появились хорошие продукты, у детей — приличная одежда, на лето все втроем ездили в Крым. Лида наивно полагала, что актер дает маме много денег и помогает ей. Вот, например, путевки в дом отдыха киноартистов организовал.

Когда Лидочке исполнилось четырнадцать, Галина неожиданно приобрела кооперативную трехкомнатную квартиру, и повзрослевшая дочь решила, что кумира миллионов и ее мать связывают узы более крепкие, чем отношения хозяина и служанки. Кое-кто из подростков, сделав подобное открытие, мог устроить истерику, но Лидочка любила маму и обладала покладистым характером. Она подумала, что мама имеет полное право иметь личную жизнь. И Лида только выиграла в сложившейся ситуации, они теперь не нищие.

В общем, Лидочка была вполне счастлива, картину портила лишь Вера. У пригретой из милости сиротки оказался на редкость гадкий характер. В отличие от прилежной отличницы Лиды Вера откровенно игнорировала учебу, в ее дневнике стояли одни двойки, девочка часто прогуливала школу. Она была капризна, грубила Галине, часто ссорилась с Лидой, а в седьмом классе попала на учет в детскую комнату милиции: связалась с парнями, которые вскрывали чужие машины и воровали оттуда всякие мелочи. Сделав очередную гадость, Вера бросалась на шею сначала к Галине, потом к Лиде и жалобно стонала:

— Простите меня! Люблю вас, не знаю, как это получилось! Я ведь без родителей мучаюсь!

Самым удивительным было то, что Галя, строгая по отношению к Лиде, прощала Вере абсолютно все, не наказывала ее, а... жалела. Лиде поведение матери казалось несправедливым, и однажды она высказала ей свое мнение в лицо.

Галина нахмурилась.

— Вера — сирота, не дай бог тебе пережить то, что довелось ей в детстве.

Лида устыдилась и стала уступать Вере во всем. В результате, когда девочки сдали выпускные экзамены, Вера ощущала себя царицей, а Лида — Золушкой.

Вот такая сказка о мачехе наоборот.

Лидочка получила хороший аттестат и поступила в институт, а Вера, которой из жалости поставили тройки, осела дома.

В июле умерла Галина, перед смертью она позвала к себе Лиду и открыла ей тайну. Вера — дочь ее сестры, которая сидит в тюрьме. Девочка поняла, что после осуждения матери попадет в приют, позвонила тетке и попросила взять ее к себе.

— И ты согласилась! — ахнула Лида.

Галя тяжело вздохнула.

— Дослушай меня. Вера знала, что у мамы есть тайник, в котором хранится много денег и кое-какое золото. Милиция при обыске не нашла захоронку, да она и находилась не в доме. Преступница, естественно, молчала о «золотом запасе». Вера предложила мне взять накопленное и за это удочерить ее.

— Вот откуда у нас новая квартира, новые вещи и поездки на море, — оторопела Лида. — А я думала, это актер такой щедрый.

— Все так полагали, — улыбнулась Галина, — да только он жаднее скупого. Я на него за копейки пахала, для того чтобы вопросов не возникало, откуда деньги. И была очень осторожна, расходовала средства постепенно. Доченька, не бросай Веру, помоги ей во всем. Мы много лет хорошо жили на ее деньги, ты обязана Вере!

Дочь возразила:

— Мамочка, но Вера получила то, что хотела. Она живет у нас, ты ее ни разу не обидела, всегда лучший кусочек подсовывала, никогда не ругала.

— Я лежу в хорошей больнице, — напомнила Галя, — не в палате на двенадцать человек, и похоронят меня тоже на средства Веры. Поклянись, что всегда будешь ей помогать, мы растратили чужой капитал.

И Лидочка дала ей клятву, что не оставит сестру.

После похорон Вера спросила:

— Наверное, тетя Галя рассказала тебе про деньги? Они заканчиваются, совсем мало осталось. Я хочу учиться в институте, давай поменяемся документами. Мы похожи, фотографии в паспорте ужасные, никто ни о чем не догадается. Я стану Лидой Горелик, а ты Верой. Через год поступишь в университет и получишь образование. Тетя Галя приказала тебе мне помогать...

Услышав последние слова подруги, я ахнула. Вера снова встала и пошла к камину.

— И ты согласилась! — подскочила я. — Совершила такую глупость!

Верочка (язык не поворачивался назвать ее Лидой) грустно улыбнулась.

— Мне тогда должно было исполниться восемнадцать. Какой ум в такие-то годы? Я рассудила просто: Вере никогда не поступить в вуз, а я дала маме клятву, пообещала не бросать сестру. Я же смогу попасть в университет на следующий год. Ну буду Верой, а не Лидой Горелик, и что?

— А как вам удалось обмануть знакомых? — недоумевала я.

Вера пожала плечами.

— Разменяли трешку на две однушки, перебрались на другой конец Москвы, никогда не общались с бывшими одноклассниками, все наши подруги из института. Все оказалось очень просто.

— Цыганка! — воскликнула я. — Вот почему ты на всю жизнь запомнила встречу с гадалкой!

Верочка зябко поежилась и присела на скамеечку у печи.

— Очень я тогда испугалась. Просто для смеха протянула женщине руку, а та как завела: «Живешь чужой жизнью, верни свою. Вижу несчастье и смерть, но они должны достаться не тебе...» Я прямо окаменела! Слава богу, вы подошли, и предсказательница убежала. Она с меня денег не взяла, и от этого мне только страшнее стало.

Я еще раз уточнила:

— Значит, ты Лида Горелик?

— Да, — кивнула подруга.

— А Лида — Вера? То есть Алена?

— Верно.

— Расторопная девочка, — прошептала я. — В десять лет сумела ловко сориентироваться, купила себе семью за деньги, спрятанные родителями. Интересно, откуда у Фурыкиных богатство?

— Это останется тайной, — так же тихо ответила Вера, — но, думаю, Алексей Фурыкин брал большие взятки.

— И ты не знала про то, что он сексуальный маньяк? — не успокаивалась я.

— Нет, мама ничего о той истории мне не говорила. Она даже не намекнула, что Вера моя двоюродная сестра. А ведь многие отмечали, что мы похожи внешне.

— И шрам! У тебя он есть, а у настоящей Веры нет! — занервничала я.

— У нее на запястье была еле-еле видная отметина. — Подруга слабо улыбнулась. — А мой рубец... На маминых поминках меня сестра случайно хлебным ножом полоснула. Кровищи было! Но к врачу мы не поехали, кое-как сами бинтами замотали. В общем, заросла рана плохо. Сейчас-то я понимаю: Вера уже тогда задумала стать Лидой Горелик, а значит, надо было и мне шрам сделать. Так что не случайно она по моей руке чиркнула.

— Она тебя ненавидела! — закричала я. — Жила с вами, отдала деньги, но завидовала двоюродной сестре, у которой такая замечательная мама. Лида потом развела тебя с Юрой, приставала к Андрею Савельеву. Господи, она и не предполагала, что он брат одной из жертв Алексея Фурыкина. Если бы ты не поменялась с ней документами...

Я прикусила язык.

— Ира была бы жива, — закончила за меня Верочка. — Вот так глупость, совершенная в юности, оборачивается через много лет трагедией.

Я бросилась к подруге:

— Ты не виновата! Первопричина всех бед в Алексее и Светлане Фурыкиных. Наверное, Света, выйдя на свободу, кинулась к тайнику, но ничего там не обнаружила, а имени, под которым жила дочь, не знала. Или она подумала, что на деньги случайно наткнулся посторонний человек. Алена ею в расчет не принималась!

— В Америке я начну жизнь заново, — грустно улыбнулась Вера, — меня там будут считать матерью Сережи, прошлое останется в Москве. Новая страна, новая работа, может быть, новое счастье? Давай завершим этот разговор.

Проводив Веру и Сережу, я вернулась в гостиную и застыла у большого окна, смотревшего на лес. Мы все в юности совершаем глупости, вот только подчас плата за них оказывается слишком высокой. Хорошо, что Вера уезжает, в чужом городе она легче реанимируется, и, возможно, ее и правда там ждет личное счастье.

Говорят, жизнь полосатая. Она похожа на зебру, черные полосы неудачи сменяют белые, когда все просто замечательно. Мне не встречались люди, у которых все всегда было бы плохо или, наоборот, лучезарно прекрасно. Но вот бедной Верочкой досталась особая, клетчатая зебра. Беда и радость в ее жизни были расставлены в шахматном порядке.

Из состояния задумчивости меня вывел резкий телефонный звонок, я схватила трубку и, не успев придать голосу беззаботность, буркнула:

— Слушаю.

— Дашута, это я! — заорал мужчина. — Чего молчишь?

— «Я» бывают разные, — вырвалась у меня цитата.

— Не узнала? Кирилл Ласкин. Как дела? К Новому году готовишься? Меню составила? Что на горячее подавать решила?

— До тридцать первого декабря полно времени, — удивилась я.

— Заранее надо о столе позаботиться, хорошая хозяйка не мчится за час до полуночи в кулинарию, — укорил меня Ласкин. — Ладно, встречай посылку. Я отправил тебе...

— Утку? — В ужасе я отшатнулась от окна, разом вспомнив неснимающиеся штанишки, белую мышь, лихорадку реки Нга, а главное, зануду Фирсова из центра «Князь». — О нет! Только не водоплавающее!

— Я тоже подумал, что утка — это несолидно, — оборвал меня Ласкин. — Получишь поросенка! Его доставит уже знакомая тебе Анна Сергеевна. Поезд из...

Я впала в транс. Кто из великих сказал, что в жизни все повторяется дважды? Неважно, кому принадлежит сия мысль, но она верна, ко мне на всех парах несется на поезде Момылино—Москва поросенок от Ласкина. Почему-то я уверена, что милейшая Анна Сергеевна снова перепутает посылки, и мне придется опять гонять по всей Москве, пытаясь получить подарочек! Неужели я становлюсь похожей на Дегтярева, который часто повторяет:

— Все хорошее в нашей жизни может стать еще лучше, а все ужасное — еще ужаснее.

Кстати, о полковнике! Твердым шагом я вышла из гостиной и поднялась в комнату приятеля с вопросом:

— Хочешь на Новый год поросенка, фаршированного гречкой?

— Кто ж откажется? — обрадовался наивный Дегтярев.

— Вот и отлично, — заявила я. — Записывай номер поезда, который завтра ты должен встретить.

Александр Михайлович покорно схватил ручку. А я в душе злорадствовала. Большинство мужчин полагает, что в девяноста девяти случаях бабы поступают как дуры. Но на сотый раз мы оставляем с носом своих мужей и приятелей.

Донцова Д.

Д 67   Клетчатая зебра : роман / Дарья Донцова. — М. :
Эксмо, 2009. — 384 с. — (Иронический детектив).

Правильно люди говорят: за добрые дела непременно
придется расплачиваться. Вот и Даша Васильева приютила
приятеля, а тот отблагодарил — уткой. Да не какой-нибудь, а...
Но не стоит забегать вперед, потому что пока Даша отыщет
переданную с поездом посылочку, много воды утечет. А сейчас для нее главное — выяснить, кто же так гадко обошелся с
ее подругой Верой и почему, за какие грехи, мстит ей столь
жестоко. Нет, не случайно, не от естественных причин умерла ее дочка! Истоки происходящего следует искать в прошлом и совсем в другом ужасном преступлении. Вот только
при чем тут экстрасенс, обещающий воскресение из мертвых?..

УДК 82-3
ББК 84(2Рос-Рус)6-4

ISBN 978-5-699-35878-6   © ООО «Издательство «Эксмо», 2009

Оформление серии *В. Щербакова*

Литературно-художественное издание

ИРОНИЧЕСКИЙ ДЕТЕКТИВ

Дарья Донцова

КЛЕТЧАТАЯ ЗЕБРА

Ответственный редактор *О. Рубис*
Редакторы *И. Шведова, Т. Семенова*
Художественный редактор *В. Щербаков*
Художник *В. Остапенко*
Технический редактор *Н. Носова*
Компьютерная верстка *А. Щербакова*
Корректор *З. Харитонова*

ООО «Издательство «Эксмо»
127299, Москва, ул. Клары Цеткин, д. 18/5. Тел. 411-68-86, 956-39-21.
Home page: **www.eksmo.ru**   E-mail: **info@eksmo.ru**

Подписано в печать 29.05.2009. Формат 84×108¹/₃₂.
Гарнитура «Таймс». Печать офсетная. Бумага газ. Усл. печ. л. 20,16.
Тираж 250 000 (1-й завод — 110 100) экз. Заказ № 6841

Отпечатано в ОАО «Можайский полиграфический комбинат».
143200, г. Можайск, ул. Мира, 93.

Дарья ДОНЦОВА

*С момента выхода моей автобио-
графии прошло три года.
И я решила поделиться с читате-
лем тем, что случилось со мной
за это время...*

*В год, когда мне исполнится сто лет, я выпущу еще одну книгу,
где расскажу абсолютно все, а пока... Жизнь продолжается, в ней
случается всякое, хорошее и плохое, неизменным остается лишь
мой девиз: "Что бы ни произошло, никогда не сдавайся!"*